Governance Code for Public Interst Corporations

「公益法人 ガバナンス・コード」の解説

公益財団法人 公益法人協会

鈴木 勝治 編著

はじめに

　近時、営利企業のみならず、非営利法人のガバナンスのあり方が問われており、公益法人についてもその例外ではない。

　それは単に不祥事が発生しているからだけではなく、公益法人はそもそも社会的課題に取り組む公益活動団体であり税制上の優遇を得ているため、世間一般からも適正な運営を求められる存在であるからである。

　また、公益法人が持続的に成長するためには、公益認定法第1条にあるように"民間の団体が自発的に行う"ことを求められており、そのガバナンスについても、官からの規制によるものではなく、自立的な取組みが必要と考えられる。

　そのため、（公財）公益法人協会は、公益法人の関係者の支援を得つつ自らの力で公益法人のガバナンス・コードの具体的な検討を行った。

　そのガバナンス・コードの検討にあたっての基本的考え方としては、法人自らの判断により事業の遂行および法人の運営が制度上もとめられていることを受けて、自らを律するガバナンス・コードについても当然のことながら自ら作成・決定するものとした。

　ただ、先行事例を参考とすることも必要と考え、以下のコード類を参照した。

・「Charity Governance Code」（イギリス Charity Governance Code Steering Group）
・「企業行動憲章」（2017年11月8日改訂、一般社団法人日本経済団体連合会）
・「コーポレートガバナンス・コード」（2018年6月1日、株式会社東京証券取引所（金融庁・コーポレートガバナンス・コードの策定に関する有識者会議））

　具体的作業としては、2019年4月より、当協会内の組織である法制委員会（委員長：片山正夫）ならびにコンプライアンス委員会（委員長：田中皓）を検討の場とすることとし、当協会の役員ならびにスタッフがガバナンス・コードの各種調査や海外の文献の翻訳、具体案の検討と策定等を行い、上記両委員会でそれらの検討と議論を行った。また、策定案については、理事会の承認を二度に分けて行い*、最終的に同年9月の理事会で正式決定を行ったものである。

＊2019年6月の理事会（暫定案をパブリックコメントにかけることを決定）
　2019年9月の理事会（最終案の決定）

以上の経過を経て「公益法人ガバナンス・コード」は策定されたものであるが、その特色は以下の点があげられよう。

①　イギリスの「チャリティガバナンス・コード」を参照し、原則を8つに絞るとともに、それぞれの原則について〈考え方〉、〈根拠〉、〈推奨される運営実務〉を記載し、日本の「公益法人ガバナンス・コード」のモデルとしていること

②　自主的なガバナンス・コードであることから、その原則に従う（comply）ことを求めるのではなく、自らが適用（apply）するものとしており、適用しない場合はその説明（explain）することを原則としていること

③　徒に理想を追うことなく、日本の公益法人の実情に配慮しながら、段階的に高度のステージに達することができるように具体的な倫理や行動の基準を示していること

　本書はこの「公益法人ガバナンス・コード」とその周辺事項の解説であるが、検討および策定過程において中心的役割を果たした鈴木副理事長が執筆しましたが、その過程でご協力いただいた法制とコンプライアンス両委員会の委員長ならびに委員の方々、さらには当協会の役職員の献身的な支援がなければ短期間のうちに完成を見なかったと思われます。その意味ではこれらの人々との合作によるものであり、関係した皆様に心から感謝申し上げます。

　本書をもとにして、公益法人の皆様方におかれては、特に次のことを期待しております。

①　個々に自らのガバナンスの状況を把握し、その改善や向上をはかること

②　その結果、全体として公益法人の社会的存在意義や認識が高まり世間からの支援もますます増加すること

③　これらにより、日本ならびに世界の「公益の増進及び活力ある社会」（公益認定法第1条）が実現すること

2020（令和2）年3月

公益財団法人　公益法人協会

理事長　**雨宮　孝子**

本書の構成ならびに利用方法について

本書について

　本書は、（公財）公益法人協会が策定した「公益法人ガバナンス・コード」（以下、単に「本ガバナンス・コード」という。）についての解説書である。

　本ガバナンス・コードは、2019（令和元）年９月に（公財）公益法人協会の理事会決定をもって最終的に確定したものであり、日本の公益法人を対象に、そのガバナンスの向上を狙いとして、策定されたものである。

　その全文は、本書の冒頭に掲載しているが、８つの原則がたてられており、それぞれに〈考え方〉、〈根拠〉および〈推奨される運営実務〉が記載されている。

　なお、本ガバナンス・コードの策定の経緯や策定の主体ならびに策定の過程等については、本書の「はじめに」、第３章の１～３、ならびに「おわりに」の１をご覧ください。

　本書は、「第１部「公益法人ガバナンス・コード」の解説」と「第２部　資料編」に分かれているが、それぞれについての概要は以下のとおりである。

1　「第１部「公益法人ガバナンス・コード」の解説」について

（１）　第１章「公益法人のガバナンスをめぐる現状と課題」においては、１で公益法人におけるガバナンスの意味を述べ、その背景のひとつとなっている公益法人における不祥事の例について２で触れている。

（２）　第２章「公益法人のガバナンス・コードとは」においては、１において、そもそもガバナンス・コードの意味は何か、２において、その中でも公益法人におけるガバナンス・コードの意味は何か、３において、海外の非営利団体のガバナンス・コード、なかんずくイギリスのチャリティガバナンス・コードについて詳細を説明するとともに、４において、日本における営利法人も含んだガバナンス・コードについて言及している。

　　　この説明の過程において触れた海外のガバナンス・コードの実例ならびに日本における実例については、第２部の資料編１「ガバナンス・コード関係資料」に収録しているので参照されたい。

（3）　第3章「「公益法人ガバナンス・コード」について」は、1において、本ガバナンス・コード策定の直接的な背景となった事情について、2において、実際の策定におけるその主体、3において、参考としたイギリスのチャリティガバナンス・コードとの差異について言及している。

　　この説明の過程において触れたイギリスのチャリティガバナンス・コードならびに自由民主党の「公益法人等のガバナンス改革検討チームの提言とりまとめ」については、第2部の資料編の1「ガバナンス・コード関係資料」(1)と(6)として収録しているので参照されたい。

（4）　第4章「「公益法人ガバナンス・コード」‐8つの原則と自己点検チェックリスト」は、正に本ガバナンス・コードそのものの解説であり、下記のように工夫を凝らしている。

　　内容を順番にみていくと、1において、本ガバナンス・コードの構成を、2において、〈考え方〉、〈根拠〉および〈推奨される運営実務〉の意味について、3において、自己点検チェックリストの形式を述べている。そして4において、本ガバナンス・コードの8つの原則のそれぞれについて、その〈主旨〉と〈解説〉を自己点検チェックリストの具体例を交えながら説明している。

　　本ガバナンス・コードは、単に望ましい理念だけを掲げたものではなく、具体的な行動を伴わないと意味を持たない実践的なものであることから、自己点検チェックリストを作成し、本章の6「参考資料」に掲載した。原則ごとにこのチェックリストで具体的な実行例を示しながら解説したものである。

　　これにより、自己の公益法人がガバナンスにおいて、どのような状況にあるかが具体的に判明すると思われ、第5章の「「公益法人ガバナンス・コード」の実務」へとつながることが期待される。

（5）　第5章の「「公益法人ガバナンス・コード」の実務」においては、まず1において、本ガバナンス・コードの採用にあたって、ガバナンス・コードは法人自らの判断で採用そのものならびにその項目の選択を行うものであり、本コードはあくまでモデルとして公益法人協会が提供するものであることを確認している。

　　2においては、本ガバナンス・コードは、イギリスのチャリティガバナンス・コードを参考にしていることもあり、法律上役員の概念等が彼我では異なっているが、それらをある意味で捨象していることを説明している。本ガバナンス・コードは、正にガバナンスの観点からのコードであるため、若干の例外はあってもこうした扱いが許されると考えている。

　　3においては、個別の法人のガバナンス・コードの実務について述べており、①自らが自らのガバナンス・コードを作る必要があること、②具体的な行動の一環として、諸規程を整備する必要も生じること、③この①②の行動の前提な

らびにその結果として、それらが実効性をあげているか否かをチェックするために自己点検チェックリストを利用することが便宜であることを述べている。そして④これらを活用して自らのガバナンスの向上に努めていただくとともに、（公財）公益法人協会の役割や利用、さらにはガバナンス・コードそのものの改善・改良の提案をお願いしている。

　なお、４の「参考資料」において、①自らのガバナンス・コードを新たに作成する場合の雛形、②既存の倫理規程を改定する場合の例、③ガバナンス・コードを実践する場合に必要となる諸規程の例示として"モデル規程"と公益法人協会の"実際の規程"（ただしいずれも題目のみ）に分けて表示している。

2　「第２部　資料編」について

（１）　１の「ガバナンス・コード関連資料」においては、下記６つの各種資料を掲載している。これらはいずれも第１部の「「公益法人ガバナンス・コード」の解説」において参照ないしは引用しているものである。②を除きその全文を掲げてあるので、当該箇所のみではなく、その全貌も把握されるとよりガバナンス・コードの理解が深まると思われる。

　　　①　Charity Governance Code for smaller charities（翻訳）
　　　　・〈参考〉チャリティコミッション　ガイダンス「理事の基本」（CC3）
　　　　　セクション２「理事の職務早わかり」
　　　②　Principles for Good Governance and Ethical Practice：A guide for charities and foundations（目次の翻訳）（Independent Sector）
　　　③　企業行動憲章
　　　④　コーポレートガバナンス・コード
　　　⑤　スポーツ団体ガバナンスコード〈中央競技団体向け〉
　　　⑥　公益法人等のガバナンス改革検討チームの提言とりまとめ

（２）　２の「関係法令集」は、まず本ガバナンス・コードの〈根拠〉について、第４章の２において「日本の場合、法令やガイドライン、FAQなどが充実していることから、実質的な根拠を記載することが非常に難しく、したがって、根拠というのは最終的には法令となってしまう」としている。そこで本ガバナンス・コードの〈根拠〉には、法令の名称と条文の番号が記載されているが、この関係法令集では、その条文の全文を掲載している。

　ガバナンス・コードの実践といっても、その前提としては法令の遵守（コンプライアンス）があるわけであり、この関係法令集を活用してその前提を是非確認されたい。

目　次

第2部　資料編

おわりに

凡　例

・法令等略語

　　　　一般法人法　　　　　　　　一般社団法人及び一般財団法人に関する法律（平成
　　　　　　　　　　　　　　　　　18年法律第48号）

　　　　一般法人法施行規則　　　　同法施行規則（平成19年法務省令第28号）

　　　　公益認定法　　　　　　　　公益社団法人及び公益財団法人の認定等に関する法
　　　　　　　　　　　　　　　　　律（平成18年法律第49号）

　　　　公益認定法施行規則　　　　同法施行規則（平成19年内閣府令第68号）

・根拠法令条数等の（　）内表記

　　　例：一般法人法第1条第2項第3号　→　一般法人法1②三

・本文中、「社員総会／評議員会」とあるのは、社団法人の場合は「社員総会」、
　財団法人の場合は「評議員会」が該当する。

公益法人ガバナンス・コード

2019年9月27日
公益財団法人 公益法人協会
公益法人 法制委員会
公益法人 コンプライアンス委員会

〈公益法人ガバナンス・コードについて〉

１．本コードの構成等

（１） 本コードの構成としては、①原則的な事項、②それを原則として選択した根拠、ならびに③それを具体的にするための運営実務の例を記載することとする。記載にあたっては、公益法人は法令やガイドラインに沿って設立・運営されていることが前提であることから、これらを遵守すべきことは一般的に記載するが、個々の遵守事項については法令上の根拠のみをあげ、原則として詳細は言及しない。ただ日本の場合は、法令やガイドラインが詳細に規定されていることもあり、選択した根拠を示すにあたっては、結果的にそれらを示すことが多いことを了解されたい。

（２） また、原則的な事項であっても、個々の法人にとって適当でないものについては、各法人において適用する（apply）必要はないものである。しかし、それを適用しない場合はその理由を説明する（explain）ことが好ましい。

　　 したがって、個々の法人が、自己のガバナンス・コードを作成するにあたっては、たとえば本コードの事項の内容を適用しない場合は、その理由等を説明することとされたい。

（３） さらに具体的な運営実務については、個々の法人の実例を示したものであって、それはその法人が自己にとって適当と考えたものであることから、他の法人にとって不適当ないしは妥当でないものもあり、それをそのまま採用する必要はない。自らに適したものを自らの判断において考慮し、適用することで十分である。

２．原則的な事項

本コードは下記の８つの原則で構成されている。

原則１　公益法人の使命と目的

原則２　誠実性・社会への理解促進

原則３　公益法人の機関の権限（役割）と運営

原則４　公益法人の業務執行

原則５　理事会の有効な運営

原則６　情報公開・説明責任・透明性

原則７　リスク管理・個人情報の保護

原則８　コンプライアンス・公益通報者保護

３．既存の倫理規程（自主行動基準）との関係

当協会のみならず、一部の公益法人においては倫理規程（自主行動基準）を制定済みであるが、これと新しいガバナンス・コードとの関係が問題となりうる。

これについてガバナンス・コードの採択は、基本的には各法人の任意であることから、本コードが既存の規程の趣旨に合致する場合は、①既存の規程をそのまま生かすことも、②既存の規程を廃止して新たなものとすることも、③既存の規程の改正で賄うことも自由であり、それぞれの法人に任されるものと考える。

４．留意事項

本コードでは、次のような前提に基づき策定しているので注意されたい。

（１） 日本の場合、社団法人と財団法人の区別、それに伴う役員の構成の差異（社団法人は理事と監事ならびに会計監査人があるのに対し、財団法人の場合はさらに評議員が加わる）があるので、法人格については単に公益法人とし、役員については理事・監事（会計監査人）を役員等とし、評議員は役員等の扱いとはしていない（必要な場合は評議員として規定する）こと。

（２） 役員等とした場合でも、理事と監事で法律上権限等が異なるときは、それぞれ別の扱いとしていること。

公益法人ガバナンス・コード

原則１　公益法人の使命と目的

〈考え方〉

　公益法人としての使命ならびにその法人の目的が明確に意識されるとともに、その法人の具体的な公益目的事業の遂行と法人自体の運営が、持続的かつ効果的に行われること。

〈根拠〉

１．公益法人の使命は、民間の団体が自発的に行う公益目的事業の実施により、公益の増進および活力ある社会の実現に資することを目的としている（公益認定法１）。

２．公益法人は、公益目的事業を行うのに必要な経理的基礎および技術的能力を有する必要がある（公益認定法５二）。

３．公益法人は、当該事業年度の事業計画書、収支予算書および「資金調達及び設備投資の見込みを記載した書類」を作成し、当該書類をその主たる事務所に、備え置かなければならない（公益認定法21①、同法施行規則27）。

〈推奨される運営実務〉

１．公益法人のすべての役員等は、公益法人制度の趣旨、その法人の公益目的事業および法人の運営について理解し、それにコミットするとともに、外部に対しこれらを明瞭に説明できる。

２．公益法人は、毎年度の事業計画ないしは中期計画により、その法人の目的を実現するための戦略や数値目標、成果目標等を策定し、その実現に邁進するとともに、その目標の定期的な見直しを行うものとする。

３．理事会は、地域、関係者（ステークホルダー）等、社会的環境に対して、社会的責任があることを認識し、自己の法人の使命、目的に従い、必要な資源を確保し、それを使って公益目的事業を遂行する。

原則２　誠実性・社会への理解促進

〈考え方〉

　公益法人の役職員は、一般の人々が公益法人に寄せる信認と信頼が重要であることを常に認識すべきであり、日頃の行動は誠実性をもって実行し、個人の利益となることは行わず、利益相反となる取引については、行うとしても法令ならびに内部規範に則ることが必要である。

　また、公益法人は、法令等に従って情報を公開するのみならず、自らが行っている

公益目的事業について、積極的に一般の人々に対して公開し、社会一般からの理解を得るよう努力するとともに、市民の参加と協力を仰ぎ、市民社会における一員としての位置付けを確保する。

〈根拠〉

1．公益法人の理事は、法令および定款ならびに社員総会／評議員会の決議を遵守し、法人のため忠実にその職務を行わなければならない（一般法人法83、197）。また、職員についても法令等の遵守が要請されている（同法施行規則14四）。

2．公益法人の理事に対しては、その法人と競合する取引および利益相反取引は制限されている（一般法人法84、197）。公益法人は、その事業を行うにあたり、社員、評議員、理事、監事、職員等に対し、特別の利益を与えないことが公益認定の要件とされている（公益認定法5三、四）。

〈推奨される運営実務〉

1．公益法人の役職員に対しては、定款の一部として、または独立した規程として、業務遂行上守るべき倫理条項を規定する。

2．やむを得ず、理事が利益相反取引を行う場合に備えて、その取引の際、遵守すべき内部規程を制定し、それに則って行われるものとする。公益法人の関係者が個人的に利益を受ける場合は、事前に法人内の然るべき機関の了承を得るとともに、事後にはそれらを確認できる仕組みを整える。

3．社会的存在である公益法人の行っている公益事業について、広く世間一般に広報する機会を設け、社会から常に存在を認識されるよう努める。

原則3　公益法人の機関の権限（役割）と運営

〈考え方〉

公益法人の機関の権限（役割）と運営は、法令に定められているが、その意義について明確に意識するとともに、その運営について、それぞれの機関は、法令に沿った形式を踏むとともに、実質、内容のある議論と決定を行うべきである。

〈根拠〉

1．公益社団法人は、社員総会の他に理事、理事会、監事を置かなければならない（一般法人法60、61、公益認定法5十四ハ）。公益財団法人は、評議員、評議員会、理事、理事会および監事を置かなければならない（一般法人法170①）。

2．公益法人の社員総会／評議員会は、一般法人法に規定する事項および定款で定めた事項に限り決議することができる（一般法人法35②、178②）。

3．公益法人の社員総会／評議員会、理事・理事会および監事の権限等については、一般法人法第2章第3節および同法第3章第2節に規定されている。

〈推奨される運営実務〉

1．公益法人の役職員等は、その機関の権限と運営について、法令上の規定を熟知し、細心の注意をもって法令に沿った運営を行うとともに、それぞれの機関において内容のある議論を行わなければならない。

2．上記1の遂行のためには、①社員総会／評議員会運営規則、②理事会運営規則ならびに③監事監査規程等を作成することが望まれる。

原則4　公益法人の業務執行

〈考え方〉

公益法人の業務執行は、理事会の決定・監督のもとに代表理事・執行理事により行われるが、業務執行の決定・監督にあたり、理事会は公益目的事業の目的と意義に沿って、主体的にかつ理事および職員と連帯して行動すべきである。

そのためには、代表理事・執行理事の選定・解職に留意するとともに、それぞれの役割と責任を明確に規定する他、幹部職員の任命や事務取扱い手続等を規定する必要がある。

〈根拠〉

1．理事会はすべての理事で組織され、①業務執行の決定、②理事の職務の執行の監督、ならびに③代表理事の選定および解職を行うとされている（一般法人法90①②）。また、執行理事は理事会で選定され、業務を執行する（同法91①二）。

2．理事会は、重要な使用人の選任・解任について、代表理事・執行理事に委任することなく、自ら決定する（一般法人法90④三）。

3．役員等がその法人または第三者に生じた損害を賠償する責任を負う場合に、他の役員等も責任を負うときは、連帯債務者となる（一般法人法118）。

〈推奨される運営実務〉

1．理事・監事の選任・解任および代表理事・執行理事の選定・解職について、一定の基準（考え方）が設けられるべきである（後記原則5参照）。

2．代表理事および執行理事の職務権限については、「理事の職務権限規程」等を設け、その役割分担と責任を明確に規定する。

3．使用人の任命や職責、事務局の組織や職制等について、その事務取扱いの基準を定め、事務の適正な運営を図る。

原則５　理事会の有効な運営

〈考え方〉

公益法人の有効な運営が行われるかどうかは、理事会にかかっており、理事・監事の選任・解任が妥当に行われ、選定された代表理事や執行理事のリーダーシップのもと、法人の保有する専門性や財産が活用され、理事が一体となって職員とチームを組んで事業を推進すべきである。

事業の執行については、理事同士の執行の監督が重要である一方、監事や会計監査人の外部的視点からの監査監督が十分になされるべきである。

〈根拠〉

１．理事・監事の選任・解任は、社員総会／評議員会において行われる（一般法人法63、70、176、177）。公益法人においては、理事・監事について、それぞれの総数に対して、親族の制限や同一団体の制限がある（公益認定法５十、十一）。

代表理事・執行理事の選定・解職は理事会において行われる（一般法人法90②③、197）。

２．法人の業務執行の決定は、理事会で行われる（一般法人法90②、197）とともに、具体的な業務執行は、代表理事または執行理事が行う（同法91①、197）。

３．法人の業務執行の監督は、理事同士で行われる（一般法人法90②二、197）とともに、監事および会計監査人によって行われる（同法99①、100、107、197、同法施行規則16）。このため、代表理事および執行理事は自己の職務の執行状況を３ヵ月に１回以上（定款に定めた場合は４ヵ月の間隔で２回以上）、実際に開催された理事会で報告しなければならない（同法91②、98②）。

〈推奨される運営実務〉

１．理事の選任・解任、代表理事・執行理事の選定・解職

（１）　理事の選任にあたっては、法令の基準を遵守することは当然のこととして、一定の基準が設けられるべきであり、近親者や同一団体からのみではなく、広く候補者の能力や経験・専門知識、理事会にコミットできる時間や意欲、年齢・地域・性別等のバランスならびに理事の総数等が考慮されるべきである。

（例１）　理事の長期固定化による独断的ないしはマンネリ化した運営を避けるため、最高年齢の制限や就任期間等の制限を内容とする、定年制の採用が考えられる。

（例２）　理事会の多様性を図るため、年齢・地域・性別等のバランスについて、一定の比率ないしは実数の目標を定めることが考えられる。

（例３）　理事の総数については、法人の事業規模や事業内容等により異なるものであるが、法令や定款で定めた数の最低限であったり、逆に過剰な数

であるのは、運営実務上困難を招くことがあるので避けるべきであり、適当な数を考慮する。

（2）　理事の選任方法については、理事会が社員総会／評議員会に議案として提出する候補者名簿の作成にあたっては、日ごろから理事全員が役員等のリクルートに留意するとともに、外部委員を含んだ選考委員会（あるいは指名委員会）等を法人内に設けて選出することも、広く候補者を選出するために有効と考えられる。法人の公益目的事業等の性格や規模等によっては、候補者を公募することも考えられるが、その要件の設定や候補者の審査については、十分留意することが必要である。

（3）　理事の解任・解職（特に代表理事・執行理事の解職）については、法定の不適格事由にあたる場合は格別であるが、それ以外の不適任等の場合は、実際問題としては難しい。そのような事態が生じないためには、選任・選定の際に十分留意することはもちろんであるが、理事については、その任期を一律短縮化し（たとえば1年とする）、毎年その適格性を洗い替えすることが可能となる等の手段をとることも、理事の選任の事務手続きの煩雑さを招く恐れはあるものの考慮に値すると思われる（あるいは、役員等の評価委員会を設けることも考えられる）。

２．理事会の運営

（1）　理事会の開催は、定期的に行われるほかに、緊急かつ重大な問題等の発生に応じて、適宜開催するべきであり、いずれの場合においても最適な結論に達するように、各理事あてに事前に必要な情報等が送付されるべきである。

（2）　理事会においては、各理事は積極的に自己の意見を陳述すべきであり、意見の大きな相違が生じたときは、いろいろな視点から時間をかけて検討し、妥当な結論に達するとともに、一旦決定された場合には、理事全員が一致してそれに従うべきである（ただし、同意できない場合は、理事は議事録に異議をとどめることができる）。

（3）　理事会においては、各理事はその専門性を発揮するとともに、それが不足する分野においては、外部の専門家から助言や支援を受けるものとする（特に財産の管理運用については、理事の最大の責任の一つであることから、外部からの助言等も受けつつ、その責任を全うする）。

（4）　代表理事および執行理事は、理事会の運営についてリーダーシップを発揮するとともに、理事会において決定された事項の執行においては、理事会の意見を十分尊重するとともに、職員と一体となってその決定事項を実現するよう努力すべきである。

（5）　代表理事および執行理事以外の理事においても、他の理事や代表理事および

執行理事の職務の執行についての監督責任があることから、積極的に法人の運営にコミットする必要があるため、理事会においては重要な情報等について、すべて報告されるべきである。

３．監事の役割と理事会

（１）　監事は理事の職務の執行を監査するが、そのためには理事会に出席し、積極的に意見を述べるべきである。

（２）　監事は、理事が不正の行為をし、またはその恐れがある場合、または法令および定款に違反する事実等があると認めるときは、その旨を理事会に報告するとともに、理事会を招集するよう、その権限を積極的に行使すべきである。

（３）　監事は、法人全体の事業をチェックする重要な立場にあり、公正な態度および独立の立場を保持すべきであるが、その職務の遂行にあたり、役職員との意思疎通を図り、情報の交換をする機会を設けるなど、監事の職責を果たしやすい環境を整備すべきである。

原則6　情報公開・説明責任・透明性

〈考え方〉

　法人運営上の規律の遵守を確保し、義務や責任を果たしていることの証として、自らの法人に関する事業活動について積極的に情報開示することで透明性を確保し、説明責任を果たすべきである。

〈根拠〉

１．公益法人は、公益認定を受け、税制上の恩典を取得した社会的存在であることを強く自覚し、情報開示と説明責任を果たすことにより、社会からの信頼と存在意義の正統性を得ることが必要である。

２．公益法人は法令により、各種の重要な書類について、事務所備置きないしは閲覧を要請されている（公益認定法21、22）。

〈推奨される運営実務〉

１．理事会は組織ならびに事業活動の透明性と説明責任について、情報公開規程等を策定して、その公開を主導するとともに、代表理事、執行理事および職員は、適切な情報開示を実施する。

２．情報開示の手段として、法令上要請されている事務所備置き、閲覧以外に、より積極的にウェブサイトなど電磁的方法による開示にも努め、利害関係者はもとより一般国民に対して透明性を図り、説明責任を果たす。

３．開示情報は、正確で利用者にとって分かりやすく、情報として有用性の高いものとなるよう工夫する。

原則 7　リスク管理・個人情報の保護

〈考え方〉

　理事会は、法人の運営・管理について責任を負っているが、その一環としての法人のリスク管理体制は、リスクの範囲が広がり、複雑化している現状では、公益法人自体のみならず関係者（ステークホルダー）を守るため、より重要となっている。

　特に巨大な自然災害やサイバーテロならびに個人情報の保護等については、細心の注意と対策が必要であり、法人として組織的なリスク管理を徹底する必要がある。

〈根拠〉

1．理事会は、理事の職務の執行が法令および定款に適合することを確保するための体制、その他法人の業務の適正を確保するために必要なものとして法務省令で定める体制の整備をする必要がある（一般法人法90④五、ただし第5号の適用があるのは、法律的には大規模法人である（同法⑤））。法務省令で定める体制の整備の一つとして、「損失の危険の管理に関する規程その他の体制」がある（同法施行規則14二）。

2．個人情報の保護については、営利法人のみならず、非営利法人においても、個人情報取扱事業者に該当する場合は、「個人情報の保護に関する法律」の適用を受ける。また個人情報のうち、個人番号については、特定個人情報として「行政手続における特定の個人を識別するための番号の利用等に関する法律」（マイナンバー法）の適用を受ける。

〈推奨される運営実務〉

1．理事会は、その法人をめぐる想定されるリスクについて、リスク管理規程を作成し、役職員にそのリスクを周知徹底するとともに、それが発生した場合の対応・対策について、事前に定期的な見直しやシミュレーションおよび実地訓練等を行うことが望まれる。

2．リスク管理規程の対象となるリスクとその対応方法については、各法人により異なるが、標準的には次のような事項を含むことが多い。

　①　その法人に想定される具体的リスクの定義。たとえば、法人内部の危機（信用・財務・人材等）、外部からの危機（自然災害、反社会的勢力からの不法な攻撃、広範な感染症の発生等）、情報システムに係わる危機（サイバーテロ等）

　②　リスクに対する法人の基本的考え方の明示

　③　具体的リスクの発生の場合の役職員の行動と役割

　④　災害等の緊急事態の場合の組織体制や通報対応の具体的手段

　⑤　リスクの発生とその対応に関する役職員の責任とそれに違背した場合の懲罰

3．個人情報の管理については、個人情報等管理規程等を作成し、一般のリスク管理とは別に管理することが望ましい。

原則8　コンプライアンス・公益通報者保護

〈考え方〉

　公益法人が関連する法令や定款等を遵守することは当然であるが、理事会は、役職員等が遵守していることを常に確認する必要がある。

　また、これを担保するため、役職員等が不利益を被ることなく、役員等ならびに他の職員のコンプライアンス違反を内部通報できる体制を整備すべきである。

〈根拠〉

1．理事ならびに職員の職務の執行が法令および定款に適合することを確保するための体制を、理事会は整備する必要がある（一般法人法90④五、同法施行規則14四）。
2．消費者保護を目的としたものではあるが、一定の事項のコンプライアンス違反を行っている役職員等を対象として内部告発（公益通報）する者を保護する制度が作られている（公益通報者保護法）。

〈推奨される運営実務〉

1．役職員等を対象としたコンプライアンス規程を作成し、広く周知するとともに、その実効をあげるために、必要に応じて法人内にコンプライアンス委員会を設け、その遵守状況等について、定期的に理事会に報告すること等が望まれる。
2．現にコンプライアンス違反を行っている者を告発し、上記のコンプライアンス体制の実効性を確保するため、公益通報者保護制度（「公益通報者保護に関する規程」など）を策定することが望まれる。

以上

第1部

「公益法人ガバナンス・コード」の解説

第1章　公益法人のガバナンスをめぐる現状と課題

1　公益法人におけるガバナンスということの意味

最近よく「ガバナンス、ガバナンス」と言われますが、そもそもガバナンスとは何かよくわからないという方も多いかと思います。公益法人のガバナンスとは、大きく分けて次の3つの要素になると考えられています。

> ①　公益法人の経営基盤に関わる運営のルールが明確化され、
> ②　それがその役職員により順守されること、
> ③　その結果、公益法人の目的が持続的に達成されること。

よく「ガバナンスを行ってどういうメリットがあるのか」と聞かれることがあります。公益目的事業がより簡単にできるとか、収益に寄与するといったような直接的なメリットがあるわけではありませんが、公益法人の目的が持続的に達成されることで、その法人ならびに公益法人全体が繁栄すると理解することが良いと思います。

上記②に関してですが、ほとんどの公益法人は関係法令の主旨に則り運営されています。99%以上の団体は正しく事業を行っていると思われますが、一部の団体においては、公益法人としての自覚にかけるとともに、役職員の役割や責任についての理解が乏しく、その結果、公益目的事業の遂行が十分に行われず、時にはいわゆる不祥事が生じることがあります。それがガバナンス・コードが必要だといわれる発端となっています。

これは大変残念なことであり、大半の公益法人の役職員の皆さんがある意味清貧に甘んじて一生懸命やっているのに、公益法人のどこかひとつが不祥事を起こすと、公益法人界全体がだめということになりかねません。したがって、このような事情もあって、公益法人界もガバナンス・コードをつくり、対応する必要があるということになります。

2　公益法人における不祥事の例

新聞などにおいて、よく財務面、組織・運営面、日常業務執行面での不祥事の例が

取り上げられています。こういったことが起きるとどのようなことになるかというと、「税制の優遇を受けた社会的存在である公益法人における不祥事の発生等は、少数であってもマスコミをはじめとする社会の批判や非難の的となり、全体としてせっかくいいことをやっているにもかかわらず相応の評価が得られない」ということになります。

　つまり、ほとんどの公益法人が清く正しく公益目的事業を行っていても、評価が高くないという、非常に悔しいこととなります。それだけならまだしも、公益法人に現在適用されている財務三基準を改正してほしい、事業変更について事務手続きを簡便化してほしい、行政庁からの情報公開が充分にされていないといった改善について2018（平成30）年12月4日に開催した「新公益法人制度施行10周年記念シンポジウム」において、公益法人の皆様の賛同を得て、要望として政治家や関係当局へ訴えているわけですが、そこでは「新制度への改正要望をするなら、公益法人はまず足元をきれいにし、襟を正してこい」と言われてしまうことがあります。

　とくに政治家からは「新聞記事等で（不祥事が）たくさん出ているじゃないか、なんとかならないのか」と言われてしまいます。公益法人は9,500法人もあるわけですから、全部が清く正しくとは実際問題としてはいきません。しかし、ほんの一部の法人が悪いと全体が悪いと言われてしまうわけです。

　このような現状に対してどうするかというと、「公益法人が自らの考えで、法令遵守はもちろんのこととして、積極的に自らがガバナンスを確立し、実行していくことが必要と考えられる」ということです。これがガバナンス・コードが必要だといわれる理由のひとつです。

　ガバナンス・コードというと非常に高尚なもののように感じられるかもしれませんし、また横文字がたくさん出てきて分かりづらいと思われるかもしれませんが、公益事業を普通に法令をきちんと遵守したうえで、自らの考えでさらにその上のステージの部分の実践を目指しますと宣言し、実行するということであり、学問的・学術的なことではなく実際的な話であると理解してほしいと考えます。

　なお、本書では、法令を守ることについて、「法令順守」という言葉を使っていますが、この「順守」という言葉は「遵守」と表されることがあります。特に法律を守る場合には「遵守」がよく使われるのですが、そういった場合でも「順守」を使用してよいと辞書にもありますし、「遵守」は間違えて「そんしゅ」と読まれることが多いので、本書ならびに資料では法令の遵守の場合を除き、「順守」に統一していますのでご承知おきください。

第2章　公益法人のガバナンス・コードとは

1　ガバナンス・コードとは

　第1章の1でガバナンス・コードを作る必要があると述べましたが、改めてそもそもガバナンス・コードとは何でしょうか。

　ガバナンス・コードとは、次のようにいうことができます。

---

① 　一般的に営利・非営利の組織を問わず、

② 　組織の持続的成長や社会における組織の存在意義の向上のために、

③ 　組織自らが作成した行動規範

　「公益法人ガバナンス・コード」と言っていますが、ガバナンス・コードは公益法人に限らずあらゆる組織を通じてあるものであり、いずれもその目的は「組織の持続的成長」と「社会における組織の存在意義の向上」です。

　そして、一番大事なのは「組織自らが作成した行動規範」ということであり、コードを策定する主体が大きな問題となります。

　現在、一般社団法人日本経済団体連合会（以下、「経団連」という）の「企業行動憲章」や、株式会社東京証券取引所（以下、「東証」という）の「コーポレートガバナンス・コード」、スポーツ庁の「スポーツ団体ガバナンスコード〈中央競技団体向け〉」などがあります（第2部「資料編」参照）。

　策定主体をみてみると、コーポレートガバナンス・コードは東証の名前で発表していますが、金融庁がなんらかの形で関与していると思われます。問題なのは、スポーツ庁が策定しているスポーツ団体ガバナンスコードです。スポーツ庁という官庁が作っているのですから、正しい意味ではこれはガバナンス・コードとはいえません。

2　公益法人のガバナンス・コード

（1）ソフト・ローとハード・ロー

　それでは、公益法人のガバナンス・コードとはどのようなものであるべきでしょうか。

　世の中には、法律的な観点からすると「ソフト・ロー」と「ハード・ロー」というものがあります。

　ハード・ローとは、一般的には、「公益法人に対して各種の法令が存在していますが、それを指します」。特色としては「これに違反すると法令違反となり、罰則等が適用される」ということです。一般法人法、公益認定法、それに準ずるガイドラインやFAQなどがそれにあたります。

　それに対しソフト・ローとは、「公益法人自らないしはそれらの中間支援団体が定めるソフトな規律であり、公益法人のベスト・プラクティス（最適な行動基準）に近いもの」といえます。ですから公益法人のガバナンス・コードはソフト・ローということになります。

　また、どうしてこれが"ベスト・プラクティス"とも言われるかというと、最低基準である法律は当然守りますが、その上で自らの努力でもっと上のステージをねらって行うことがベスト・プラクティスなのです。ガバナンス・コードはこの最適な行動基準（ベスト・プラクティス）を規定しているといえます。

　ただ、日本の場合、ハード・ローとしては一般法人法・公益認定法等の法律や政省令・ガイドライン等が細かく定められており、公益法人自ら定款や規程等を作成しているため、これでガバナンスは十分という考え方もあります。

（2）「公益法人ガバナンス・コード」の意味合い

　私ども公益法人協会で作成した「公益法人ガバナンス・コード」について、策定の過程で行った我々によるパブリックコメント（以下「パブリックコメント」というときは、断らない限り、これを指します）を募集したとき、上記考え方のような意見も強力にありましたが、それはそれで間違いではありません。

　なぜなら、我々公益法人界は、制度改革が行われる際に、「新しい制度では法律に詳しく書いてください」と要求しました。改正前の民法上の制度では、規定は簡単な30〜40条の条文のみであり、実質的な組織や行動の基準もなにも書いていないに等しいことから、結局その解釈と運用は主務官庁、しかも、担当者がその時々でこうだといったものが法律のようになっていました。そういうことでは判断がバラバラであって予測可能性もなくて困るので、きっちり法律に細かく書いてくださいと要望したわけで、それはほぼそのとおりになりました。ただこれは良し悪しの面があって、ほとんどのことが現行の法律に書かれています。ですから公益法人の場合、法律は最低基準と言いながら、かなり細かなレベルのことまで書かれているのです。

　そうしますと、そこまで詳しく書かれていない海外の場合は、最低基準としての法律があって、その上にベスト・プラクティスとしてのガバナンス・コードがあるというのは意味がありますが、日本の場合では「法律をきちんと守っていれば十分だろ

う」という考えが出てきます。その考え方はある意味正しいのですが、それではその法律を守らなかった人たちが不祥事を起こした場合、「法律を守っていれば十分だろう、みんな守っていますよ」とは言いきれません。

　世間からの信頼を得るなら、「公益法人の99％はしっかりやっているのだからガバナンス・コードなどは必要ない」というのは、それをいう公益法人側の論理であって、第三者から見れば、「法律を守っていない法人が出ているじゃないか、だから自らガバナンス・コードを作って法律を守ることは当然として、さらにガバナンス・コードを策定してその上の線を行く（最適な行動をとる）べきだ」という考え方に対して対抗できません。「99％はしっかりやっているのだから何もしないでいいだろう」というのは、自分たちだけの論理であって世の中では通らないということです。

３　海外の非営利団体のガバナンス・コード

　それでは、海外ではどうなっているのでしょうか。

　日本における問題について海外のことを出すのは必ずしも本意ではないのですが、この場合海外のほうが先進的で参考になります。そこで我々も日本に適したガバナンス・コードをつくるということを目的に調査をしました。最終的に参考になったのは、英米の考え方で、その内容を表にしてみました（次頁表1・次々頁表2）。

　私どものガバナンス・コードは、イギリスのチャリティガバナンス・コードに基本的には倣っています。なぜならば、日本の公益法人制度そのものがイギリスのチャリティ制度を導入しているからです。大元が一緒ですから、プラスアルファのガバナンス・コードも似てくるので、その結果比較的理解しやすくなっていると思います。比較的といいましたのは、実際問題、イギリスと日本の制度は違うところがありますので、そのまま使えるというわけではありませんが、基本的には取り入れやすいと思います。

（１）イギリスとアメリカのガバナンス・コード

ア　イギリスのチャリティガバナンス・コード

　まずイギリスのチャリティガバナンス・コード（表1）です（次頁。コード全文は、第2部「資料編」93～110頁）。

表1　イギリスのチャリティガバナンス・コード

策定主体	Charity Governance Code Steering Group
グループメンバー	ACEVO、NCVO、WCVA、icsa等
オブザーバー	Charity Commission for England and Wales
サポーター	Barrow Cadbury Trust他
原則	1 組織の目的（Organisational purpose）
	2 リーダーシップ（Leadership）
	3 誠実性（Integrity）
	4 意思決定、リスクとそのコントロール（Decision-Making, Risk and Control）
	5 理事会の有効性（Board Effectiveness）
	6 多様性（Diversity）
	7 開放性と説明責任（Openness and Acountability）
規定項目	① 原則となる考え方（Principle）
	② その根拠（Rationale）
	③ 鍵となる成果（Key Outcomes）
	④ 推奨する運営実務（Recommended Practice）

　コード全文の1枚目に、策定主体のグループに各種の団体が入っています。

　そのうちACEVOというのは、営利・非営利を問わない経営者の団体です。また、NCVOはチャリティ委員会と公益法人をつなぐ私ども公益法人協会のような中間支援団体です（表1のグループメンバー）。

　オブザーバーとしては、日本の内閣府公益認定等委員会にあたるチャリティコミッションがあり、サポーターとして民間の資金団体が入っているという構造となっています。

　我々はこれをどうしてもやはり見本にせざるをえませんでした。最近のイギリスはEUからの離脱問題等でダメになったといわれていても、やはりチャリティについてはイギリスのものの考え方や制度はしっかりしていると感じます。

イ　アメリカのガバナンス・コード（プリンシプル）

　アメリカのガバナンス・コードの場合（表2）、策定主体はIndependent Sector（IS）といって、日本の公益法人協会にあたる民間団体で、当局と民間をつなぐ役割をしていますが、そこが作成した「Principles for Good Governance and Ethical Practice」というものがあります（第2部「資料編」115～120頁）。

　4つの大分類に対して33の原則があり、その原則それぞれに対して行動基準が示さ

表2　アメリカのプリンシプル（PRINCIPLES*）

策定主体	Independent Sector
原則	第１部　法令順守および情報公開（原則１〜７）
	第２部　効果的なガバナンス（原則８〜20）
	第３部　財務状況の監督の強化（原則21〜26）
	第４部　責任あるファンドレイジング（原則27〜33）

（注）第１部〜第４部までの33の原則のそれぞれに対して、すべての公益組織が有効的で、説明
　　　責任を強化できるように役立つ健全な行動基準が示されている。
＊Principles for Good Governance and Ethical Practice

れているという構造です。アメリカは非常に実務的で、原理的な考え方が強い面と弱い面があるようで、現象的なことを平気で原則のなかに取り上げてしまう傾向があります。

　内容を見てみますと、第１部「法令順守および情報公開について」、第２部「効果的なガバナンスについて」はいいのですが、第３部「財務状況の監督の強化について」を見ると、原則25では「公益を目的とする団体は、団体の業務や出張を行った者が支払った費用を支給するための諸規定を明文化し、対象となる費用の種類や必要な証憑書類について定めるべきである。出張に関しては、諸規定を通じ、費用対効果への配慮を求めるべきである」と規定しています。また原則26では「公益を目的とする団体は、団体の業務のために出張する者に同行する配偶者や扶養家族、その他の者に対し、同行者自身が団体の業務を行う場合を除き、その旅費を支給するべきではない」とあります。

　このような普通は取扱規則で規定すべきものが原則として出てくるように、日本の基準の考え方と異なり、また日本の文化との違いもありますので我々はアメリカのガバナンス・コードも見ましたが、全部は参考にはしませんでした。

（2）チャリティガバナンス・コードの詳解

　それでは、我々が参考としたイギリスのチャリティガバナンス・コードの内容を少し詳しく見ていきます。

ア　チャリティガバナンス・コードの対象

　チャリティガバナンス・コードの表紙を見ていただくと「for smaller charities」とあるように、実は別にfor larger charitiesもあって、法人規模の大小の区分は収入が100万ポンド（邦貨約１億2,000万円）です。ただ、イギリスのチャリティは収益ベースで区分をします。日本の場合はみな支出ベースで計算するので、仮に収入の半分が費

用で使われるとすると、支出が6,000万円くらいまではイギリスではsmaller charities ということになっています。

公益法人協会が、過去に大規模法人と小規模法人を分けて取り扱いをしてほしいと行政庁はじめ各方面へ要望をしました。その時の法人規模の区分基準も支出ベースで5,000万円でしたので、イギリスの制度に当たらずといえども遠からずというところでした。イギリスの場合は100万ポンドが基準ですが、日本の場合、一般法人は収入ベースで1,000億円、支出ベースで1,000億円、負債は200億円となっています（一般法人法2二・三）。なお、公益法人においては、会計監査人の設置基準は、収入・支出ベースは同額ですが、負債は50億円となっています（公益認定法5十二、同法施行令6三）。このような金額で区分するとほとんどが小規模法人となり、実際上、大規模・小規模の区別にはなりません。

日本のこの定義では、ほとんどが小規模法人ですから、その中で本当の小規模法人とは何かを議論する必要が生じます。

したがって、大規模・小規模法人ごとにガバナンス・コードを使い分けようとすると、我々は大規模法人は何千万円以上、小規模法人は何千万円以下の支出ベースです、ということを定義するところからはじめなくてはなりません。

これは数字の議論ですから悪魔の議論であって、決め手がないため絶対に決着がつきません。記憶のある方もいらっしゃるかもしれませんが、内閣府公益認定等委員会に会計研究会があって、過去に小規模法人向けの会計基準を作ろうという動きがありました。そこで大規模と小規模の区分の議論が行われましたが、結局決着がつかず取り止めとなりました。

そうしたこともあり、日本では相変わらず形式的な大規模・小規模法人の区分はありますが、実質的な規模の区別はありません。そこで、「我々は小規模だからこの原則の適用は難しいから緩和してほしい、やめてほしい」という議論がガバナンス・コードのパブリックコメントの中にもありましたが、大規模か小規模か区別が実質的につかないのに「うちは小規模だから適用除外」という議論は、前提条件が欠けていますので、実際の区別を考える場面ではうまくいかないと思われます。

話を戻しますと、イギリスのチャリティガバナンス・コードではこのようにsmaller charitiesとlarger charitiesでバージョンが分かれています。ただ、中身をみてみると、大規模と小規模で差がある部分はほとんどなく、同じです。ということはある意味ガバナンスにおいては大規模も小規模もないというひとつの証拠という気もします。

本書に添付した資料（第2部 「資料編」 1 ガバナンス・コード関係資料（1）Charity Governance Code for smaller charities、93頁〜）は小規模をベースにしていますが、大規模法人の部分も考慮しており、そこは太字表記し下線を付しています。たとえば「推奨する運営実務」の中の4.5.1で「上級幹部」、4.5.2で「また、権限委譲が如

何に遂行されているかをチェックし監督するシステムを設ける」が太字・下線となっていますが、ここがlarger charities向けです。大きいところでないと上級幹部という区分けはほとんどありませんし、権限委譲がされているかどうかも小規模法人では権限委譲などされていないことが多いので、この規程が入っていない小規模法人向けでもほとんど変わりがありません。

イ　チャリティガバナンス・コードの策定主体

　策定主体は、Charity Governance Code Steering Groupとあり、そのメンバーとして6団体、オブザーバーでチャリティコミッション（日本では内閣府公益認定等委員会に相当）、サポーターとしてお金を出しているのが民間のトラストなどの団体とはっきり書かれています（前掲表1参照）。

　後で触れますが、自民党は日本における公益法人のガバナンス・コードについて、オブザーバーに内閣府を入れたらどうかと提言しています（第2部「資料編」217頁）。

　これには私ども公益法人協会は賛成していません。イギリスのチャリティコミッションとACEVOやNCVOは立場が同等なのですが、日本と英米の風土の差があって、日本でオブザーバーに内閣府が入ったら、今までの経験からすると一般的にお役所は上から目線でいろいろと指示することが予想されます。そうなった場合は、民間の公益団体が自らの責任でガバナンス・コードを策定するという原則に反することになり、イギリスがこうなっているからといって日本も同じようにすることはないと考えています。

ウ　チャリティガバナンス・コードの活用

　他に注目すべきは「コードを活用するにあたって」の中で、原則1～7までを掲げ、さらにそれぞれの原則について、具体的に「原則となる考え方」「その根拠」「鍵となる成果」「推奨する運営実務」について述べています（99～109頁参照）。

　私どもはこのイギリスのチャリティガバナンス・コードを基本的には参考にしたわけですが、この「鍵となる成果」については、検討はしたものの結果としては取り入れませんでした。イギリスの場合は1600年代からチャリティがあり、400～500年の伝統があるので、経験からどのような成果が出るか分かる部分が多いと思われます。ところが日本では改正前民法法人時代を含めてもたかだか百数十年、直近の新制度になって10年余りです。それにも関わらず、こうやればこのような成果が出ますなどと経験も少ないのに言うことはできませんので、ここの部分は削除しました。将来、日本の公益法人制度が経験や実績を積んで熟してきた場合には、追加でこの項目を入れることを考えたいと思っています。

　一番興味深いのは、「基本事項　理事の役割とチャリティの概念について」（98頁）

の部分なのですが、残念ながら我々は（本ガバナンス・コード作成にあたり）この部分はカットしました。これは原則の中には入っていませんが、当然こうなっていますよねという確認的な前提とすべき部分となっています。

　まず「理事はチャリティの目指す目的に共鳴し、そのチャリティが目的達成のため最も効果的に活動することに役立つよう理事会に参加していること」とありますが、日本の現状では頼まれているから理事になったという人もいるかもしれませんので、これを前提とすることは現段階では無理と判断しました。

　次の「そのチャリティの目指す公益は、現在の（社会的）課題に合致していることを認識すること」は、目的を認識するということで、日本でもあてはまるでしょう。

　さらに「理事の役割と法的責任を理解し、特に次の資料を読み理解していること」として、①「チャリティコミッションのガイダンス「理事の基本」（CC3）＊」と②「そのチャリティの定款」の２つが書かれています。

　①は、20数ページにわたって細かいことが書かれていますが、それを当然読んで内容を理解しているという前提です。

　②については、理事は自分の法人（チャリティ）の定款を読み理解しているということですが、すなわち理事は自分の法人の定款を全部知っているという前提なのです。

　＊「理事の基本（CC3）」全文は、チャリティコミッションのホームページから入手できますが、その要約であるセクション２を日本語に翻訳して、第２部「資料編」の111頁〜114頁に掲載しています。

　日本においてガバナンス・コードを作る時に、「これらは大前提です」ということをイギリスと同様に規定することはいいのですが、実態が伴っていないと、理事本人ならびに第三者から見ても現実から遊離したものになってしまいます。「胸を張ってきちんとやっているか」と問われたときに、必ずしもそうではない部分があると信頼をなくすと思われますので、ここは残念ながら削除していますが、将来、日本においてもこれが普遍的な状況になるときには、当然、導入していきたいと考えています。

４　日本におけるガバナンス・コード

（１）「企業行動憲章」

　経団連の企業行動憲章をみます（第２部「資料編」121頁〜124頁参照）。これは簡潔にかかれており、ガバナンス・コードとそうでない部分があります。

　10ある原則のうち、ガバナンス・コードにおいて必要とされる基本的なことが書か

れているのが主に以下の５つです。

（公正な情報開示、ステークホルダーとの建設的対話）
3. 企業情報を積極的、効果的かつ公正に開示し、企業をとりまく幅広いステークホルダーと建設的な対話を行い、企業価値の向上を図る。

（消費者・顧客との信頼関係）
5. 消費者・顧客に対して商品・サービスに関する適切な情報提供、誠実なコミュニケーションを行い、満足と信頼を獲得する。

（社会参画と発展への貢献）
8.「良き企業市民」として、積極的に社会に参画し、その発展に貢献する。

（危機管理の徹底）
9. 市民生活や企業活動に脅威を与える反社会的勢力の行動やテロ、サイバー攻撃、自然災害等に備え、組織的な危機管理を徹底する。

（経営トップの役割と本憲章の徹底）
10. 経営トップは、本憲章の精神の実現が自らの役割であることを認識して経営にあたり、実効あるガバナンスを構築して社内、グループ企業に周知徹底を図る。あわせてサプライチェーンにも本憲章の精神に基づく行動を促す。また、本憲章の精神に反し社会からの信頼を失うような事態が発生した時には、経営トップが率先して問題解決、原因究明、再発防止等に努め、その責任を果たす。

（2）「コーポレートガバナンス・コード」

　東証の作ったコーポレートガバナンス・コードも見てみます（125頁〜148頁参照）。これは膨大で本書では詳細を説明しませんが、よく考えられたものだと思います。

　自民党が公益法人に対してガバナンス・コードを設けるべきという10の提言のバックグラウンドのいくつかはこの中に書かれているように見えます。このコードにも書かれているので公益法人でもやるべきというのが自民党の発想だと思われます。ただ、営利法人と公益法人は基本的には法人の目的が異なるため、形式的なアナロジー（類似性）によって同じようにすべきという議論は、荒っぽく、検証が十分必要ですので、それに留意する必要があると思います。

　もっとも、このコードの第2章「株主以外のステークホルダーとの適切な協働」や、第4章の「取締役会等の責務」については、事業会社ではここまでやっているのだか

ら、公益法人もやるべきだといった議論が展開されると思われますので、参考になると考えられます。

（3）「スポーツ団体ガバナンスコード〈中央競技団体向け〉」

　最後はスポーツ団体ガバナンスコードです（149頁〜210頁参照）。先に「これはガバナンス・コードと呼ぶべきではない」と述べました。作っているのはスポーツ庁ですから、民間が自主的に作ったコードということにはなりません。

　非常に細かく書いてあって、行政庁の作るガイドラインのような気がするものですが、特に官の強権が発動されていると思うのが「NF（中央競技団体）に対して、ガバナンス・コードへの適合性審査を4年ごとに実施し、その結果を公表する。3団体に共通する加盟団体に対しては、共同で審査を実施する」です。つまり4年ごとに審査をするというわけです。

　そうするとスポーツ団体でかつ公益法人である団体は、3年ごとの公益法人対象の立入検査に加え、4年ごとにこの審査もあるということになります。スポーツ団体は昨今の日本テコンドー協会の場合のように、相変わらずガバナンスが欠けているという感じがあって、こういうことでもやらないといけないのかとも思いますが、普通の公益法人から見ると異質だという感じが拭えません。

　13の原則がたてられており、その後にチェックリストがあります。公益法人の立入検査のチェック項目よりずっと多い気がします。ただ、「公益法人ガバナンス・コードでもチェックリストを作ってほしい」という要請があり、それを受けて私どもでも作成しました（第4章の6の参考資料、68頁〜75頁参照）。さらに、第4章の4では「公益法人ガバナンス・コード」と対比しながら、「自己点検チェックリスト」を説明しています（34頁〜67頁参照）。

第3章 「公益法人ガバナンス・コード」について

1 「公益法人ガバナンス・コード」策定の背景

　本章にて、公益法人協会の策定した「公益法人ガバナンス・コード」（以下、「本ガバナンス・コード」といいます）について説明します。

　策定の背景としては、本書の第1章において、「公益法人におけるガバナンスをめぐる現状と課題」を、同じく第2章で「公益法人のガバナンス・コードとは」でガバナンス・コードの一般的な説明をしました。

　ここではまず、「自由民主党行政改革推進本部公益法人等のガバナンス改革検討チームの動向」について触れておきます。第2部「資料編」の「公益法人等のガバナンス改革検討チームの提言とりまとめ」（以下「提言とりまとめ」といいます）を参照しながらご覧ください（211頁～226頁）。

（1）自民党「提言とりまとめ」について

　提言とりまとめの「1．これまでの経緯等」で、ガバナンスが必要な理由について、「他方、新公益法人制度施行から10年が経過する中、公益法人の内部には株式会社における株主と同程度に法人運営に強い利害関係を有するステークホルダーが不在であるというガバナンス上の課題も指摘されている。近年では、公益法人における不祥事が複数発生しており、公益法人のガバナンスの機能不全が疑われる事態も生じている。公益法人は、税制優遇を受けるに相応しいガバナンスが求められており、このような事態が生じていることについては、国民から厳しい批判を受けている」とあるように、最初に検討チームの認識が書かれています。

　次に「2.「公益法人等のガバナンス改革検討チーム」における取組」では、「公益法人等は、あくまで民間団体として自主的・自律的に運営されるべきものであるが、他方で、公益法人等は税制優遇や国や地方公共団体等からの補助金を受けていることから、そうした優遇を受けるに相応しいガバナンスが求められる」とあり、「3．公益法人制度に対する10の提言」において、①～⑩まで提言があります。そのなかで、ガバナンス・コードに言及しているのが⑨（217頁参照）です。

（2）提言⑨（公益法人のガバナンスの自律性と透明性の確保について）

　提言の⑨においても最初の部分には、本書第2章の3で述べた海外の制度等が書いてあり、次の（提言の趣旨）では「上記のような法令に基づくルールベースのガバナンス改革は、公益法人として備えるべき最低基準のガバナンスに関するものである。一方、より望ましいガバナンスのあり方については、それぞれの公益法人において持続的な公益目的事業の遂行のための自律的な対応が図られることが望ましい」とあります。

　そのための例として、欧米、特にイギリスの例が出てくるのが日本的ですが、これは前述のとおり、参考としたのが私どもと結果的に同じ国であることからガバナンスに関する基本的考えはほぼ一致していると思われます。ここでは、要はそれぞれの公益法人は自主的にガバナンス・コードをつくるべきだといっています。

　次に「チャリティガバナンス・コードは、可能な限り公益法人関係者や学識者、法曹実務家等が中心となって取りまとめ、民間における自主基準として策定されることが望ましいが、チャリティガバナンス・コードの維持・改訂・運営等の実務面を考慮し、内閣府公益認定等委員会等が適切かつ限定的な形で策定に関与することも考えられる」と控えめではありますが、当局が関与するという考えが示されています。

　続いて「内閣府公益認定等委員会等が関与する場合であっても、チャリティガバナンス・コードの取りまとめの主宰者及び事務責任者は、公益法人関係者や学識者、法曹実務家等が務めるものとし、内閣府公益認定等委員会等の関与は、会議へのオブザーバー参加や会議場所の提供、事務作業のサポート等の限定的なものとすることが望ましい」とあります。

　これは、私ども民間で公益を推進していく団体から見ると、蛇足の記述のように思います。私どもに会議場所がないわけでもない、事務作業もできないわけではない。オブザーバー参加もイギリスのように対等な立場であれば意味がありますが、ここでの参加は要するに「公益認定等委員会がイニシアチブをとって官が関与したものとして作れ」と裏読みすることができます。内閣府が言うならともかく、政治家が官主導的につながりかねないことを言う日本の現状はとても悲しい話だと思っています。

2　「公益法人ガバナンス・コード」策定の主体

　本ガバナンス・コードの策定の主体は、表3のように公益法人協会とその内部の委員会であり、純粋に民間であることがおわかりいただけるかと思います。

表3　公益法人ガバナンス・コードの策定の主体

策定主体	（公財）公益法人協会（理事長　雨宮孝子）
検討協力	公益法人協会内専門委員会 ・公益法人法制委員会 　（委員長（公財）セゾン文化財団理事長　片山正夫） ・公益法人コンプライアンス委員会 　（委員長（公財）助成財団センター専務理事　田中皓）
協力	・検討ワーキンググループ（上記委員会の有志） ・（公財）公益法人協会　顧問弁護士　濵口博史

3　イギリスのチャリティガバナンス・コードとの差異

　表4では、イギリスのチャリティガバナンス・コードと本ガバナンス・コードの違いを比較しています。
　表中の1～8までほとんどの項目は両者で対応しているのですが、実際に取り上げ方が難しいと感じたのは、2の「リーダーシップ」と6の「多様性」です。

表4　イギリスのチャリティガバナンス・コードとの比較

	イギリス・チャリティガバナンス・コード	公益法人ガバナンス・コード
1	組織の目的	公益法人の使命と目的
2	リーダーシップ	誠実性・社会への理解促進
3	誠実性	公益法人の機関の権限（役割）と運営
4	意思決定、リスクとそのコントロール	公益法人の業務執行
5	理事会の有効性	理事会の有効な運営
6	多様性	情報公開・説明責任・透明性
7	開放性と説明責任	リスク管理・個人情報の保護
8	－	コンプライアンス・公益通報者保護

（1）リーダーシップ

　英米ではリーダーシップのことがさかんに言われますが、日本ではワンマンとリー

ダーシップは紙一重であり、他方出る釘は打たれるというところで、少数の個人があまり上に立つのは民主的でない風土もあり、英米的な意味で「リーダーシップ」という言葉は、本ガバナンス・コードでは使用が難しいので多用はしていませんし独立項目ともしていません。

　特にイギリスの場合は、本書第4章の4の「8つの原則」で述べますが、責任の主体はtrusteeである理事あるいは理事会のみであり、それがリーダーシップをとるのはある意味で当たり前のことなので、そのことが前面に出てきます。片や日本の場合は、責任を負う当事者が複数存在しますので、そのバランスもあって一義的にリーダーシップということが難しいという事情もあると思います。

（2）多様性

　多様性に関しては、日本と英米とは事情が違いますからLGBTやカラー（人種）、民族等でいっさい差別するなということは難しい話と思われます＊。

　日本で「多様性」といえば、男女差や年令差ならびに地域差くらいでその他の議論は多くは行われていませんので、ガバナンス・コードには正面からは取り入れていません。ただ今後、日本においても、考え方や世代交代が進み、海外との交流や外国人の日本居住が増加するような時代や状況の変化に伴い、この多様性については、もっと考慮していく必要がでてくると思います。

　　＊　イギリスのチャリティガバナンス・コードでは、多様性の例示として、次の9つを
　　　　あげています（第2部「資料編」、原則6　多様性の「その根拠」107頁参照）。
　　　　(a) 年齢、(b) 障害、(c) 性別転換、(d) 人種、(e) 宗教・信条、(f) 性、(g) 性的
　　　　指向、(h) 所帯構成（婚姻、同性婚）、(i) 妊娠・出産

（3）コンプライアンス・公益通報者保護

　イギリスにはなく、我々に入っているのが、8の「コンプライアンス・公益通報者保護」です。アメリカのガバナンス・コードには入っているのですが、イギリスにはどういうわけか入っていません。上記のようにいくつかの違いはありますが、基本的にはイギリスの制度を取り入れています。

　繰り返しになりますが、日本の公益法人制度というのはイギリスのチャリティの制度を取り入れており、そのガバナンス・コードは非常に簡潔によく考えられていて、歴史をふまえた経験がガバナンス・コードのなかに含まれているので参考として採用しているということですが、それをそのまま取り入れたわけではありません。

第4章 「公益法人ガバナンス・コード」
―8つの原則と自己点検チェックリスト

1 「公益法人ガバナンス・コード」の構成

　本章では、本書の冒頭に掲載している本ガバナンス・コード全文（3頁〜12頁）の8つの原則それぞれについて自己点検チェックリストとあわせて詳述していきます。

　本ガバナンス・コードは、2019（令和元）年9月27日、公益法人協会の理事会で決定し、公益法人の皆様に提供して個々の公益法人のガバナンスの構築の参考にしていただければと思い策定した、いわば"モデルコード"です。

　本コードでは、第3章の表4でも示した8つの原則について（29頁）、それぞれ〈考え方〉〈根拠〉〈推奨される運営実務〉という順番で書いてあります。この3つについては次節で説明します。

　この構成もイギリスのチャリティガバナンス・コードに倣っていますが、イギリスのコードにある「鍵となる成果」は前述したように本コードには入れていません。イギリスのコードには「コードの適用により、どういう成果があるか」ということが書いてあるのですが、イギリスのように歴史があり、実例が豊富にあれば例示できますが、日本の場合はたかだか100年余り、公益法人制度も新制度になってから10年程度の歴史ですから、公益法人界ならびに公益法人協会としてもあまり蓄積がなく、成果については具体的に書けませんので、この欄は省略しています。将来このガバナンス・コードが成熟して、日本の公益法人の実例が集まりましたら入れていきたいと思います。

2 考え方・根拠・推奨される運営実務

　本ガバナンス・コードは最初に「1．本コードの構成等」として、〈考え方〉〈根拠〉〈推奨される運営実務〉のそれぞれについて説明しています。

（1）考え方

　〈考え方〉については、それぞれの項目について「なぜガバナンス・コードの原則とするか」の理由を示したものです。

（2）根拠

〈根拠〉については、日本の場合、実質的な根拠を記載することが非常に難しいと考えます。というのは、前述のとおり、一般法人法、公益認定法、附属の法令、ガイドライン、FAQなどが充実しており、それらにほとんど書かれています。したがって、根拠というのは最終的には法令になってしまうことが多くなるからです。

（3）推奨される運営実務

〈推奨される運営実務〉は、〈考え方〉がその〈根拠〉を受けて実際に実行される場合に、運用のための規程や規則の具体例とその実施例、ならびに実施する場合の留意事項等から成り立っています。したがって、ある意味ここが"肝"となります。「考え方は分かった。では実際に何をやるのか」というときに、この〈推奨される運営実務〉が出てくるわけです。

ここについては、公益法人協会が協会なりに経験していることをもとに「自己点検チェックリスト」として別に作りましたので（68頁〜75頁）、各法人において実際に運営の実務にあたられる段階では、このチェックリストを活用されたらいかがかと思います。これにより、ガバナンス・コードの〈考え方〉や〈根拠〉がより具体的に理解されると考えます。自己点検チェックリストについては次節にて説明します。

3　自己点検チェックリストの形式

本ガバナンス・コードは、自己点検チェックリストと同時に見たほうが分かりやすいです。その理由は、ガバナンス・コードは単に望ましい理念だけを掲げたものではなく、具体的な行動を伴わないと意味を持たない実践的なものだからです。

したがってここからは、ガバナンス・コードを単体として見るだけでなく、それと同時に、その自己点検チェックリストを一緒に見ていきます。

公益法人協会が作成した自己点検チェックリストは、次のような形式となっています（68頁〜75頁参照）。

① 8つある原則のそれぞれについて、チェックすべき項目を縦の列で規定しています。

② それぞれの項目について、時系列で見られるように、横の列で3年分をチェックできるようにしています。

③ 各年ごとに分かりやすい自己評価として、○（実行している）、△（現在検討中である）、×（実行できていない）、◇（当法人には適用しない）のいずれかを小さな左欄に表示し、余白のある右欄にはその理由等を自由記入することができるよ

うにしています。

④　また、それぞれの項目の最後の欄（右欄）に具体的な実行方法や状況等をコメント記入できるようにしており、誰が見ても具体的な行動が分かる形にしました。

なお、言うまでもありませんが、このような形式を踏襲する必要はまったくなく、自己の法人でチェックしやすいような形を作ればよいものです。

4 8つの原則 ―自己点検チェックリストと、〈主旨〉・〈解説〉

（1）原則1　公益法人の使命と目的

〈考え方〉

　公益法人としての使命ならびにその法人の目的が明確に意識されるとともに、その法人の具体的な公益目的事業の遂行と法人自体の運営が、持続的かつ効果的に行われること。

〈根拠〉

1．公益法人の使命は、民間の団体が自発的に行う公益目的事業の実施により、公益の増進および活力ある社会の実現に資することを目的としている（公益認定法1）。

2．公益法人は、公益目的事業を行うのに必要な経理的基礎および技術的能力を有する必要がある（公益認定法5二）。

3．公益法人は、当該事業年度の事業計画書、収支予算書および「資金調達及び設備投資の見込みを記載した書類」を作成し、当該書類をその主たる事務所に、備え置かなければならない（公益認定法21①、同法施行規則27）。

〈推奨される運営実務〉

1．公益法人のすべての役員等は、公益法人制度の趣旨、その法人の公益目的事業および法人の運営について理解し、それにコミットするとともに、外部に対しこれらを明瞭に説明できる。

2．公益法人は、毎年度の事業計画ないしは中期計画により、その法人の目的を実現するための戦略や数値目標、成果目標等を策定し、その実現に邁進するとともに、その目標の定期的な見直しを行うものとする。

3．理事会は、地域、関係者（ステークホルダー）等、社会的環境に対して、社会的責任があることを認識し、自己の法人の使命、目的に従い、必要な資源を確保し、それを使って公益目的事業を遂行する。

チェックリスト（68頁参照）

1. 法人の使命と目的を明確に意識した行動指針等を策定し、役職員はそれに沿った運営に努めているか。
2. すべての役員等は、その法人の使命と目的について理解し、それを外部に対し明瞭に説明できるか。
   〈備考〉 ここについては「役員向けハンドブックを作成し、役員等に理解を得るとともに、研修会等を開催しているか」とすることも可
3. 法人の組織や運営等に関する中長期基本計画を策定し一般に公表しているか。
4. 毎事業年度ごとの詳細な事業計画等を策定し、一般に公表しているか。
5. 計画策定にあたり、役職員や関係者から幅広く意見を募っているか。
6. 各計画に基づく方策の実施状況、目標の達成状況等について、定期的に把握・分析し、目標等の修正、方策の改善をしているか。

〈主旨〉

　この原則は、公益法人であれば、どの法人も定款等に規定されているものであり、これを原則として掲げることに誰も異論はないと思います。ただ、当たり前すぎて「公益法人の使命と目的」を再度掲げるのか、掲げるにしても第1の原則とするべきかについて、パブリックコメントでは若干の意見があったところです。

　とはいえ、多くの人々から「明確に意識されていることに意味がある」「公益法人の使命と目的は、公益法人を運営する上で基礎となるものであり、定款に規定されていたとしても、ガバナンス・コードにおいて最初にこの原則の記載が重要である」という意見もあったことから、8つの原則の冒頭に規定したものです。

〈解説〉

1. 役員の役割と責任

　〈推奨される運営実務〉の1の「すべての役員等は…外部に対しこれらを明瞭に説明できる」という文言が一部の人から反発を呼んでおり、日本の実情ではこんなことできるわけがないとよく言われます。しかし、これはイギリスのチャリティガバナンス・コードでは、ある意味当たり前の前提であり、その1.4.1には「すべての理事は、組織の公益目的が説明できる。」と書いてあります（99頁）。その前提は、本書第2章

の3（2）ウで述べた「基本事項　理事の役割とチャリティの概念について」であり、ガバナンス・コードの出発点として書かれている内容のとおりです（23頁、98頁参照）。

日本の実情はそこまで至っておらず、理想的すぎると反論がありうるので難しいところでありますが、チェックリストの2では少し緩めて、「すべての役員等はその法人の使命と目的について理解し、それを外部に対し明瞭に説明できるか」については、直接的にではなく、「役員向けのハンドブックを作成し、役員等に理解を求めるとともに、研修会等を開催している」としてもよく、それを備考に記載しています。

このくらいであれば、日本でもできるし、できなければいけないと思います。したがってこの2のところはもう少しマイルドに書いてもそれぞれの法人の実情に応じてよろしいのではないかと思います。ただ、ハンドブックを作って理解を求めることや外部から講師を招いて研修を行うといったこと等は行ったほうがよいと思います。

なお、チェックリスト1は原則1と同様のものを書いていますが、チェックリストではこのように原則そのものも項目に掲げていることがあります。

2．年度毎の計画と中期計画

〈推奨される運営実務〉の2には、毎年度の事業計画とありますが、これは法令上、当然3月決算であれば3月までに行政庁に事業計画を提出しますので、ここで新しいものは中期経営計画です。これについて「毎年やっていることは同じなので必要がない」などのご意見がありますが、イギリスのチャリティガバナンス・コードでは当然のこととして書かれています。チェックリスト3、4にもありますが、単年度と複数年度にわたったものを計画として作成し、それを公表しているかどうかがポイントです。これについては、すでにやっておられるところは問題ないのですが、やっておられないところがどう考えるかということがあります。

実は本ガバナンス・コードを作成するうえで、ガバナンスについては発展途上にあるということで、私立大学のガバナンス・コードはあまり参照していないのですが、「私立大学ガバナンス・コード」（（一財）日本私立大学連盟）および「私立大学版ガバナンス・コード」（日本私立大学協会））では、初めて「私立大学法人で中期経営計画を作る」と載っています。今までは、企業などの営利法人では中期経営計画は当たり前なので、個人的には世の中では当然のことかと思っていたのですが、新しいガバナンス・コードが遂行されると私立大学法人でも作るようになりそうですので、公益法人においても2年度、3年度と計画上は同じ内容や同じ数字が並ぶとしても策定したほうが良いと思います。

同じ数字が並ぶと申し上げましたが、多分実際には同じ数字にはならないと思います。というのは、最近は運用の利回りが低くかつ毎年の運用収益が下がって、従前通りには奨学金や助成金に回せないということもありうるでしょうし、逆に出捐企業の

株式からの配当が、ある年に限り膨大な金額に増えたりした場合、それを収支相償の原則により、使わないといけないということになると翌年度以降支出を増やしていかなければいけないわけですから、まったく変動がないということはないと思いますので、作成する意味も必要もあると考えます。

3．ステークホルダーのとらえ方

〈推奨される運営実務〉の3ですが、2つ問題が考えられています。まず、ステークホルダーという英語を「関係者」の意味で使っているのですが、そのステークホルダーの範囲が一義的ではないといいましょうか、その法人の行う事業によって当然違ってきます。

イギリスのチャリティガバナンス・コードのステークホルダーは相当範囲が広いです（7.5.1、108頁参照）。皆さんがステークホルダーと考えるのはどういうものなのかによって、その責任をどこまで負うかということが決まってきます。ちなみに、上場企業でいうと東証のコーポレートガバナンス・コードの第2章「考え方」に「従業員をはじめとする社内の関係者や、顧客・取引先・債権者等の社外の関係者、更には、地域社会のように会社の存続・活動の基盤をなす主体が含まれる。」と書かれています（133頁参照）。上場企業では真っ先に従業員や社内関係者も含まれているところが、従業員が多いとはいえない公益法人とは違うところです。

皆さん方がチェックリストやガバナンス・コードを作るときにステークホルダーの範囲をどのように決めて書く、あるいは具体的に書かないまでもどの範囲で考えているということはコードの検討の中に入れておいたほうが良いと思います。

4．事業の遂行

もう一つ、〈推奨される運営実務〉の3には後段で、「必要な資源を確保し、それを使って公益目的事業を遂行する」と書いてあり、出捐者からお金を預かってそれを運用していて、足りなければ事業を縮小すると考えているところは、「必要な資源を確保し」と言われても毎年1億円と決めてやっているけれど、足りない場合は集めなければならないのかという感じをお持ちになるかもしれません。

ここは皆様方の法人の運営方針や判断の問題であり、自分のところは出捐者が出した財産の範囲内でやるということであれば、それはそれでよろしいのではないかと思います。ただ、制度改革後の新しい公益法人制度というのは、公益法人が自由に事業を行うことによって民間による公益の増進をはかろう、活力ある社会を実現しよう、その結果国民の福祉を増大させようとすることだとすると、与えられた資源だけでなくて、外から資金なり財産なりを持ってきて公益目的に沿った新しい事業をやろう、あるいは今までの事業を拡大しようと思うところにおいては、お金を集める必要があ

るわけで、そういう意味でこの文言を入れています。ただ、これについてはパブリックコメントの時に必要ない、という意見もありましたので、これについては法人の考え方次第で決めればよろしいかと思います。

　以上、原則1と関連したチェックリストの1～4について説明しましたが、5、6についてはある意味当たり前で、チェックリストに書くこともないのですが、今まで実行していない法人も稀にはあるかと思い、書いてありますので、それが実行されているのか否かを念のためチェックしてください。

（2）原則2　誠実性・社会への理解促進

〈考え方〉

　公益法人の役職員は、一般の人々が公益法人に寄せる信認と信頼が重要であることを常に認識すべきであり、日頃の行動は誠実性をもって実行し、個人の利益となることは行わず、利益相反となる取引については、行うとしても法令ならびに内部規範に則ることが必要である。

　また、公益法人は、法令等に従って情報を公開するのみならず、自らが行っている公益目的事業について、積極的に一般の人々に対して公開し、社会一般からの理解を得るよう努力するとともに、市民の参加と協力を仰ぎ、市民社会における一員としての位置付けを確保する。

〈根拠〉

１．公益法人の理事は、法令および定款ならびに社員総会／評議員会の決議を遵守し、法人のため忠実にその職務を行わなければならない（一般法人法83、197）。また、職員についても法令等の遵守が要請されている（同法施行規則14四）。

２．公益法人の理事に対しては、その法人と競合する取引および利益相反取引は制限されている（一般法人法84、197）。公益法人は、その事業を行うにあたり、社員、評議員、理事、監事、職員等に対し、特別の利益を与えないことが公益認定の要件とされている（公益認定法5三、四）。

〈推奨される運営実務〉

１．公益法人の役職員に対しては、定款の一部として、または独立した規程として、業務遂行上守るべき倫理条項を規定する。

２．やむを得ず、理事が利益相反取引を行う場合に備えて、その取引の際、遵守すべき内部規程を制定し、それに則って行われるものとする。公益法人の関係者が個人的に利益を受ける場合は、事前に法人内の然るべき機関の了承を得るとともに、事後にはそれらを確認できる仕組みを整える。

３．社会的存在である公益法人の行っている公益事業について、広く世間一般に広報する機会を設け、社会から常に存在を認識されるよう努める。

チェックリスト（69頁参照）

1. 定款の一部または独立した規程として、役職員が順守すべき倫理条項を規定しているか。
2. 理事の利益相反取引に対し、「理事会運営規程」等の規定により管理しているか。
3. 役職員が個人的に利益を受ける場合における事前承認手続きが規定され、それが順守されているか。
4. ホームページ等を開設し、法定の情報公開事項のみならず、積極的に広く世間一般に自らをアピールしているか。
5. 法人が行う公益目的事業について、地域の人々や関係者に対し、積極的に参加や支援を呼びかけているか。
6. 地域等が開催する行事等に積極的に参加して（場合によっては協力して）自らの公益目的事業についてPRしているか。
7. 多くの人々が受益する（メリットのある）事項について、マスコミや国・地方公共団体等の広報部門と協同して積極的にPRしているか。

〈主旨〉

　原則2については、前段について「公益法人として、社会から信頼されることは重要である」「公益法人の活動は法令により優遇されており、活動の誠実性・公開性は当然に求められる」「公益法人が社会からの信認と信頼の下に公益的な活動を継続して行うために、役職員が誠実に行動することが求められる」といった意見をパブリックコメントで多くいただいているところであり、主旨はまさにこのとおりです。

　後段の「積極的に一般の人々に対して公開し、社会一般からの理解を得るように努力するとともに、市民の参加と協力を仰ぎ、市民社会における一員としての位置付けを確保する。」ことについては、今まで公益法人に一番欠けていた点であり、このような行動と実績がないと、公益法人は社会から市民権をなかなか得られないと思われますので、本ガバナンス・コードでも重要な項目の一つです。

〈解説〉

1．誠実性

　原則2は、二段階に分かれています。まず、前段の「誠実性」についてですが、誠

実性というのは英語で言うと、「integrity（インテグリティ）」と言いますが、インテグリティという言葉は非常に多義的でどう訳していいのか難しいのですが、平たく言えば真面目にまともにやっているということだろうと思います。

それは、誠実にやっているということもできると思いますので、誠実性という言葉で表現しています。その具体的な証として、利益相反取引について、行うとしても法令・定款の範囲内でやるということを〈推奨される運営実務〉の2に書いてあります。

チェックリストでは、1において〈推奨される運営実務〉の1に役職員の倫理条項を規定することを書いていますが、それは倫理規程でなくても就業規則や役員の倫理規程の中でも規定する文書は何でも構いません。

チェックリスト2は利益相反取引そのものであり、利益相反取引をやってはいけないわけではない、やるためには、理事会に事情を説明して妥当である証明を出して承認をもらって、実行した結果を報告するという手続きをきちんと踏んでいれば良いのであって、それをやっているかどうかということです。

チェックリスト3は利益供与です。法人によってはやっていないところがあるかもしれませんが、日常の活動の中で、個人的に取引先等から小さなものをもらうことがあります。それはもらったとしても社会的には非難されることではないと思われるのですが、「もらえるような立場だからもらったんでしょう」「他の職員はもらっていないでしょう」などと言われることがあります。しかし、社交上あるいは世間常識からいってもらわざるを得ない場合もあるわけであって、「やむを得ない事情等を説明する」ということで、手続きさえしていれば良いと思います。

問題なのは、最近は少なくなっているようですが、お歳暮やお中元をやり取りする場合です。公益目的事業会計から出すのは駄目ですが、法人会計で世間的な社交の範囲内でもらう、あるいは出すことが良いのか悪いのかという話です。これも出すなら出すでリストを作って、理事会の承認までは必要ないと思いますが、理事長の承認のもとに出すとか、きちんとエビデンスを残して出す分については、価額等が社会的常識の範囲であれば良いと個人的には思います。ただ、非常にうるさい人もいれば、そんなこと意識したこともない人もいますから、考え方の幅が非常に広くて、価額も地方によって違うと思いますので、悩ましいところです。確かにある人だけが得をしているというようなことは良くないので、然るべき手続きが必要だと思います。

2．社会への理解促進

原則2「考え方」の後段ですが、「また、公益法人は、法令等に従って情報を公開するのみならず、自らが行っている公益目的事業について、積極的に一般の人々に対して公開し、社会一般からの理解を得るよう努力するとともに、市民の参加と協力を仰ぎ、市民社会における一員としての位置付けを確保する」とあります。

　これこそ、新しくガバナンス・コードを作る場合においては絶対必要であるという有力な公益法人の支援者、識者がおられまして、公益法人の存在感が薄いというのは自ら積極的にPRしていない、良いことをしているのにも関わらず世間が認識していない、世間が認識していないのは世間が悪いのではなく自分たちが悪いんだというわけです。そのとおりであり、今の世の中は積極的にPRする必要もあるということで、これを特に入れております。

　公益法人は、最低限の責任として、法令により、各種の重要な書類等について、事務所備置きや閲覧を要請されていますが、それ以外に積極的にウェブサイトなどの電磁的方法による開示にも努めることが、利害関係者はもとより一般国民に対して透明性を図り、説明責任を果たすことになります。この法令に関連した情報公開については、原則6の中で規定していますが（57頁参照）、ここでは、もっと積極的に社会に対し、理解促進を行うことを規定しています。

　〈推奨される運営実務〉の3では、このことを一般的に書いてありますが、チェックリストには、4～7にその行動等が具体的に書いてあります。

　これは、特定非営利活動法人（NPO法人）を意識していて、特定非営利活動法人は、とても地域社会に溶けこんでいて地域と親密です。ですから、地域の人も「支援してあげようか」となるのですが、公益法人では良いことをやっているから地域が協力しようというのは、例外もありますがあまり聞いたことがなく、それもある意味PR不足だからだということなので、こうしたことは積極的にやったらどうかということです。これはガバナンス・コードを作る作らないに関わらず、今後積極的に我々がやっていく必要があることと思っているところです。

　以下、原則3、4、5と続きますが、この3つは私ども公益法人協会の従前の「倫理規程」に入っていないものでした。

　具体的に理事会運営や理事・監事等の業務の執行や監督等について規定しています。公益法人協会の（改定前の）「倫理規程」はCode of Ethics（倫理規程）であって倫理が中心でしたが、本ガバナンス・コードではCode of Conduct（行動基準）を規定している部分です。従前の倫理規程のみの法人にはこれが新たに加わることになります。

　この部分の追加や修正については、第5章の3の（1）「自らのガバナンス・コードの作成」のイ「「倫理規程（行動基準）」の例」にて解説しています（79頁参照）。

（3）原則3　公益法人の機関の権限（役割）と運営

〈考え方〉
　公益法人の機関の権限（役割）と運営は、法令に定められているが、その意義について明確に意識するとともに、その運営について、それぞれの機関は、法令に沿った形式を踏むとともに、実質、内容のある議論と決定を行うべきである。

〈根拠〉
1．公益社団法人は、社員総会の他に理事、理事会、監事を置かなければならない（一般法人法60、61、公益認定法5十四ハ）。公益財団法人は、評議員、評議員会、理事、理事会および監事を置かなければならない（一般法人法170①）。
2．公益法人の社員総会／評議員会は、一般法人法に規定する事項および定款で定めた事項に限り決議することができる（一般法人法35②、178②）。
3．公益法人の社員総会／評議員会、理事・理事会および監事の権限等については、一般法人法第2章第3節および同法第3章第2節に規定されている。

〈推奨される運営実務〉
1．公益法人の役職員等は、その機関の権限と運営について、法令上の規定を熟知し、細心の注意をもって法令に沿った運営を行うとともに、それぞれの機関において内容のある議論を行わなければならない。
2．上記1の遂行のためには、①社員総会／評議員会運営規則、②理事会運営規則ならびに③監事監査規程等を作成することが望まれる。

チェックリスト（70頁参照）
1．社員総会／評議員会の運営規則が制定され、それに則った運営が行われているか。
2．理事会運営規則が制定され、それに則った運営が行われているか。
　〈備考〉　ここでは、やや上のステージになるが、実際上有効な運営方法として、「議案・報告に関する資料を事前に送付し、役員等は意識を持って参加しているか」となることも可能である。
3．理事会においては各理事が積極的に発言し、実効性のある議論が行われているか。
　〈備考〉　ここでは、「発言しやすい雰囲気を作るとともに、議長が、全員が発言するように誘導等しているか」ということでもよいと思われる。

４．理事会においては監事が必ず出席し、積極的に発言しているか。

５．監事監査規程が制定され、それに則って監査が行われているか。

６．定期的に監事会が開催され、執行部門との対話が行われているか。

〈備考〉ここでは、「理事会の前に必ず監事に説明を行い、意見を聴取している」とすることも可である。

７．事務職員は機関運営について熟知し、開催の連絡、資料の作成・送付、運営の進行ならびに議事録の作成等滞りなく行っているか。

〈主旨〉

原則３に対するパブリックコメントでは、「法令および定款の遵守という原点に立ち戻るという意味で適切である」「公益法人の機関の権限と運営については、法令に規定された形式に沿って運営すること、さらに各機関において内容のある議論を行ったうえで、決定を行うことの２点が重要である」と賛同をいただいており、一般的には異論が少ないところかと思います。

〈解説〉

１．内容ある議論

本原則の〈考え方〉ですが、機関運営等において「法令に沿った形式を踏むとともに」というのは当たり前ですが、「実質、内容のある議論と決定を行うべきである」ということがやや刺激的という意見がありました。

個人的な偏見かもしれませんが、官庁系の法人では、とにかく形式的に時間通りに30分なら30分で終わらせることが最大の目標と思われるような運営がよく行われており、途中質問や意見を言うと白い目で見られてしまうようなところがあります。そういう機関運営を見ると虚しい気がします。

「実質、内容のある議論と決定を行う」という〈考え方〉を受けて、さらに〈推奨される運営実務〉でもそのことを１に書いてあります。また、その２では、運営の規則や規程の作成について規定していますが、これはある意味形式的なものですので、実際的にはチェックリストを見ていただいたほうがよいと思います。

２．規則どおりの運営

チェックリストの１～３のうち、３では実効性のある議論をすべきということで、

備考欄に例として「発言しやすい雰囲気を作るとともに議長が全員発言するように誘導している」ということを具体的な方法として書いてあります。

　ちなみに良い例としまして、筆者が理事をやっているある財団では、理事会において、議長が必ず皆さんの意見を聞き、それに触発されていろいろ議論が行われるようになっています。

　その前提として、チェックリストの２の備考欄に「議案・報告に関する資料を事前に送付し、役員等は意識を持って参加している」と書いてあります。意識を持つか否かは理事次第のところがありますが、少なくとも議案・報告に関する資料は事前に送ることが前提条件として必要かと思います。法律上は、社員総会／評議員会については１週間前、定時の場合は２週間前、理事会については何日前という決まりはありませんが、私ども公益法人協会では、理事会の場合もできるだけ１週間前に資料を送ってお読みいただけるよう、努力しているところです。

３．監事の役割等

　チェックリストの４〜６は監事に関係することですが、監事については４、５のような形式的なことをまず、チェックされてはいかがかと思います。

　４についてはガバナンス・コードの話とは離れますが、行政庁の立入検査などでも「理事会に監事は出席していますか、積極的に発言していますか」というようなことを聞かれることもあるようです。ただ、６の監事会については開催していないところも多く、それは法律上の義務でもありませんので、備考欄に「理事会の前には必ず監事への説明を行い、意見を聴取している」とあることでも抵抗があるかもしれません。

　私ども公益法人協会の場合は、理事会を年４回やっているのですが、そのうち３回は事前に監事会を開いて監事の意見を聞いています。監事があまりお忙しい方だと、出られないということもあろうかと思いますが、執行部門の考え方やそれとは違ったポイントからの意見を聞くことができますし、理事会の予習にもなりますので、おやりになれるならやったほうがよろしいと思います。

４．事務職員の役割

　チェックリスト７は事務職員の役割についてです。当然それぞれの法人できちんとやっていると思いますが、イギリスの場合は、後に述べるように理事会と事務局というのはまったくの別組織といってもよい程であり、理事会は決断するだけで、実際の執行や事務をやるのは事務局ですから（49頁参照）、事務職員の役割と実行のチェックは非常に重要であるということで、我々もこういう項目を設けました。

（4）原則4　公益法人の業務執行

> **〈考え方〉**
>
> 　公益法人の業務執行は、理事会の決定・監督のもとに代表理事・執行理事により行われるが、業務執行の決定・監督にあたり、理事会は公益目的事業の目的と意義に沿って、主体的にかつ理事および職員と連帯して行動すべきである。
>
> 　そのためには、代表理事・執行理事の選定・解職に留意するとともに、それぞれの役割と責任を明確に規定する他、幹部職員の任命や事務取扱い手続等を規定する必要がある。
>
> **〈根拠〉**
>
> 1．理事会はすべての理事で組織され、①業務執行の決定、②理事の職務の執行の監督、ならびに③代表理事の選定および解職を行うとされている（一般法人法90①②）。また、執行理事は理事会で選定され、業務を執行する（同法91①二）。
>
> 2．理事会は、重要な使用人の選任・解任について、代表理事・執行理事に委任することなく、自ら決定する（一般法人法90④三）。
>
> 3．役員等がその法人または第三者に生じた損害を賠償する責任を負う場合に、他の役員等も責任を負うときは、連帯債務者となる（一般法人法118）。
>
> **〈推奨される運営実務〉**
>
> 1．理事・監事の選任・解任および代表理事・執行理事の選定・解職について、一定の基準（考え方）が設けられるべきである（後記原則5参照）。
>
> 2．代表理事および執行理事の職務権限については、「理事の職務権限規程」等を設け、その役割分担と責任を明確に規定する。
>
> 3．使用人の任命や職責、事務局の組織や職制等について、その事務取扱いの基準を定め、事務の適正な運営を図る。

チェックリスト（71頁参照）

1．理事・監事の選任・解任、代表理事・執行理事の選定・解職について基準を設けているか。

2．役員選任の都度、公益法人制度の意義やその法人の目的や事業の主旨、役員としての心構え等について、研修・教育等を行っているか。

3．代表理事・執行理事の職務権限規程等を設け、その役割分担と責任を明確に規定しているか。

4．代表理事・執行理事以外の理事が、代表理事等からの委任によらず業務執行を行っていないか。

5．理事会の決議に参加した理事で、議事録に異議をとどめないものは、その決議に責任を負うことを承知しているか。

6．使用人の使命や職責、事務局の組織や職制について明確な基準が作られ、それが周知されることにより適正な運営がはかられているか。

7．重要な使用人の選任・解任について、代表理事（執行理事）が行うことなく、理事会が決定しているか。

〈主旨〉

原則4についてのパブリックコメントでは「適切かつ円滑な法人の業務運営は責任と役割分担が明確になっていて、事務取扱基準・規程・マニュアル等が存在していることが必須である」「代表理事・執行理事の選定、解職についてその基準を明確にすることは、それらの理事による業務執行が誤った方向に進まないようにすることを確保するひとつの手段であると考える。また、それらの理事の役割分担や責任範囲が不明確な場合、問題発生のリスクがあるため、職務権限規程等において規定すべきである」といった賛同のコメントがあり、原則4の主旨としてはこのパブリックコメントの意見のとおりです。

〈解説〉

1．職務権限等

〈推奨される運営実務〉の2の代表理事および執行理事の職務権限について「理事の職務権限規程」等を設けることについては、すでに一般的に行われているものと思われます。また、同3の事務局の事務取扱いの基準等も作成され、事務の運営が適正に行われているものと考えられます。

2．選任・解任等

問題は〈推奨される運営実務〉の1の役員等の選任・解任および代表理事・執行理事の選定・解職について一定の基準（考え方）が設けられるべきという点です。これについては、難しい要素を含んでいるので、チェックリストで具体的に考えてみたいと思います。チェックリストにおいては、事務的な部分と従来の日本的にはあまり例

のない部分が書いてあります。

　例がないというのは、チェックリスト1の、役員等および代表理事・執行理事の選任・解任の基準を設けているかということで、これは実際的にはなかなか設けにくいと思います。理事の選任・解任の基準は、文章化されているかどうかは別として一般的にあり得ますが、代表理事・執行理事について適当・不適当と言うのはなかなか日本においては議論する土壌や風土がないと思います。その結果、適当でない執行理事が選定されたりする場合があるわけですが、基準が設けられてもその通り実行できれば良いでしょうが、言うは簡単、実行は相当難しいかと思います。

　ただ、理事・監事の選任・解任のところは、ある程度基準はできると思っていまして、これは私ども公益法人協会の例です。私どものような全国組織ではそういったことを考えやすいということかもしれませんけれども、ダイバーシティ（多様性）に努めていて、男女の比率が一定限必要ということ、それから年齢についても幅が必要だということ、それから出身地域（所在地の東京の人ばかりでなくて地方の人も入る）などの基準を内規のような形で決めようとしたことがありました。

　評議員や理事の方に議論してもらい、一応の結論を得ましたが、その時点では公表しないという結論となりました。公益法人協会が公表すると、みんなそれをやらなければならないと思って、他の法人に負担がかかるから、やるならひっそりやってくれという感じになってしまい、結局断念したものです。これは、十数年前の過去の断念した例ですが、現在のガバナンス重視の時代においては、これを用いるのも可能ではないかと思います。

3．定年制

　選任・解任と絡むものとして年齢について言うと定年制の問題があります。

　財団法人の場合で、ある人がお金を出し、一定の志を達成するために財団は運営されているので、出捐者はそれを見守りたいというのであれば別ですが、余人をもって代えがたいということがなく、一定の水準の人を得れば誰がやっても務まるような事業内容であれば、あまり高齢の方がおやりになっていると、ワンマンとなったりマンネリとなったり、認知症の問題も生じてくるでしょうから、一定の基準が設けられるべきだと思っています。

　ただ、所在するところが地域社会であったりすると、70歳くらい以下だとまだ若造という感覚があったり、その地域のとりまとめをするには長老でないとまとまらないとか、いろいろな要素があって一義的に決めるというのは相当難しいと思います。その点、「スポーツ団体ガバナンスコード」では10年たったら辞めなさいと書いてあります。イギリスでも理事の任期が9年超となると、その人の審査を厳しくするとともに、そのことを年次報告書に説明することといったことが書いてあります。チャリテ

ィガバナンス・コードの原則5.7「理事選任への配意」の5.7.4です（106頁参照）。

　あまり高齢の方、高齢でなくても在任期間が長いと問題があるということだと思いますので、こういったことを規定するのも一つの考え方かと思います。ただ、前述のとおり、言うは簡単、実際に実行するとなるとそれぞれの法人の事情があり、なかなか大変なのかという気がします。したがって、チェックリスト１のところは具体的な基準の例などは何も書いておりませんので、それぞれの法人でお考えいただければと思います。

４．その他

　チェックリストの２については、役員等の選任の際は研修・教育を実行するいいチャンスであり、先の原則１のチェックリスト１と２でも書きましたが、ここにも入れてあります。同３は、〈推奨される運営実務〉の２の中でご説明申し上げましたとおりです。

　チェックリスト４は、日本の場合は代表理事・執行理事以外は法律上は執行してはいけないので、そのチェックが必要ということです。

　チェックリストの５ですが、理事の責任については、最近、理事の皆さんが非常に意識的になりましたが、かつては責任を負う場合と負わない場合を知らなかったと言う方もおられますので、はっきりしておくということです。

　同６、７は事務局についてです。７の重要な使用人の選・解任は、理事会が決定するという法律の規定はイギリスのものを導入したものと思われますが、イギリスでは、理事会と事務局はまったく別なので、理事会が決めなければならないということが背景にあるのだろうと思います。日本でも法律に規定されていますので、当然遵守すべきものです。

（5）原則5　理事会の有効な運営

〈考え方〉

公益法人の有効な運営が行われるかどうかは、理事会にかかっており、理事・監事の選任・解任が妥当に行われ、選定された代表理事や執行理事のリーダーシップのもと、法人の保有する専門性や財産が活用され、理事が一体となって職員とチームを組んで事業を推進すべきである。

事業の執行については、理事同士の執行の監督が重要である一方、監事や会計監査人の外部的視点からの監査監督が十分になされるべきである。

〈根拠〉

1．理事・監事の選任・解任は、社員総会／評議員会において行われる（一般法人法63、70、176、177）。公益法人においては、理事・監事について、それぞれの総数に対して、親族の制限や同一団体の制限がある（公益認定法5十、十一）。

　代表理事・執行理事の選定・解職は理事会において行われる（一般法人法90②③、197）。

2．法人の業務執行の決定は、理事会で行われる（一般法人法90②、197）とともに、具体的な業務執行は、代表理事または執行理事が行う（同法91①、197）。

3．法人の業務執行の監督は、理事同士で行われる（一般法人法90②二、197）とともに、監事および会計監査人によって行われる（同法99①、100、107、197、同法施行規則16）。このため、代表理事および執行理事は自己の職務の執行状況を3ヵ月に1回以上（定款に定めた場合は4ヵ月の間隔で2回以上）、実際に開催された理事会で報告しなければならない（同法91②、98②）。

〈推奨される運営実務〉

1．理事の選任・解任、代表理事・執行理事の選定・解職

（1）　理事の選任にあたっては、法令の基準を遵守することは当然のこととして、一定の基準が設けられるべきであり、近親者や同一団体からのみではなく、広く候補者の能力や経験・専門知識、理事会にコミットできる時間や意欲、年齢・地域・性別等のバランスならびに理事の総数等が考慮されるべきである。

　　（例1）　理事の長期固定化による独断的ないしはマンネリ化した運営を避けるため、最高年齢の制限や就任期間等の制限を内容とする、定年制の採用が考えられる。

　　　（例２）　理事会の多様性を図るため、年齢・地域・性別等のバランスについて、一定の比率ないしは実数の目標を定めることが考えられる。

　　　（例３）　理事の総数については、法人の事業規模や事業内容等により異なるものであるが、法令や定款で定めた数の最低限であったり、逆に過剰な数であるのは、運営実務上困難を招くことがあるので避けるべきであり、適当な数を考慮する。

（2）　理事の選任方法については、理事会が社員総会／評議員会に議案として提出する候補者名簿の作成にあたっては、日ごろから理事全員が役員等のリクルートに留意するとともに、外部委員を含んだ選考委員会（あるいは指名委員会）等を法人内に設けて選出することも、広く候補者を選出するために有効と考えられる。法人の公益目的事業等の性格や規模等によっては、候補者を公募することも考えられるが、その要件の設定や候補者の審査については、十分留意することが必要である。

（3）　理事の解任・解職（特に代表理事・執行理事の解職）については、法定の不適格事由にあたる場合は格別であるが、それ以外の不適任等の場合は、実際問題としては難しい。そのような事態が生じないためには、選任・選定の際に十分留意することはもちろんであるが、理事については、その任期を一律短縮化し（たとえば１年とする）、毎年その適格性を洗い替えすることが可能となる等の手段をとることも、理事の選任の事務手続きの煩雑さを招く恐れはあるものの考慮に値すると思われる（あるいは、役員等の評価委員会を設けることも考えられる）。

２．理事会の運営

（1）　理事会の開催は、定期的に行われるほかに、緊急かつ重大な問題等の発生に応じて、適宜開催するべきであり、いずれの場合においても最適な結論に達するように、各理事あてに事前に必要な情報等が送付されるべきである。

（2）　理事会においては、各理事は積極的に自己の意見を陳述すべきであり、意見の大きな相違が生じたときは、いろいろな視点から時間をかけて検討し、妥当な結論に達するとともに、一旦決定された場合には、理事全員が一致してそれに従うべきである（ただし、同意できない場合は、理事は議事録に異議をとどめることができる）。

（3）　理事会においては、各理事はその専門性を発揮するとともに、それが不足する分野においては、外部の専門家から助言や支援を受けるものとする（特に財産の管理運用については、理事の最大の責任の一つであることから、外部からの助言等も受けつつ、その責任を全うする）。

(4)　代表理事および執行理事は、理事会の運営についてリーダーシップを発揮するとともに、理事会において決定された事項の執行においては、理事会の意見を十分尊重するとともに、職員と一体となってその決定事項を実現するよう努力すべきである。

(5)　代表理事および執行理事以外の理事においても、他の理事や代表理事および執行理事の職務の執行についての監督責任があることから、積極的に法人の運営にコミットする必要があるため、理事会においては重要な情報等について、すべて報告されるべきである。

3．監事の役割と理事会

(1)　監事は理事の職務の執行を監査するが、そのためには理事会に出席し、積極的に意見を述べるべきである。

(2)　監事は、理事が不正の行為をし、またはその恐れがある場合、または法令および定款に違反する事実等があると認めるときは、その旨を理事会に報告するとともに、理事会を招集するよう、その権限を積極的に行使すべきである。

(3)　監事は、法人全体の事業をチェックする重要な立場にあり、公正な態度および独立の立場を保持すべきであるが、その職務の遂行にあたり、役職員との意思疎通を図り、情報の交換をする機会を設けるなど、監事の職責を果たしやすい環境を整備すべきである。

チェックリスト（72頁参照）

1．理事会の開催を定期的に必ず行うとともに、緊急かつ重大な問題等の発生の場合には臨時に開催し対応しているか。

2．理事会の開催前には議論を活発化させるため、理事・監事宛に資料を必ず送付しているか。

3．理事会において議決された事項については、（議事録に異議をとどめた場合を除き）理事全員が一致してそれに従っているか。

4．専門性を必要とする議決事項については、外部の専門家の助言や支援を受けて決定しているか。

5．理事には代表理事や執行理事ならびに他の理事の監督責任があることから、執行部門が理事会等で積極的に職務執行状況等の情報提供を行っているか。

6．監事には理事の職務執行を監督する責任があることから、理事会に出席するとともに積極的に質問や意見を述べているか。

　7．監事は理事が不正な行為をし、またその恐れがある場合等に理事会に報告する又は理事会を招集する権限を行使しているか。

　8．監事は法人全体の業務をチェックする立場にあることから、理事会等の場を利用して役職員と意思疎通をはかり、情報交換等をしているか。

〈主旨〉・〈解説〉

1．事業の執行体制

　原則5は、事業の執行と、その監督の二段に分かれます。

　前段の事業の執行において、〈推奨される運営実務〉の1（1）の理事の選任のところは一般論としてご了解いただけるかと思うのですが、これだけでは具体的に分かりにくいだろうということで例示をしています。

　（例1）の理事の定年制は、原則4のところでも説明しましたが（48頁参照）、この原則5のところで当然問題になるわけで、原則4のところで、イギリスでは9年を超えた場合は、特別審査によることやその事実の開示をすることとなっているとご説明しましたが、ここではそのことを言っています。

　（例2）は理事会の多様性についてですが、私ども公益法人協会では、それについて過去において内規のような形を作ろうとしたのですが、各種の事情により文章化することが実際難しいと言うことで、断念したことを原則4で説明しました（48頁参照）。ダイバーシティというものをどのように考えていくかということとも絡んできますので、その辺りは皆さんの判断で決めていくしかありません。

　ダイバーシティそのものについては、イギリスとの比較を第3章3（2）で触れましたが（30頁参照）、日本では現時点ではそこまで徹底はできないだろうと個人的には思っています。ただ、年齢・地域・性別・障害といった部分は最低考えていくのかと思っています。

　（例3）の理事の総数ですが、日本の場合、理事は最低3人ということで上限はありませんが、ぎりぎり3名でやっているところがあります。「1人がお亡くなりになったのですが、どうしましょうか」と、理事会の直前になって公益法人協会に相談に来られる法人があるのですが、実務的には定数をある程度上回るなど余裕を持ってやるのがいいと思っています。

　イギリスもここを意識しておりまして、数は大事という感じで、チャリティガバナンス・コードの5.6「理事会構成を見直す」の5.6.2に書いてあります。最低は5名で、最大が12名が良き慣行（Good Practice）であると言っています（105・106頁参照）。

　具体的な数字については、業界団体などは20名、30名というところもあるので何とも言えません。そこは常識や良識で判断していくことになります。多くなればなるほど運営が大変になりますし、少なければ少ないで法律上の定員割れをおこすこともありますので、そういったところを考慮しながらやればよろしいかと思います。

２．理事の選任方法

　〈推奨される運営実務〉の１（２）の理事選任方法のところは、実際問題として皆さん相当悩むところかと思います。

　「リクルート」と学生の就職のような言葉を書いていますが、新しい役員を選ぶのもイギリスではリクルートと言っているので、そのまま使ったのですが、いずれにしろ非常に難しい話でして、どういう形が良いのか正直言って正解は分かりません。

　私ども公益法人協会の場合は、理事も評議員も監事もまったくの無報酬で、理事会出席のための交通費すら東京近郊にお住いの方には出ません。イギリスのチャリティにおいても、理事は当然のことながら無報酬で、ボランティアみたいなものです。もちろん、理事でも事務局長を兼ねていると事務局長としての報酬は出ますが、理事としての報酬は出ません。つまり理事というものは、まったく名誉だけということとなりますので、それが原因ではないと思われますが、イギリスでも相当リクルートには苦労している場合があるようです。

　イギリスの会計制度について調べに行った人から聞いたのですが、あるチャリティに行って、「何が一番大変ですか」と聞いたら、「役員のリクルートだ」と言われたとのことです。ある目的に賛同して働く、そこまでは良いのですが、「無報酬でお願いします」ということは次のステップですから、簡単に「はい」と言う人はイギリスですら必ずしも多くはなく、実際的には難しいことだと思います。これは皆さん苦労もされている中で、どういう形で多様性を含んだ人たちを選べるかがポイントだろうと思います。

３．理事の解職

　〈推奨される運営実務〉１（３）の理事の解職ですが、任期の一律短縮化や適格性の洗い替えの提案をしているのですが、毎年の選・解任は実務上煩雑でできないという意見も多く、また、一律短縮化するならまだしも、適格性を洗い替えするなんてとてもできないという意見もありました。実際問題難しいわけで、この辺りのところは、実務上はそれぞれの法人において、自分たちが適当と思う方向でおやりになればよろしいかと思っています。したがって、チェックリストでは具体的には書いておりません。

4．理事会の運営

　〈推奨される運営実務〉の2の理事会の運営ですが、（1）の理事会前に情報提供する件は、原則3で説明しましたし、以下の（3）（4）（5）はすべて実務的な運営の話です。

　倫理であるとかそういう話ではなくて、このようにやったら良いですよ、ということを書いています。自分たちがやろうとしてもこれはできないということであれば、その原則は掲げないか、掲げた場合でもできない理由を書けばよろしいということです。できないから止めようというよりは、この中でいくつかでも出来るものがあったらやるということで徐々に進めるということで私はよろしいと思っています。これらについては、下記の5のチェックリストの説明の中で具体的にみていきたいと思います。

　（2）は、理事会において大きく意見が分かれたような場合の扱いです。社団法人の内紛等の場合にまま起きるようですが、これについては、下記5のチェックリスト3で説明していますので、そちらをご覧ください。

5．理事会での有効な議論と議決等

　チェックリスト1の「理事会の開催」ですが、定時以外にやらなければならないときは臨時に開催していると思います。定時についてはだいたい年2回が多いと思いますが、私どもは法律の規定どおり4回開催しています。4回やっても臨時にやらなければいけないことがありますので、理事の方の忙しさにもよると思いますが、柔軟に理事会をやることかと思います。

　チェックリスト2は、理事・監事への資料の事前送付の話で、すでに述べているとおりです（45頁参照）。

　チェックリスト3ですが、社団法人においてままあるのですが、「（理事会で）勝手に決めたのだから知らない」「反対意見だから決めても従わない」と言う方がおられるようです。理事会で異議を留めた場合は別ですが、そうでなければと従うというのが、会議体のあり方として当然だし、従わない場合の結果については責任が問えますので、そういう理事がおられたら、理事長がリーダーシップをとって、きっちりと言うべきという気がします。社団法人での内紛というとだいたいそれが多いと思います。ただ、派閥であるとか人間関係が絡んでいたりして、当協会に話を持ち込まれた場合には、当事者で話合ってくださいと最終的には突き放すことが多いのですが、基本的にはそういう性格の問題と思います。

　チェックリスト4ですが、〈推奨される運営実務〉の2の（3）の中で資産運用について規定していますが、資産運用についてはやはり専門性がありますので、大きな

資産を保有する法人においてはコンサルタントを雇うなどするのが良いと思います。いい運用の話があった場合に、ご自分で咀嚼して判断され、理事会の承認等の正規のプロセス（due process）をとった場合はいいのですが、鵜呑みにして実行した場合には、正規のプロセスを形式的に取っていても、結果責任は問われることがありますので、その辺りは十分注意が必要かと思います。

6．理事会での有効な議論と議決等

　〈推奨される運営実務〉の3の「監事の役割と理事会」ですが、それぞれの役割をもった監事や会計監査人が粛々と行えばいいわけですが、あまり機能していない部分もあり、事業会社でも不祥事があると、監査役・公認会計士は何をやっているんだと必ず問われます。最近では、公益法人でも監事が問われるような事案もおきていますので、実務的には大変な部分ではあります。しかし、実務上は細かな注意点が多く必要であり、それらを含めて積極的にどうすべきであるということはガバナンス・コードの中で規定することは難しい点があります。したがって、監事の役割に関しては、法令に書かれているくらいのことしか言うことができませんでしたので、もう一歩進めることは将来の課題としたいと考えます。

　（1）の文言では結びを「…積極的に意見を述べるべきである」としました。法令ではご存じのように「…意見を述べることができる」とあります。公益法人協会の定款は「…必ず述べること」となっています。

　これは当協会が、10年前の制度改革における移行時に定款を作る際に大議論になったのですが、監事が何も言わないのは、監事の役割を果たしていないということにもなりかねませんので、監事には必ず意見を求めることにしました。別の面からいうと、これは議長である理事長のリーダーシップの問題でもあるかと思います。理事長が必ず監事に意見を求めるわけです。そうすると黙っているわけにはいかないですから、監事も発言するわけです。そういう工夫があったほうがいいかと思います。

　（2）の理事会への報告や理事会の開催要求は、法律に書かれていますからそのとおりで、それを積極的に行使すべきだと思います。

　（3）は、日本の法律は丁寧で、このような実践的なことが書かれており、ここではこの法律の規定以上のことは書いていません。

（6）原則6　情報公開・説明責任・透明性

《考え方》
　法人運営上の規律の遵守を確保し、義務や責任を果たしていることの証として、自らの法人に関する事業活動について積極的に情報開示することで透明性を確保し、説明責任を果たすべきである。

《根拠》
1．公益法人は、公益認定を受け、税制上の恩典を取得した社会的存在であることを強く自覚し、情報開示と説明責任を果たすことにより、社会からの信頼と存在意義の正統性を得ることが必要である。
2．公益法人は法令により、各種の重要な書類について、事務所備置きないしは閲覧を要請されている（公益認定法21、22）。

《推奨される運営実務》
1．理事会は組織ならびに事業活動の透明性と説明責任について、情報公開規程等を策定して、その公開を主導するとともに、代表理事、執行理事および職員は、適切な情報開示を実施する。
2．情報開示の手段として、法令上要請されている事務所備置き、閲覧以外に、より積極的にウェブサイトなど電磁的方法による開示にも努め、利害関係者はもとより一般国民に対して透明性を図り、説明責任を果たす。
3．開示情報は、正確で利用者にとって分かりやすく、情報として有用性の高いものとなるよう工夫する。

チェックリスト（73頁参照）
1.「情報公開規程」の策定等により、情報公開について積極的である旨の基本的態度を表明しているか。
2．法令による公開情報について、利害関係者ならびに一般国民が分かりやすく、かつ情報を入手しやすい工夫をしているか。
3．法令による公開情報以外についても、役職員がウェブサイトの活用等により積極的な情報公開を行い、法人の透明性に努めているか。
4．利害関係者や一般の国民のために、毎年アニュアル・レポート等を作成し、広く内外に公開しているか。
5．不祥事等の発生に際し、代表理事や執行理事等が積極的に対応し、世間に対しても説明責任を果たしているか。

〈主旨〉

　原則2の「誠実性・社会への理解促進」のところで、社会に対して理解を得るよう努めていくことの他に、最低限の責任として、情報公開をすることが法律で決まっていると述べました（42頁参照）。その場合であってもプラスアルファで情報公開をしたほうが透明性を図り、説明責任を果たすためにいいです、としましたが、原則6がこれに当たります。

〈解説〉

1．積極的な情報公開

　上の〈主旨〉について実際に行うべきことは、〈推奨される運営実務〉の1、2に規定のとおりです。まず、1に記載しましたように、情報公開規程等の中で、積極的に情報公開を行うことをポリシーとして掲げることが良いと思います。チェックリスト1ではこのことを規定しています。

　公益法人の皆様はホームページ（ウェブサイト）はお持ちだと思います。法律の規定にはありませんが、〈推奨される運営実務〉の2に記載のとおり、積極的に自らの法人について情報開示することもよいと考えます。もちろん、ホームページの中で法定の情報を公開しても構いません。法律上の責任も果たせるので、一挙両得ということになろうかと思います。

　チェックリスト3でほぼ同じことが書いてあります。私ども公益法人協会のホームページ（ウェブサイト）での情報開示では、すべてオープンにするということを基本にしていて、個別の役員の報酬も含めて全部公開しています。

2．有用性の高い開示情報

　〈推奨される運営実務〉の3では、分かりやすく、有用性の高い情報提供をすべきと規定していますが、チェックリストの2では、情報提供について分かりやすく、かつ入手しやすい方法で分かりやすく行いましょうとほぼ同じことを言っています。

　なお、同4のアニュアル・レポートは、すでに発行しているところとそうでないところがあるかと思いますので、その法人の関係者（ステークホルダー）のニーズに応じてですが、必要のあるところではそれを作成して外向けに出すとよいと思います。定型の年次事業報告書では、文章が固いうえに、文章や数字ばかりでほとんどの人に読む気をおこさせません。アニュアル・レポートとしてカラーで写真や図形を入れて見やすく綺麗に作れば、少なくとも手にとってはくれるかもしれないということもあ

ります。

3．不祥事への対応

　チェックリスト5は、最近公益法人でも不祥事が多いわけですが、その場合の対応として、マスコミには代表理事が出て、トップとして説明責任を全うすることがよいと思います。お飾りの代表理事の場合は、出るとかえって印象が悪くなるからということで、事情をよく知っている人が説明することがあるのですが、その場合でも記者会見の席等には代表理事がいることが説明責任を果たすうえで必要なのではないかと思います。

（7）原則7　リスク管理・個人情報の保護

〈考え方〉

　理事会は、法人の運営・管理について責任を負っているが、その一環としての法人のリスク管理体制は、リスクの範囲が広がり、複雑化している現状では、公益法人自体のみならず関係者（ステークホルダー）を守るため、より重要となっている。

　特に巨大な自然災害やサイバーテロならびに個人情報の保護等については、細心の注意と対策が必要であり、法人として組織的なリスク管理を徹底する必要がある。

〈根拠〉

１．理事会は、理事の職務の執行が法令および定款に適合することを確保するための体制、その他法人の業務の適正を確保するために必要なものとして法務省令で定める体制の整備をする必要がある（一般法人法90④五、ただし第5号の適用があるのは、法律的には大規模法人である（同法⑤））。法務省令で定める体制の整備の一つとして、「損失の危険の管理に関する規程その他の体制」がある（同法施行規則14二）。

２．個人情報の保護については、営利法人のみならず、非営利法人においても、個人情報取扱事業者に該当する場合は、「個人情報の保護に関する法律」の適用を受ける。また個人情報のうち、個人番号については、特定個人情報として「行政手続における特定の個人を識別するための番号の利用等に関する法律」（マイナンバー法）の適用を受ける。

〈推奨される運営実務〉

１．理事会は、その法人をめぐる想定されるリスクについて、リスク管理規程を作成し、役職員にそのリスクを周知徹底するとともに、それが発生した場合の対応・対策について、事前に定期的な見直しやシミュレーションおよび実地訓練等を行うことが望まれる。

２．リスク管理規程の対象となるリスクとその対応方法については、各法人により異なるが、標準的には次のような事項を含むことが多い。

　①　その法人に想定される具体的リスクの定義。たとえば、法人内部の危機（信用・財務・人材等）、外部からの危機（自然災害、反社会的勢力からの不法な攻撃、広範な感染症の発生等）、情報システムに係わる危機（サイバーテロ等）

② 　リスクに対する法人の基本的考え方の明示
③ 　具体的リスクの発生の場合の役職員の行動と役割
④ 　災害等の緊急事態の場合の組織体制や通報対応の具体的手段
⑤ 　リスクの発生とその対応に関する役職員の責任とそれに違背した場合の懲罰
　３．個人情報の管理については、個人情報等管理規程等を作成し、一般のリスク管理とは別に管理することが望ましい。

チェックリスト（74頁参照）

1.「リスク管理規程」等により、法人の全てのリスクを把握し、それに対する対応や対策について、役職員全員が認識しているか。
2.「リスク管理規程」によるリスクについて、定期的な見直しを行うとともに、毎年シミュレーションや実地訓練等を行っているか。
3.　リスクが発生した場合の役職員等の行動と役割がマニュアル等により明確化されているとともに、事業再開のプランが策定されているか。
4.　リスクが発生した場合における情報公開の方法や官公庁や近隣との対応の方策が明確化されているか。
5.　個人情報の保護について「個人情報等管理規程」等を策定し、それに則った運用が行われているか。
6.　特定個人情報（マイナンバー）について、管理規程等を策定し、それに則って厳格な管理が行われているか。

〈主旨〉

　最近、自然災害等が多いことから、そのリスクについて誰もが切実に感じているところだろうと思います。特に2020年３月現在、新型コロナウイルスの広範な感染拡大によりパンデミックとなっており、その対応には多大な注意が必要となっています。
　また、個人情報の保護については、その管理が大変である一方、それが流出した場合のリスクは年々大きくなっていますので、法人として組織的なリスク管理が必要であることは言うまでもありません。原則７はこれを独立項目として扱っています。

〈解説〉

1．リスク管理規程

〈推奨される運営実務〉の2では、リスク管理規程を作る場合の項目①〜⑤を書いてあります。おそらく多くの法人では、現時点で作成していないと思いますので、私ども公益法人協会のリスク管理規程の項目を例示の意味を込めて5つを挙げました。ここに書かれている5項目くらいを書いていないとリスク管理規程と言えないと思います。新たにお作りになるときはこうした点に留意されたらいかがでしょうか。具体的な条文については私どものホームページに載っておりますので、参照していただければと思います（http://www.kohokyo.or.jp/）。

チェックリストには、ほぼ同じことが書いてありまして、1がリスク管理規程を作りましょう、2が作ったら定期的な見直しや実地訓練をやりましょう、3は作っただけでは意味がありませんので、マニュアル等を作って役職員がきちんと知っているか確認するほかに、事業再開のプランが策定されているかということであります。

2．事業再開プラン

事業再開プランは、自然災害等があった後に、自分たちのやっている事業をどこで、いつ再開するのかという計画を立てておくということです。

実は、公益法人協会のリスク管理規程では入っていません。関東大震災クラスのものが起きてビルが潰れてしまったというときには、東京で再開する目当てがありませんので、規定しようがなかったということです。大手の銀行などは、東京でダメだったら大阪でということで、関西に2つめコンピュータのセンターを設けているところが多く、東西ダブルでチェックとサポートをしています。公益法人協会は組織として小さくそんなことはできませんので、具体的なことが書けませんでした。

法人の規模などいろいろ事情もありますので、理由を明確に説明（explain）できれば、事業再開プランに関する部分の規定は入れる必要はありません。もちろん、大震災があっても再建のめどが立つのであれば、自己のリスク管理規程中に入れることがよいと思います。

チェックリストの4は、リスクが発生した場合の近隣、官公庁などへの対応の方法です。多分、大きな災害が起きると、みんな慌ててしまって的確な対応はできないと思います。公益法人協会の規程では一応記載してありますが、実際にできるかどうかとなると、起きてみないと分からないところがあります。その辺りのところは考慮しつつも対応のプランだけは作っておくことになると思います。

３．個人情報の保護

　〈推奨される運営実務〉の３「個人情報の保護」については、特にマイナンバーについては厳しい法律の規制になっていますので、大きなくくりではリスク管理の中に入りますが、当然各法人においても個別に管理していると思い、それを確認することを意図して規定したものです。

　チェックリスト５・６は、個人情報、特定個人情報について書いてありますが、個別の法律にしっかり規定されていますので、詳細は省略します。

（8）原則8　コンプライアンス・公益通報者保護

〈考え方〉

公益法人が関連する法令や定款等を遵守することは当然であるが、理事会は、役職員等が遵守していることを常に確認する必要がある。

また、これを担保するため、役職員等が不利益を被ることなく、役員等ならびに他の職員のコンプライアンス違反を内部通報できる体制を整備すべきである。

〈根拠〉

1．理事ならびに職員の職務の執行が法令および定款に適合することを確保するための体制を、理事会は整備する必要がある（一般法人法90④五、同法施行規則14四）。

2．消費者保護を目的としたものではあるが、一定の事項のコンプライアンス違反を行っている役職員等を対象として内部告発（公益通報）する者を保護する制度が作られている（公益通報者保護法）。

〈推奨される運営実務〉

1．役職員等を対象としたコンプライアンス規程を作成し、広く周知するとともに、その実効をあげるために、必要に応じて法人内にコンプライアンス委員会を設け、その遵守状況等について、定期的に理事会に報告すること等が望まれる。

2．現にコンプライアンス違反を行っている者を告発し、上記のコンプライアンス体制の実効性を確保するため、公益通報者保護制度（「公益通報者保護に関する規程」など）を策定することが望まれる。

チェックリスト（75頁参照）

1.「コンプライアンス規程」等の策定により、役職員等が法令・定款等の規定遵守の意識を十分もって行動しているか。

2．コンプライアンスの実効性をあげるため、関係法令や定款・諸規程集を役職員に配布するとともに、毎年定期的にその研修を行っているか。

3．コンプライアンス委員会等を設置し、コンプライアンス経営の実施に努め、コンプライアンス違反の情報入手やそれへの対策について組織的な対応を行っているか。

4．コンプライアンス委員会等の運営内容について、理事会に報告され、必要に応じて世間一般に対しても公表しているか。

5．コンプライアンスの実効性をあげるため、違反した内容を内外の機関に通報することが、その通報者に不利益をもたらすことなく行える制度が作られているか。

6．通報する窓口やそれを相談する窓口等が適切に設けられ、通報しやすい状況となっているか。

〈主旨〉

公益法人が法令を遵守すること（コンプライアンス）は当然であるが、それをどう確保するかが問題であり、その実効性を担保するために、公益通報者保護制度をどう整備するかが課題であり、営利企業を含めたすべての組織において問題となっている事項です。

〈解説〉

1．法令の遵守

〈推奨される運営実務〉の1の「コンプライアンス委員会」についてですが、大企業が作った社団法人／財団法人では、そこでの実例にならって作っているところも多いですが、独立の少人数の団体ではできないという声もあるところです。

公益法人協会は一応作っていますが、職員が20人くらいで一応の規模ではありますが、それが3人のところで必要かというと疑問に思います。たとえば「弁護士や会計士等に依頼し、外部の監視を受けています」あるいは「少数なので日頃の行動を、業務日誌等により、しっかり相互で監視しています」と説明（explain）して、「これは適用しない」と判断を下すようなこともあるかと思います。

2．公益通報者の保護

〈推奨される運営実務〉の2の「公益通報者保護制度」ですが、これはコンプライアンス委員会よりもっと抵抗が強いところであり、そもそも3人の常勤者の法人で公益通報者保護制度が必要かということと同時に、小さな組織において裏切りを奨励するのかということがあります。

上記1で申し上げましたように、大企業が作った社団法人／財団法人ではこの制度はありますし、その出捐者である上場企業でも当然あります。それは、ひとつの流行りというか、社会的事件になるものはほとんど内部通報といって良い時代を反映して

いると思います。

　それが良いことかどうかは別として、もし、内部通報がなかったら社会的な大事件となるようなことはほとんど表に出ません。制度自体が十分熟していないということもあるので問題含みの制度ではありますが、制度が熟してきても問題がすべて解決することはないと思いますので、そういうことを意識しながら対応したらいかがかと思います。

３．コンプライアンスの実効性

　チェックリスト１ですが、コンプライアンスの実効性をあげるためには、定款あるいは諸規程を作ったら、定期的に研修を行うことが必要です。公益法人協会でも回数は少ないですが、年に最低１回、全職員に研修を行っています。

　チェックリスト３・４のコンプライアンス委員会ですが、委員会を作れる規模にあるかどうかにもよるということは、先ほど説明したとおりですが、作った限りにおいては、理事会に必ず報告が必要であり、場合によっては世間一般に対しても公表することが必要と考えられます。

　チェックリスト５・６は、公益通報者保護制度ですが、すでに申し上げたとおりで、法人の判断で、必要であれば作るということでよろしいかと思います。

5　まとめ

　以上、本ガバナンス・コードを原則１～８にそれぞれ分けて、コードと自己点検チェックリストを関係づけて解説しました。

　チェックリストにあるような具体的な部分に踏み込んでいくと、すでに実行していることもたくさんあろうかと思います。他方、自分のところでは無理だということで頭を抱える部分もあり、あるいは、その中間であればできるというような部分もあるかと思います。

　したがって、その辺りのところは皆さん方が自分で判断されて、自己の法人のガバナンスの状況についてこういうものを作ってチェックしていかないといけないということであれば、自らで制度や規程を作られたほうがよいし、どうしても無理ということであれば、そのことを説明（explain）して適用（apply）しないことも可能であります。いずれにしましても、これにより自己の法人のガバナンスの状況をチェックすることができると思いますので、このチェックリストを利用しながらこの制度の採用をぜひ検討いただければと思います。

　次の第５章では、いよいよ本章で解説したモデルコードとしての「公益法人ガバナ

ンス・コード」を適用する（apply）しないも含め検討していただき、そのうえで自
法人におけるガバナンス・コードの作成等にあたっての本ガバナンス・コードの扱い
方や留意事項を述べ、さらに実務的に解説していきます。

6 参考資料

公益法人ガバナンス・コードの自己点検チェックリスト

自己評価の付け方*

○ 実行している	◇ 当法人には適用
△ 現在検討中である	しない
× 実行できていない	

原則 1 〈公益法人の使命と目的〉	対応状況			備考（実行例や状況等）
	2020 （令和2）年	2021 （令和3）年	2022 （令和4）年	
1	法人の使命と目的を明確に意識した行動指針等を策定し、役職員はそれに沿った運営に努めているか。				
2	すべての役員等は、その法人の使命と目的について理解し、それを外部に対し明瞭に説明できるか。				（例）役員向けのハンドブックを作成し、役員等に理解を得るとともに、研修会等を開催している。
3	法人の組織や運営等に関する中長期基本計画を策定し一般に公表しているか。				（例）2020（令和2年）から3年に至る中期経営計画を策定し、実行している。
4	毎事業年度ごとの詳細な事業計画等を策定し、一般に公表しているか。				
5	計画策定にあたり、役職員や関係者から幅広く意見を募っているか。				
6	各計画に基づく方策の実施状況、目標の達成状況等について、定期的に把握・分析し、目標等の修正、方策の改善をしているか。				

＊自己点検チェックリストの使い方
　まず、上記○、◇、△、×をもって、表中「対応状況」の各年ごとの左欄に、自法人の実行状況等を示し、右欄に、その理由等を自由記入するようにしてお使いください。
　また、それぞれの項目の最後の欄（右欄）に具体的な実行方法や状況等をコメント記入できるようにしています。

原則2 〈誠実性、社会への理解の促進〉		対応状況			備考（実行例や状況等）
		2020 （令和2）年	2021 （令和3）年	2022 （令和4）年	
1	定款の一部または独立した規程として、役職員が順守すべき倫理条項を規定しているか。				
2	理事の利益相反取引に対し、「理事会運営規程」等の規定により管理しているか。				（例）理事会運営規程において、事前の理事会の承認方法ならびに取引後の報告等を規定して管理している。
3	役職員が個人的に利益を受ける場合における事前承認手続きが規定され、それが順守されているか。				
4	ホームページ等を開設し、法定の情報公開事項のみならず、積極的に広く世間一般に自らをアピールしているか。				
5	法人が行う公益目的事業について、地域の人々や関係者に対し、積極的に参加や支援を呼びかけているか。				
6	地域等が開催する行事等に積極的に参加して（場合によっては協力して）自らの公益目的事業についてPRしているか。				
7	多くの人々が受益する（メリットのある）事項について、マスコミや国・地方公共団体等の広報部門と協同して積極的にPRしているか。				

原則3〈公益法人の機関の権限（役割）と運営〉		対応状況						備考（実行例や状況等）
		2020（令和2）年		2021（令和3）年		2022（令和4）年		
1	社員総会／評議員会の運営規則が制定され、それに則った運営が行われているか。							
2	理事会運営規則が制定され、それに則った運営が行われているか。							（例）　議案・報告に関する資料を事前に送付し、役員等は意識をもって参加している。
3	理事会においては各理事が積極的に発言し、実効性のある議論が行われているか。							（例）　発言しやすい雰囲気を作るとともに議長が全員発言するように誘導している。
4	理事会においては監事が必ず出席し、積極的に発言しているか。							（例）　同上
5	監事監査規程が制定され、それに則って監査が行われているか。							
6	定期的に監事会が開催され、執行部門との対話が行われているか。							（例）　理事会の前には必ず監事への説明を行い、意見を聴取している。
7	事務職員は機関運営について熟知し、開催の連絡、資料の作成・送付、運営の進行ならびに議事録の作成等滞りなく行っているか。							

原則4 〈公益法人の業務執行〉	対応状況			備考（実行例や状況等）
	2020 （令和2）年	2021 （令和3）年	2022 （令和4）年	
1	理事・監事の選任・解任、代表理事・執行理事の選定・解職について基準を設けているか。			
2	役員選任の都度、公益法人制度の意義やその法人の目的や事業の主旨、役員としての心構え等について、研修・教育等を行っているか。			
3	代表理事・執行理事の職務権限規程等を設け、その役割分担と責任を明確に規定しているか。			
4	代表理事・執行理事以外の理事が、代表理事等からの委任によらず業務執行を行っていないか。			
5	理事会の決議に参加した理事で、議事録に異議をとどめないものは、その決議に責任を負うことを承知しているか。			
6	使用人の使命や職責、事務局の組織や職制について明確な基準が作られ、それが周知されることにより適正な運営がはかられているか。			
7	重要な使用人の選任・解任について、代表理事（執行理事）が行うことなく、理事会が決定しているか。			

原則５〈理事会の有効な運営〉	対応状況						備考（実行例や状況等）
	2020（令和２）年		2021（令和３）年		2022（令和４）年		
1	理事会の開催を定期的に必ず行うとともに、緊急かつ重大な問題等の発生の場合には臨時に開催し対応しているか。						
2	理事会の開催前には議論を活発化させるため、理事・監事宛に資料を必ず送付しているか。						
3	理事会において議決された事項については、（議事録に異議をとどめた場合を除き）理事全員が一致してそれに従っているか。						
4	専門性を必要とする議決事項については、外部の専門家の助言や支援を受けて決定しているか。						
5	理事には代表理事や執行理事ならびに他の理事の監督責任があることから、執行部門が理事会等で積極的に職務執行状況等の情報提供を行っているか。						
6	監事には理事の職務執行を監督する責任があることから、理事会に出席するとともに積極的に質問や意見を述べているか。						
7	監事は理事が不正な行為をし、またその恐れがある場合等に理事会に報告する。または理事会を招集する権限を行使しているか。						
8	監事は法人全体の業務をチェックする立場にあることから、理事会等の場を利用して役職員と意思疎通をはかり、情報交換等をしているか。						

原則6 〈情報公開・説明責任・透明性〉		対応状況			備考（実行例や状況等）
		2020 （令和2）年	2021 （令和3）年	2022 （令和4）年	
1	「情報公開規程」の策定等により、情報公開について積極的である旨の基本的態度を表明しているか。				
2	法令による公開情報について、利害関係者ならびに一般国民が分かりやすく、かつ情報を入手しやすい工夫をしているか。				
3	法令による公開情報以外についても、役職員がウェブサイトの活用等により積極的な情報公開を行い、法人の透明性に努めているか。				
4	利害関係者や一般の国民のために、毎年アニュアル・レポート等を作成し、広く内外に公開しているか。				
5	不祥事等の発生に際し、代表理事や執行理事等が積極的に対応し、世間に対しても説明責任を果たしているか。				

原則7 〈リスク管理・個人情報の保護〉	対応状況						備考（実行例や状況等）
	2020 （令和2）年		2021 （令和3）年		2022 （令和4）年		
1	「リスク管理規程」等により、法人のすべてのリスクを把握し、それに対する対応や対策について、役職員全員が認識しているか。						
2	「リスク管理規程」によるリスクについて、定期的な見直しを行うとともに、毎年シミュレーションや実地訓練等を行っているか。						
3	リスクが発生した場合の役職員等の行動と役割がマニュアル等により明確化されているとともに、事業再開のプランが策定されているか。						
4	リスクが発生した場合における情報公開の方法や官公庁や近隣との対応の方策が明確化されているか。						
5	個人情報の保護について「個人情報等管理規程」等を策定し、それに則った運用が行われているか。						
6	特定個人情報（マイナンバー）について、管理規程等を策定し、それに則って厳格な管理が行われているか。						

原則8 〈コンプライアンス・ 公益通報者保護〉	対応状況						備考（実行例や状況等）
	2020 （令和2）年		2021 （令和3）年		2022 （令和4）年		
1	「コンプライアンス規程」等の策定により、役職員等が法令・定款等の規定遵守の意識を十分もって行動しているか。						
2	コンプライアンスの実効性をあげるため、関係法令や定款・諸規程集を役職員に配布するとともに、毎年定期的にその研修を行っているか。						
3	コンプライアンス委員会等を設置し、コンプライアンス経営の実施に努め、コンプライアンス違反の情報入手やそれへの対策について組織的な対応を行っているか。						
4	コンプライアンス委員会等の運営内容について、理事会に報告され、必要に応じて世間一般に対しても公表しているか。						
5	コンプライアンスの実効性をあげるため、違反した内容を内外の機関に通報することが、その通報者に不利益をもたらすことなく行える制度が作られているか。						（例） 公益通報者保護規程を策定し、通報者の保護を図っている。
6	通報する窓口やそれを相談する窓口等が適切に設けられ、通報しやすい状況となっているか。						

第5章 「公益法人ガバナンス・コード」の実務

1　本ガバナンス・コードの扱い方

　「ガバナンス・コードが何かはわかったが、個々の法人において採用しなくてはいけないのか」という質問がよくあります。

　本書でこれまで解説してきた本ガバナンス・コードは、公益法人協会が中間支援団体（intermediary）として公益法人のために作成し公表したモデルコードですから、上記のような質問については、本ガバナンス・コードを受けて自らのガバナンス・コードを作るかどうか判断するのはそれぞれの法人であって、作りたくないのであれば作る必要はありません。ただし、個々の公益法人がお作りになる時に参考になるものがあったほうがいいだろうということで、公益法人協会が本ガバナンス・コードを作りましたので、少なくとも自らのガバナンスの状況を省みるときなどに役に立つものと自負しております。

　また、ご意見として「ガバナンス・コードなどというものを作って公益法人が自ら首を締めているのではないか」とおっしゃる方がいます。しかしガバナンス・コードはそういうものではなく、あるべき理想を描いたものです。それぞれの法人において事情があるでしょうから、自分のところは8つの原則のうち、あるものは適用（apply）しないと判断しても構わないのです。

　法律についてコンプライ（comply）しない、すなわち「守りません」というのは許されていませんが、ガバナンス・コードは自主的なコードですから採用しないということでもいいのです。ただその場合、説明（explain）は必要かと思います。コード内の原則を適用しない場合も、その理由を説明したほうがいいと思います。

2　本ガバナンス・コード活用の際の留意事項

　日本の場合と異なり、英米ではコードを作る時に論理の組立てが構造的にやさしいところがあります。それは理事会あるいは理事その人たちが"trustee"といって信託でいうところの受託者であり、その人たちが責任を最終的に負います。そして実際の業務は事務局が執行します。事務局長で理事になっていない人もざらにいます。"president"と呼ばれているのでトップかと思うと、事務局長なのです。そのような違いがありますので、言葉の使い方として、英米では理事はtrusteeであり、CEOやCOOの肩書ですと事務局の人間であることが多いのですが、日本だとそれが一緒になっていますので、CEOやCOOというと理事長や執行理事と思ってしまいます。

　もう一つ、「監事」という制度が日本では内部機関としてありますが、海外にはそういう形では存在せず、すべて外部監査人が行います。また、財団法人における評議員および評議員会という分かりにくい制度もありません。日本の場合、それぞれに役割があるものですから、細かく書かないと、これはどの機関の役目かということが法律的な正確性からすると分かりにくいので、主体を別けて書くべきであるという意見がパブリックコメントにもありました。理事と監事と評議員が違うことは分かっているし、それぞれがこうすべきだと細かく説明していくと膨大なものになってしまいますし、法律の解説みたいなものになってしまいます。

　そこで、本ガバナンス・コードでは、役員等ということで理事・監事をくくり、評議員は法律上は役員とは別に定義されることがほとんどですから、評議員はそのままにしており、個別の役割に大きな差異がある場合に、個々に言及することにしています。さらに日本の場合、代表理事と執行理事と平理事の違いがあり、「理事は共同して事業にあたり」という言い方をすると「平理事も事業にあたるのか」「執行理事でないと事業執行はできない」と言われる方がいます。そのようなことは百も承知の上で、精神的には執行理事も平理事も一緒にその法人の公益目的事業等をやっていきましょうという意味で使っています。

　理事会がある事業執行をすると決めれば、法律上、それを実行するのは代表理事や執行理事ですが、平理事が精神的に応援してももちろんいいですし、事務局長や役員兼務の職員としてやってもいいわけです。要するに公益法人として公益目的事業の効果が上がるようにみんなで一緒にやっていきましょうということであって、執行理事でないから執行してはいけないという法律上の役職の違いを踏まえたうえで、ガバナンス・コードではそれをある意味、捨象して書いてあるということをご理解ください。

3　ガバナンス・コードの実務

ガバナンス・コードについて実務的に見ていきたいと思います。

（1）自らのガバナンス・コードの作成

ア　新たに作成する場合の例

まず、公益法人協会作成の本ガバナンス・コードに基づき、新たに作成する場合の例をいくつか示します。

「公益社団／財団法人○○○○協会ガバナンス・コード（案）」は、本ガバナンス・コードの8つの原則に沿って、ご自身でお作りになる場合の例です（82・83頁）。

もう一つは「倫理規程（行動基準）」です（84頁〜87頁）。

イ　「倫理規程（行動基準）」の例

「倫理規程（行動基準）」として作成する場合について、公益法人協会を例に説明します。

公益法人協会においては、すでにもともと「倫理規程」があり、それだけで少なくとも倫理の部分はカバーしています。本ガバナンス・コードができたことに伴って、行動基準の部分についてこの規程の一部について形を変える、あるいは足らざる分を補うということで改定しました（改定前と改定後のものを新旧対照表にして掲載しています。改まった部分に下線を施しています）*。

新たな条項を加え、なおかつ追補が書かれています。従来の公益法人協会の（改定前の）「倫理規程」の場合、名称から分かるとおり、倫理のことを中心に書かれており、具体的な行動基準を含んでいませんでした。本ガバナンス・コードは倫理と行動の両方入っていますので、私どもの「倫理規程」では行動の部分が足りないので、追補を加えたということです。

なお、カッコ書きで行動基準と書いてありますが、これは表題の名称の付け方にもいくつかの選択肢があるということであり、「ガバナンス・コード」と変えることも可能ですし、「倫理規程ならびに行動基準」とすることも可能です。

＊　法人によっては、法人設立や新公益法人制度にともなう移行等に際して、公益法人協会の（改定前の）本規程をモデル規程として参考に作られたところもあると思われますので、今までの分を生かしたいということであれば、この（改定後の）「倫理規程（行動基準）」が参考になると思います。

ウ　社団法人における扱い

　倫理規程の改定にからみ問題となってくるのが、社団法人におけるその扱い方です。社団法人の場合は、社員のあり方が最も重要になっていて、たとえばそれは東証のガバナンス・コードでは株主が真っ先に出てきて、株主に対する関係をいろいろ書いていることからお分かりかと思います。

　社団法人の場合、まず社員の方の扱いをどうする、それから法人運営をどうするという２つの側面を書くということになります。社団法人でも倫理規程があるところがありますが、職業団体では会員の倫理すなわち会員の職業人としての倫理が、学会においては学会員である学者としての倫理が書いてあって、社団法人としてどうするということが書かれていないものが多いですから、ガバナンス・コードとしては法人の部分が足りません。

　したがって、具体的にガバナンス・コードを作る、特に既存の倫理規程を改定する場合、法人としてのあり方を別に作成するか、追加して一本にする必要があります（残念ながら本書でモデルとしてお示しできていません）。

　社団法人では、２つの側面があることをご理解いただき、法人の部分については後掲の「公益社団／財団法人〇〇〇〇協会ガバナンス・コード（案）」などを参考にしながら作成していただきたいと思います。

（２）諸規程の整備

　本ガバナンス・コードの〈推奨される運営実務〉を考え実行するときに、諸規程類を新たに作る、あるいは既存の規程を改定する必要がある場合が生じます。その時にモデルとなるものはないのかというご質問があります。

　これにつきましては２つ資料を添付しました。ひとつは「定款・諸規程例」の一覧（88頁）です。ガバナンス・コードやチェックリストを作る過程で、どんな規程が必要かの参考にしていただければと思います。

　もうひとつは公益法人協会の規程一覧（89頁）です。公益法人協会は財団法人ではありますが、どういう規程を作っているかその一覧を示しています。これは個別の法人の例ですから一般性はありませんが、ご自身の団体に応じて修正いただければ使えると思いますのでご利用ください。これの全文は、私ども公益法人協会のホームページからダウンロードしてご利用いただき、規程類作成の参考とすることも可能かと思います。

（３）自己点検チェックリスト

　自らのガバナンス・コードを作ったら、それを実行ないしは実践することが大切です。それが行われていることを自己点検するためのチェックリストも併せて作るとい

うことがコードの実効性をあげることになるかと思います。

　自己点検チェックリストの見本として68〜75頁にすでに掲載しております。その内容については前章にて解説したとおりです。

（4）公益法人協会の役割

　最後に、パブリックコメントや本ガバナンス・コードの策定の過程や策定後の本コードの採用をお勧めする過程において、公益法人協会に期待する役割として、説明会やセミナーの開催、相談窓口の開設、解説書の出版、諸規程例等の改定、チェックリストの作成など、たくさんの意見をいただきました。すでに実行済のものがほとんどですが、一部未達のものについては、これから整えてまいります。

　今後についてですが、公益法人の皆様におかれましては、この本ガバナンス・コードに基づいて自己の規程を作る、既存の規程類を改定し実行する、チェックリストを作ってその実効性を自ら測定するなどして、ガバナンスの向上に努めていただければと思います。

　その過程において、本ガバナンス・コードについて、改定・改善点があれば意見を寄せていただき、それを受けてよりよいものにしたいと思います。また、推奨される運営実務の実例などを紹介していただければ、それらを公益法人の皆様方に還元し、よりよい公益法人のガバナンスの向上に役立たせていきたいと考えています。

4　参考資料

参考資料（1）

公益社団／財団法人〇〇〇〇協会 ガバナンス・コード（案）

　公益社団／財団法人〇〇〇〇協会（以下「この法人」という）は、公益法人としてのガバナンスが重要となっている現状に鑑み、以下のガバナンス・コードを策定し、役職員がこれを遵守することにより、公益法人として持続的かつ効果的な発展をはかるものとする。

1　公益法人の使命と目的

　この法人は公益法人としての使命ならびに目的を明確に意識し、この法人の公益目的事業の遂行と法人自体の運営を、持続的かつ効果的に行うものとする。

2　誠実性・社会への理解促進

　この法人の役職員は、一般の人々が公益法人に寄せる信認と信頼が重要であることを常に認識し、日頃の行動は誠実性をもって実行し、個人の利益となることは行わず、利益相反となる取引については、行うとしても法令並びに内部規範に則るものとする。

　また、この法人は、法令等に従って情報を公開するのみならず、自らが行っている公益目的事業について積極的に一般の人々に対して公開し、社会一般からの理解を得るよう努力するとともに、市民の参加と協力を仰ぎ、市民社会における一員として活動するものとする。

3　公益法人の機関の権限（役割）と運営

　公益法人の機関の権限（役割）と運営は、法令に定められているが、この法人はその意義について明確に意識するとともに、それぞれの機関においては、法令に沿った形式を踏むとともに、内容のある議論にもとづいた運営を行うものとする。

4　公益法人の業務執行

　この法人は、理事会による業務執行の決定・監督にあたっては、法人の公益目的事業の目的と意義に沿って、主体的にかつ代表理事・執行理事ならびに他の理事及び職員と連帯して行動する。

そのためには、代表理事・執行理事の選定・解職に留意するとともに、それぞれの役割と責任を明確に規定する他、幹部職員の任命や事務取扱手続等を定めて適用する。

5　理事会の有効な運営

この法人は理事会において選定された代表理事や執行理事のリーダーシップのもと、法人の保有する専門性や財産を活用し、理事が一体となって職員とチームを組んで事業を推進する。

事業の執行については、理事同士が執行の監督を行うとともに、監事や会計監査人の外部的視点からの監査監督を十分に行う。

6　情報公開・説明責任・透明性

この法人は、運営上の規律の遵守を確保し、義務や責任を果たしていることの証として、この法人の事業活動について積極的に情報開示することで世間に対する透明性を確保し、説明責任を果たす。

7　リスク管理・個人情報の保護

この法人は、リスクの範囲が広がり、または先鋭化している現状では、この法人自体のみならず関係者（stakeholder）を守るため、リスクへの対応がより重要となっていることを認識し、それを管理する体制を構築する。

また、個人情報の保護等については、細心の注意と対策が必要であり、この法人として組織的な管理を徹底する。

8　コンプライアンス・公益通報者保護

この法人が公益法人として関連する法令や定款等を遵守する（comply）ことは当然であるが、理事会は、役職員等が遵守していることを常に確認する。

また、これを担保するため、役職員等が不利益を被ることなく、役職員等ならびに他の従業員のコンプライアンス違反を内部通報できる体制を整備し運用する。

（附則）
1．本ガバナンス・コードの決定・変更は理事会の議決をもって行う。
2．本ガバナンス・コードは20××（令和○）年○月○日より運用する。

参考資料（2）

倫理規程（行動基準）

「倫理規程」改定 新旧対照表

改定後（新）	改定前（旧）
倫理規程（行動基準）	**倫理規程**
公益財団法人公益法人協会（以下、この法人という。）は、その設立の趣意に基づき、公益法人の健全なる育成発展に貢献しもって公共の福祉の増進に寄与することを目的として、一貫した事業活動を続けてきた。	公益財団法人公益法人協会（以下、この法人という。）は、その設立の趣意に基づき、公益法人の健全なる育成発展に貢献しもって公共の福祉の増進に寄与することを目的として、一貫した事業活動を続けてきた。
特に内外の社会経済情勢の変化に伴う今般の新しい公益法人制度の発足に伴い、民間の団体が自発的に行う公益活動の実施が公益の増進にさらに重要となっていることに鑑み、公益法人はもとより社会における非営利セクターの役割の向上と発展に寄与することを目的として、公益活動を担う団体による自律的で創造的な活動を一層推進し、支援していかなければならない。	特に内外の社会経済情勢の変化に伴う今般の新しい公益法人制度の発足に伴い、民間の団体が自発的に行う公益活動の実施が公益の増進にさらに重要となっていることに鑑み、公益法人はもとより社会における非営利セクターの役割の向上と発展に寄与することを目的として、公益活動を担う団体による自律的で創造的な活動を一層推進し、支援していかなければならない。
このような認識のもと、この法人は、厳正な倫理に則り、公正かつ適正な事業活動を行うための自主**的な行動基準**として、以下の倫理規程**（行動基準）**を制定し、**その遵守と実践を行うものである。**	このような認識のもと、この法人は、厳正な倫理に則り、公正かつ適正な事業活動を行うための自主ルールとして、以下の倫理規程を制定し、それを遵守するものとした。
この法人のすべての**評議員並びに役職員**は、その社会的使命と役割を自覚し、この規程の理念が具体的行動と意思決定に活かされるよう不断の努力と自己規律に努めなければならない。	この法人のすべての役職員は、その社会的使命と役割を自覚し、この規程の理念が具体的行動と意思決定に活かされるよう不断の努力と自己規律に努めなければならない。

（組織の使命及び社会的責任） **第1条** この法人は、その設立目的に従い、広く公益実現に貢献すべき重大な責務を負っていることを認識し、社会からの期待に相応しい事業運営に当たらなければならない。	（組織の使命及び社会的責任） **第1条** この法人は、その設立目的に従い、広く公益実現に貢献すべき重大な責務を負っていることを認識し、社会からの期待に相応しい事業運営に当たらなければならない。
（社会的信用の維持） **第2条** この法人は、常に公正かつ誠実に事業運営に当たり、社会的信用の維持・向上に努めなければならない。<u>**また、社会一般からの理解を得るための努力を行い、市民社会の一員としての地位を獲得し、それを保持しなければならない。**</u>	（社会的信用の維持） **第2条** この法人は、常に公正かつ誠実に事業運営に当たり、社会的信用の維持・向上に努めなければならない。
（法令等の遵守） **第3条** この法人は、関連法令及びこの法人の定款、倫理規程<u>**（行動基準）、**</u>その他の規程・内規を厳格に遵守し、社会的規範に悖ることなく、適正に事業を運営しなければならない。	（法令等の遵守） **第3条** この法人は、関連法令及びこの法人の定款、倫理規程その他の規程・内規を厳格に遵守し、社会的規範に悖ることなく、適正に事業を運営しなければならない。
（私的利益の禁止） **第4条** この法人の役職員は、公益活動に従事していることを十分に自覚し、その職務や地位を私的な利益の追求に利用することがあってはならない。	（私的利益の禁止） **第4条** この法人の役職員は、公益活動に従事していることを十分に自覚し、その職務や地位を私的な利益の追求に利用することがあってはならない。
（利益相反の防止及び開示） **第5条** この法人の役職員は、その職務の執行に際し、この法人と利益相反が生じる可能性がある場合は、直ちにその事実の開示**を行うとともに、**この法人が定める所定の手続に従わなければならない。	（利益相反の防止及び開示） **第5条** この法人の役職員は、その職務の執行に際し、この法人<u>との</u>利益相反が生じる可能性がある場合は、直ちにその事実の開示<u>その他この</u>法人が定める所定の手続に従わなければならない。

85

（情報開示及び説明責任）

第6条 この法人は、その事業活動に関する透明性を図るため、その活動状況、運営内容、財務資料等を積極的に開示し、基金拠出者、会員、寄附者をはじめとして社会の理解と信頼の向上に努めなければならない。

（**個人の権利の尊重**）

第7条 この法人は、業務上知り得た個人的な情報の保護に万全を期すとともに、個人の権利の尊重に十分配慮しなければならない。

（研　鑽）

第8条 この法人の役職員は、公益事業活動の能力向上のため、絶えず自己研鑽に努めなければならない。

（規程遵守の確保）

第9条 この法人は、必要あるときは、評議員会の決議に基づき委員会を設置し、この規程の遵守状況を監督し、その実効性を確保する**とともに、その遵守を実効あらしめるための公益通報者保護の制度を設ける。**

（改　廃）

第10条 この規程の改廃は、評議員会の決議を経て行う。

追　補
　公益法人としてのガバナンスが重要性を増していることに鑑み、この法人の運営方法やリスク管理について、下記の条項の追補を行う。

（情報開示及び説明責任）

第6条 この法人は、その事業活動に関する透明性を図るため、その活動状況、運営内容、財務資料等を積極的に開示し、基金拠出者、会員、寄附者をはじめとして社会の理解と信頼の向上に努めなければならない。

（個人情報の保護）

第7条 この法人は、業務上知り得た個人的な情報の保護に万全を期すとともに、個人の権利の尊重にも十分配慮しなければならない。

（研　鑽）

第8条 この法人の役職員は、公益事業活動の能力向上のため、絶えず自己研鑽に努めなければならない。

（規程遵守の確保）

第9条 この法人は、必要あるときは、評議員会の決議に基づき委員会を設置し、この規程の遵守状況を監督し、その実効性を確保する。

（改　廃）

第10条 この規程の改廃は、評議員会の決議を経て行う。

（機関の権限と運営）

追補第1条　この法人は、評議員会、理事会ならびに監事（会）それぞれの機関において法令上の権限や意義について明確に意識し、それぞれの機関において内容のある議論にもとづいてその運営を行う。

（業務執行）

追補第2条　この法人は、その業務執行にあたっては、理事会の決定、監督に基づき代表理事、執行理事が行うとともに、その権限を明確化した他の理事や職員と連帯して行う。

（理事会の運営）

追補第3条　この法人の理事会は、選定された代表理事、業務執行理事のリーダーシップのもと、この法人の保有する専門性や財産を活用し、理事が一体となって事業を推進する。

（リスク管理及び個人情報の保護）

追補第4条　この法人は、この法人を取り巻くリスクの範囲が広がり、先鋭化している現状に鑑み、リスク管理体制を構築するとともに、特定個人情報を含む個人情報の保護については、組織的な管理を徹底する。

附　則
　この規程は、平成21年5月25日から施行する。（平成21年5月25日評議員会議決）
　この規程は、令和2年3月11日から施行する。（令和2年3月11日評議員会議決）

附　則
　この規程は、平成21年5月25日から施行する。（平成21年5月25日評議員会議決）

＊上記対照表の条文中の下線・太字部分が、改定された部分です。

参考資料（3）

定款・諸規程例一覧

定款
諸規程
　○倫理規程（自主行動基準）
　○（公益社団法人）入会および退会規程
　　（公益社団法人）会費規程
　　（公益財団法人）会員に関する規程
　○社員総会運営規則
　○評議員会運営規則
　○（公益社団法人）理事会運営規則
　　（公益財団法人）理事会運営規則
　○（公益社団法人）役員の報酬等および費用に関する規程
　　（公益財団法人）役員および評議員の報酬等ならびに費用に関する規程
　○理事の職務権限規程
　○基金取扱規程
　○資金運用規程
　○委員会規則（規程）
　○情報公開規程
　○個人情報管理規程
　○リスク管理規程
　○公益通報者保護規程
　○監事監査規程
　○寄附金等取扱規程
　○特定費用準備資金および資産取得資金の取扱規程
　○コンプライアンス規程
　○外部理事（監事）の賠償責任限定に関する契約書

参考資料（4）

公益法人協会規程一覧

○倫理規程（行動基準）

○会員に関する規程

○評議員会運営規則

○役員等候補選出委員会規則

○理事会運営規則

○役員及び評議員の報酬並びに費用に関する規程

○役員等への講師及び原稿執筆謝金の支払に関する規則

○理事の職務権限規程

○寄附金等取扱規程

○会員に関する規程

○資金運用規程

○特定費用準備資金等取扱規則

○委員会規程

○情報公開規程

○個人情報管理規程

○リスク管理規程

・首都圏直下地震等対策ガイドライン

○公益通報者保護に関する規程

○コンプライアンス規程

○監事監査規程

○事務局規程

○就業規則

○準職員就業規則

○再雇用規程

○育児休業規程

○介護休業規程

○出張規程

○給与規程

○退職金規程

○経理規程

○文書管理規程

○印章取扱規程

○情報システムの運用管理に関する規程

○情報システムの緊急事態における行動指針

○特定個人情報取扱規則

○民間公益活動推進基金規程

＊公益法人協会ホームページ（http://www.kohokyo.or.jp/jaco40/rules.html）からご覧いただけます。

第2部
資料編

1　ガバナンス・コード関係資料

for smaller charities

日本語版（仮訳）

Charity Governance Code Steering Group

Group members   Observer   Supported by

About the Code

Good governance in charities is fundamental to their success.

A charity is best placed to achieve its ambitions and aims if it has effective governance and the right leadership structures. Skilled and capable trustees will help a charity attract resources and put them to best use. Good governance enables and supports a charity's compliance with relevant legislation and regulation. It also promotes attitudes and a culture where everything works towards fulfilling the charity's vision.

It is the aim of this Code to help charities and their trustees develop these high standards of governance. As a sector, we owe it to our beneficiaries, stakeholders and supporters to demonstrate exemplary leadership and governance. This Code is a practical tool to help trustees achieve this.

The Code is not a legal or regulatory requirement. It draws upon, but is fundamentally different to, the Charity Commission's guidance. Instead, the Code sets the principles and recommended practice for good governance and is deliberately aspirational: some elements of the Code will be a stretch for many charities to achieve. This is intentional: we want the Code to be a tool for continuous improvement towards the highest standards.

This Code has been developed by a steering group, with the help of over 200 charities, individuals and related organisations. We would like to thank everyone who has given comments and assistance during the consultation. Development of the Code would not have been possible without The Clothworkers' Company or the Barrow Cadbury Trust, whom we thank for their support.

We hope you find it useful in helping your charity to make an ever bigger difference.

Using the Code
Steering group and sponsors

コードを活用するにあたって

誰のためのコードか―Who is the Code for?

　このコードは、イングランド及びウエールズにおける登録チャリティが活用することを意図しているものであるが、コードの大部分は、社会的目的に基づき広く一般社会やコミュニティに利益を提供する他の非営利組織にも適用され得るものである。かかる組織やサブセクターにとっても、このコードの採用はその存在にとって有益である。

このコードの原則、前提となる事項、そして成果は普遍的なもので、規模の大小や事業内容の差異を問わずすべてのチャリティに適用されるものである。

　これらの原則に適合する「推奨する良き運営実務（The recommended good practice）」は色々とありうるであろう。大規模なチャリティやより複雑なタイプのチャリティを正確に区分することは難しいことではあるが、ガバナンスの運営は、その規模、収入、事業活動あるいは事業の複雑さなどによりかなり異なるとみられる。我々はこのような差異に着目して推奨するガバナンス運営実務に関し、異なる（二つの）バージョンを策定した。

　いずれのバージョンを採用するかは、色々な要素を夫々で勘案して選択してほしいが、一般論として、年間収入１００万ポンド(約１億４千万円)超で外部監査を導入しているチャリティは、大規模用バージョンを、これ以下は小規模バージョンを採用することをお勧めする。

活用方法―How it works

コードは、チャリティの継続的な改善を支援するためのツールとして企画されている。このコードを効果的に活用するチャリティの理事会は、定期的にコードの示す原則に立ち戻り、これを反映することとなろう。

法令順守（コンプライアンス）は、良きガバナンスの重要な部分である。このコードはチャリティと理事に適用される法令上の規範のすべてを盛り込んではいないが、基本的な法令及び通達に基づく理事の義務が基礎にあることを前提としている。（今回のコード基準の）7原則は、チャリティがすでにこの基礎に適合しているという前提で成り立っている。

コードは、原則（principle）と推奨する運営方法を示している。また、コードに適合するためのより詳細なガイダンスは、コードのウエブサイト上の参考情報やリンク先を見てほしい。

コードの中身としては、「原則となる考え方」（簡単な説明）、「その根拠」（なぜ重要かの理由）、「鍵となる成果」（期待する成果について）、そして「推奨する運営実務」（原則を実行するために必要な慣行・実務)から成り立っている。

適用し、説明する―Apply or explain

　我々は、特に成長し変化を続けており、今後の更なる発展と成熟するであろうチャリティに、このコードが活用されることを期待している。このような観点に立っているので、

推奨する運営実務のいくつかは、チャリティによっては最初の段階で当てはめることが必ずしも適当でない場合があろうが、将来は必ず必要となる基準である。

　重要なことは、理事がコードの原則と推奨する運営実務について十分議論し、自己のチャリティにどのように適用するかについて、熟考した結論を出すことだ。

　チャリティは、コードを採用するに至る経過について説明しなければならない、そうすることにより関係のある人たち誰にでも透明であることになる。我々はこのアプローチを「適用し、説明する」と呼んでいる。すべての理事は、推奨する運用実務をチャリティが採用する、採用しない、その代わり何をしたかを説明することによって、コードの成果と原則に合致することが奨励される。我々は他のガバナンスコードが時には使用する「遵守し、説明する（comply or explain）」という語句は使用しない。このコードにおけるすべての【推奨する運営実務】は、法令上の要件ではないからである。

　このコードを採用したチャリティは、年次報告書にその旨の簡単な説明を掲載することを奨励する。我々はこのステートメントが、政策及び諸手続きの監査に関する長文の記述よりは簡潔な叙述を期待する。

　また、住まい（housing）やスポーツなどの特定の分野のチャリティは、夫々セクターとしての独自のコードを持つのもよい。この独自のコードであっても、今回推奨するコードが一つの先例となろうし、チャリティの年次報告書で、どこのコードのどの基準を取り入れたか説明してほしい。

原則事項

　このコードは 7 つの原則で構成されている。これら 7 原則は、チャリティが法律および規制に則って設立・運営されていることが前提として定められたものである。

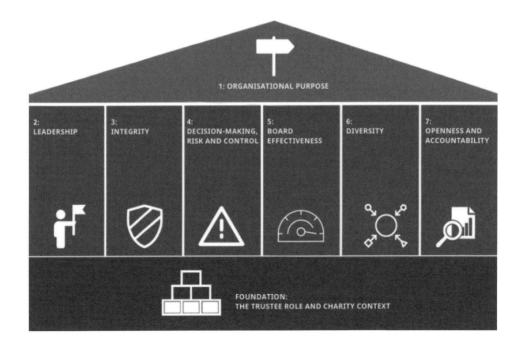

原則１．組織の目的（Organisational purpose）

　理事会はチャリティの目的を認識し、これらが効果的かつ安定して実施されることに努力を傾注すること。

原則２．リーダーシップ（Leadership）

　すべてのチャリティは、当該チャリティの目的と価値観に沿って、戦略的なリーダーシップが発揮できる効果的な理事会に率いられなければならない。

原則　３．誠実性（Integrity）

　理事会は、組織の公益目的を達成するために必要な価値観を共有し、文化を醸成することに向けて誠実に行動する。理事会は、一般の人がチャリティに信認と信頼を置くことの重要性を認識し、そうなるように理事は義務を果すべきである。

原則４　意思決定、リスクとそのコントロール

　理事会は、意思決定手続きが公知され厳格かつタイムリーに行われること、並びに効果的な権限委譲、リスク管理、マネジメント手法が定められ、かつモニターされることについて留意する。

原則　５．理事会の有効性

　理事会は、専門的技能、経験、環境そして知識の適切なバランスを活用し、公開すべき決定を下すため効果的なチームとして活動する。

原則６　多様性

　理事会が多様性を指向することは、理事会の有効性、リーダーシップ、そして意思決定に役立つ。

原則７　開放性と説明責任

　理事会は組織の透明性と説明責任について主導する。チャリティは、正当な理由がない限りその活動において開放的でなければならない。

基本事項　理事の役割とチャリティの概念について

　　ここに述べることは、チャリティのすべての理事にとって、ガバナンスコード（以下コード）の出発点となる事項である。

◇理事はそのチャリティの目指す目的に共鳴し、そのチャリティが目的達成のため最も効果的に活動することに役立つよう理事会に参加していること。

◇そのチャリティの目指す公益は、現在の（社会的）課題に合致していることを認識すること。

◇理事の役割と法的責任を理解し、特に次の資料を読み理解していること。

　・チャリティコミッションのガイダンス「理事の基本」（CC3）

　・そのチャリティの定款

◇しっかりしたガバナンスを維持するべく努力し、チャリティの将来にわたる継続的な改善に貢献する。

原則1．組織の目的（Organisational purpose）

原則となる考え方

理事会はチャリティの目的を認識し、これらが効果的かつ安定して実施されることに努力を傾注すること。

その根拠

チャリティは、その公益目的を達成するために存在する。理事はチャリティが活動する環境を認識し、チャリティが利用可能な資源を投入し、できうる限り効果的にその目的を遂行できるよう主導する義務がある。これができなければ、受益者、寄附者、支援者の期待に反することになる。

理事会の中核的役割は、戦略(strategy)、成果(performance)、そして履行(assurance)することである。

鍵となる成果

1.1 理事会は、チャリティの目的についての理解とコミットメントを共有し、これを明瞭に説明できること。

1.2 理事会は、チャリティが公益目的と合意した成果の達成のため、効果的に活動していることを示さなければならないこと。

推奨する運営実務

1.3 目的事業の決定に向けて

1.3.1 理事会は、組織とその目的が道をはずれず、また有効であるかを確認するため、定期的に組織の目的と外部環境を振り返る。

1.3.2 理事会は、組織の公益目的を実現させていくための戦略に賛同し、さらにこれを発展させていくために主導し、かつ達成すべき数値目標(outputs)、成果(outcomes)、波及的効果(impacts)について明確であるべきである。

1.4 目的事業の達成に向けて

1.4.1 すべての理事は、組織の公益目的が説明できる。

1.4.2 理事会は結果(results)、数値、成果を計測・査定することにより組織の生み出した波及的効果を評価する。

1.5 外部環境を分析し、事業の持続性を計画する

1.5.1 理事会は、公益目的の達成による収入が持続可能かどうか、また短期、中期、長期にわたるその波及的効果について定期的に検証する。

1.5.2 理事は、他の組織が、自己の公益目的事業と同様の事業をより効果的に実施しているか、或いは自らの組織の目的事業の達成が不確実と判断される場合は、他の組織との協働、合併若しくは自らが解散することについて、利害得失を検討する。

1.5.3 理事会は、地域、関係者(stakeholders)、そしてより広い社会的環境に対して、大きな責任があることを認識し、自己のチャリティの目的、価値観そして活用可能な資源を考慮に入れて対応する。

原則２．リーダーシップ（Leadership）

原則となる考え方

　すべてのチャリティは、当該チャリティの目的と価値観に沿って、戦略的なリーダーシップが発揮できる影響力のある理事会に率いられなければならない。

その根拠

　強力で影響力のあるリーダーシップは、チャリティの目的を効果的に遂行していくための適切な戦略を立てる上で役立つ。又それは、描くビジョン、価値観、かつ社会からの評価を含むチャリティの風格を決めるものでもある。

鍵となる成果

2.1 理事会及び各理事は、チャリティが明確かつ相互に関連性のある目的、及びこれらを達成するための適切な戦略を有するべく、連帯して責任を負っていることを容認している。

2.2 理事会は、チャリティのビジョン、価値観、評価に同意し、例えばチャリティを代表する何人にもチャリティの価値観を積極的に反映するよう主導する。

2.3 理事会は、チャリティの価値観がすべての事業に反映され、又組織の持つ気品と文化がすべての活動を実施する為の基礎であることを明確にする。

推奨する運営実務

2.4 チャリティの統率

2.4.1 理事会と各理事は、その決定について連帯責任を負う。

2.4.2 理事会の長（chair）は、当該チャリティの事業の優先順位、適切な組織形態、意思決定手続き、前向きな文化の醸成及びチャリティを適切に統治できかつ存在価値を高めることのできる理事構成と幹部職員の配置について、主たる責任を有し、そのためのリーダーシップを備えている。

2.4.3 トップとなる幹部職員（CEO）について、理事会には任命、監督、支援、評価、報酬、必要な場合の解任について適切な手続きが取れる体制が敷かれている。

2.4.4 理事会の権限は正式に規定されている。理事会の長及びその他の理事の役割について、それぞれの責任を明確に分けるとともに、幹部職員との関係を示す規程がある。

2.4.5 理事会が公式的に子組織を設立する場合、その根拠、メリット及びリスクが明確でなければならない。親チャリティと子組織の正式な関係は明白に記録されており、親チャリティはその親子関係を続けることが、チャリティの目的に役立つものであるかどうか、適切な間隔で再検討する。

2.5 リーダーシップの模範例

2.5.1 理事会は、チャリティの目的に合致した価値観に賛同し、その価値観がチャリティのすべての意思決定と事業の基礎となるべく推進するとともに確かなものとする(原則１参照)。

2.5.2 理事会は、多様で異なるそして時には相反する見解をも認め、敬意を払いそして

歓迎する。

2.5.3　理事会は、チャリティを監督し、進むべき方向を示し、組織とそのスタッフ特に幹部職員を支援し、建設的な挑戦の機会を提供する。

2.5.4　理事会は、幹部職員との交流を通じて、職員が理事会に対し必要な情報、提言、報告をすることを、自信をもってできうる環境を整備する。

2.6　コミットメント

2.6.1　すべての理事は、その義務を効果的に遂行する十分な時間をチャリティのために割く、これには、理事会やその他のガバナンス関連機関の会合や打ち合わせなどを含む、理事がチャリティに対して費やすべき時間のめどは、選任の前後2回、確認し承認を求める。

2.6.2　理事が例えばボランティアなど事業活動に参加する場合、決められた時間帯に活動する役割が明確であり、為すべきこと、為すべきでないこと、誰に報告するべきかが明確でなければならない。

原則3．誠実性（Integrity）

原則となる考え方

理事会は、組織の公益目的を達成するために必要な価値観を共有し、文化を醸成することに向けて誠実に行動する。理事会は、一般の人がチャリティに信認と信頼を置くことの重要性を認識し、そうなるように理事は義務を果すべきである。

その根拠

各理事は個人として及び理事会メンバーとして連帯して、チャリティの基金・資産さらには外部の評価についても最終的な責任を有している。理事は、時には困難なあるいは一見不人気とも受け取られる決断が必要な場合も含め、誠実に行動することにより、受益者その他の関係者さらには社会からの畏敬(respect)の念を保持しなければならない。これに欠けた場合は、チャリティとその事業への不信感を生むリスクがある。

鍵となる成果

3.1　理事会はチャリティとその受益者の最善の利益に向けて行動する。理事会は特定の利益を有するかもしれない人物に不当に影響されてはならず、個人的な利益に優先して常にチャリティの利益を最優先する。このことは理事が投票、指名若しくは任命いずれの方法により就任したかを問わず適用されるものである。理事会は一体としてその意思決定において独立的である。

3.2　理事会は、チャリティの評価の維持向上に努め、より広いセクターの中での信頼を得られるよう努める。

3.3　理事会の各メンバー及び当該チャリティで働き又は代表する者は、当該チャリティの持つ価値観に沿って誠実に活動していると見られるべきである。

推奨する運営実務

3.4　チャリティに対する評価の維持

3.4.1 理事会は、期待される誠実な行動を規定した適切な行動規範を制定し遵守する。

3.4.2 理事会は、チャリティが他の人々、他の関連する組織さらには一般社会からどのように受け止められているかについて配慮すべきである。理事会は、チャリティがその目的や価値観に沿って責任をもって倫理的に活動すべく、注意を払わなければならない。

3.4.3 理事会は、チャリティが法令を遵守していることを確認する。又さらには強行法規ではないルール、規範、慣行、例えば関連するガイダンス、Nolan Principles ＊及びチャリティの信頼性を向上させるためのその他の提言等にも照らし合わせ配慮する。

＊公務員等公的立場に従事する者に適用される倫理的規範で７つの原則から成る、１９９４年に制定され、その後何度か改定され現在に至っている。

3.5 利益相反および忠実義務違反に対する認識と対応

3.5.1 理事会は、公知となった利益相反や忠実義務違反がチャリティの業績や評価に如何に直結しているかを理解する。

3.5.2 理事は、現実の利益相反取引や、その恐れのある取引について理事会に説明し、定款及び定期的に見直されている利益相反に関する方針に照らして処理すること。

3.5.3 受けた便宜供与、接待及び贈り物の記録は保管され、チャリティが承認している情報公開原則に従って関係者に公開されている。

3.5.4 各理事は独立性を維持し、もし何らかの利害関係者から影響を受けている、若しくはその恐れがある、あるいは利害衝突があると感ずるときは理事会に報告する。

原則4　意思決定、リスクとそのコントロール

原則となる考え方

　理事会は、意思決定手続きが公知され正確かつタイムリーに行われること、並びに有効的な権限委譲、リスク管理とマネジメント手法が定められ、かつモニターされていることについて留意する。

その根拠

　理事会はチャリティの意思決定と事業の執行に最終的な責任を負うものであるが、すべてを自らが行うことはできないし、又、するべきでもない。理事会は法令及び定款に基づいて定められた決定をすることが求められるが、それ以外にも何を決定し何を委譲するかを決めなければならない。

　理事は権限委譲ができるが、最終的な責任を免れるものではないので、理事会には、委譲した事項の状況を監督するために、適切に財政面など関連する事項について掌握するとともに、報告を受ける体制を実施することが求められる。理事はまた、組織にとってのリスクとチャンスを認識・評価し、これが対処可能か、あるいは取り上げるにふさわしいか

という評価を含め、如何に処理することが最善かを決定しなければならない。

鍵となる成果

4.1 理事会が主としてフォーカスすべきことは、日常的運営（operational matters）ではなく、戦略、成果ならびに確実に実行を請け合うことであり、そしてこのことが権限委譲に反映されなければならない。

4.2 理事会は、公益目的事業を実行でき得る健全な意思決定手続きとこれをチェックするシステムが構築されていなければならない。理事会はチェックし管理すべき財務的、非財務的リスクの範囲を認識している。

4.3 理事会は、資源を健全に管理する文化を育成することは必要であるが、他方、過剰な警戒心や、過度にリスクを恐れることは、それ自体がリスクであり、革新を妨げることとなる。

4.4 理事会の役割の一部が、委員会、職員、ボランティアあるいは契約先に委任されている場合であっても、理事会が責任を負い、これらを監督しなければならない。

推奨する運営実務

4.5 委譲とチェック

　　4.5.1 理事会は、あくまでも理事会がなすべきこと、他に委譲できることを定期的に検討する。理事会は権限委譲を<u>上級幹部、</u>委員会、理事個人、職員、ボランティアにまとめて権限委譲することができる。

　　4.5.2 理事会は、権限委譲について書類として記録し、代理権限が明確に理解され行使できるよう、その詳細な内容と明確な限界を規定する。<u>**また、権限委譲が如何に遂行されているかをチェックし監督するシステムを設ける。**</u>

　　4.5.3 理事会は、委員会への諮問事項の条件及び委員の人選について明確にしなければならない。

　　　　・諮問事項の条件は定期的に見直す

　　　　・委員の人選は定期的に見直し、特定の人物に過度に依存しない

　　4.5.4 チャリティが第三者の業者に業務を委託する場合（たとえばファンドレイジング、データ処理、その他）、理事会はこの業務がチャリティの利益のために、チャリティの価値観及びチャリティと業者の契約に沿って履行されることを確認する。理事会はこの契約が適切に維持されているか定期的に確認する。

　　4.5.5 理事会は、チャリティの目的事業の実施が十分に継続的に支援できるか、また適当であるかを、チャリティの主要な政策（policy）と実施手続き(procedure)において定期的に見直す。この見直しには、政策と手続きに関連する理事会の戦略、機能と責任、内部留保を含む財務、役務及び品質基準、良き労働慣行、ボランティアの奨励と雇用並びにファンドレイジングやデータの保護などが含まれる。

4.6. 組織の運営実績を管理しモニターする

　　4.6.1 理事会は、<u>**幹部職員の運営業務について、**</u>運営方針、予算がチャリティの目的、<u>**合意された**</u>戦略そして<u>**利用可能な**</u>資源に適合していることを確認する。

　　4.6.2 理事会は、一貫した手法により業績を定期的にモニターし、チャリティの戦略的

目的、実行計画及び予算と対比し業績をチェックする。<u>これには、これらの目的に合致するように計算し支援するスタッフが設置されているような構造が含まれる。</u>

4.6.3 理事会は、承認された計画、成果及びタイムスケジュールを評価するために必要な情報の管理について、幹部職員と合意している。<u>この情報は、タイムリーに関連する正確でかつ理解容易な様式によらなければならない。</u>

4.6.4 理事会は、他の類似する組織の情報と比較し、或いは自らの組織の業績のベンチマークとして定期的に検討する。

4.7 積極的なリスク管理

4.7.1 理事会はリスクマネジメントに関し全面的責任を負っている、そして、許容する特定の又は重なったリスクの程度について議論し決定しなければならない。

4.7.2 理事会は、チャリティに特有なリスク及びこれらのリスクが累積した影響を定期的に検証する。理事会はこれらのリスクを適切に軽減し管理する計画を立てる。

4.7.3 理事会は、チャリティ独自で、優先順位が付けられた拡大するリスクを管理するための手続き、もしできうればこれらのリスクを管理する内部システムを定期的に見直す。理事会は、少なくとも毎年リスク管理に関する有効性を検証する。

4.7.4 <u>理事会は、リスクに関するチャリティの対応策を、当局の規制に沿って年次報告書に記載する。</u>

4.8 会計監査人の任命と会計監査

4.8.1 理事会は、会計監査人を任命し評価し得る実効性のある手続きについて同意し、監査委員会を設置している場合には、その助言を得て監督する。

4.8.2 <u>チャリティが監査委員会を設置している場合、その議長は関連する最新の財務的経験を有し、委員は最低2名の理事を含まなければならない。</u>

4.8.3 <u>理事会若しくは監査委員会は、少なくとも年1回は、有給の職員を同席させないで会計監査人と会合を持たなければならない。</u>

4.8.4 <u>不適切行為、不正行為又は不祥事として疑われる事件が発生し、チャリティの信頼性が揺らぐ懸念がある場合には、監査委員会のような機関が対処する仕組みがあること。この懸念には、公益通報によりもたらされた問題も含む。また、適切で独立した調査と事後的対応策を行う仕組みがあること。</u>

原則　5．理事会の有効性

原則となる考え方

理事会は、専門的技能、経験、環境そして知識の適切なバランスを活用し、公開すべき決定を下すため有効なチームとして活動する。

その根拠

理事会は、チャリティが成功するかしないか決定的な影響力を持っている、理事会がそのリーダーシップ、行動、文化、実績を通じて示す全体感は、チャリティの成功にとって

極めて重要である。その意味で、新しい理事のリクルート、実績と改善そして理事会の行動にとって積極的なアプローチが重要である。有効なチームのメンバーとして、難しい問題を避けるのではなく提案し、質問し、新しいアイデアを提供し、主張をすることは何ら問題ないと考えるべきである。

鍵となる成果

5.1　理事会の文化、行動そして手続き方法は理事会が有効であることに大きな影響を与えるが、これには問題解決に向けた挑戦や異なる考え方を受け入れることも含まれる。

5.2　すべての理事は、そのチャリティに関する適切な専門的技能と知識を有し、その役割を有効に果たすべき十分な時間をチャリティに与える余裕がある。

5.3　理事会議長は、理事のメンバー間で強い協働関係を生み出すことにより、有効なチームとして理事会が機能するよう努め、かつ意見の相違があれば、これを議論し解決する文化を創造する。

5.4　理事会は、全体として自信をもって決定する。ひとたび、決定されれば理事会はこれに向けて団結し、拘束されることを許容する。

推奨する運営実務

5.5　有効なチームとしての活動

5.5.1　理事会は存在意義があると判断されるように随時開催する。

5.5.2　議長は、理事会の時間が有効に使用されるよう、各理事が必要な情報、重要な問題を調査するために必要な時間・場所そして熟慮された結論に達するよう、各理事と職員と共に、理事の活動日程及び理事会開催計画を立案する。

5.5.3　理事会は、適切な理事会進行と必要に応じ理事と議長の橋渡しの役割を果たす副議長乃至それに類したポストを設置する。

5.5.4　理事会は、各理事の行動に関するモチベーションと役割への期待を含んだ、チームとしての成果と協働について定期的に議論する。各理事は、信頼感を醸成するために互いに他の理事のモチベーション理解し、議長は各理事が互いに前向きに挑戦できる環境を如何に作り上げているかについて結果報告を求める。

5.5.5　意見の大きな相違が生じたときには、各理事は時間をかけて色々な観点から検討し、異なる視点と妥協案の生み出す価値についても耳を傾けた上で、理事会において代替案のもたらす成果を探る。

5.5.6　理事会全体として、当該チャリティ内部の専門家乃至は外部からガバナンスや法律、金融について助言支援を受ける。理事会が義務を遂行するために必要ならば、これはチャリティの費用で賄われる。

5.6　理事会構成を見直す

5.6.1　理事会は、組織を統治し、主導し、チャリティの目的を効率的に実施でき得る専門性、知識、経験を持つ理事が程よくミックスされていること、また、これを定期的に見直しする機会が必要である。このミックスは理事の任命が理事会を常に新鮮(refresh)に持続するためにバランスをとることの反映である。

5.6.2　理事会は、チャリティの任務が遂行されるに十分な人数でなければならず、又理

事構成の変更が大きな混乱を生じないよう配意するべきである。理事会は少なくとも５名、最大限で１２名が典型的な良き慣行(good practice)とみなされている。

5.7　理事選任への配意

5.7.1　新理事の選任については、広く公募することも含め、公式、厳格かつ透明性のある手続きが定められている。

5.7.2　新理事は、選考基準に沿って、かつ理事会の多様性も考慮に入れ、候補者を探し、任命若しくは選挙により選任する。**通常のスキル監査は、候補者を探す段階で告知される。（小規模団体の場合※と表現が異なる）**

※理事会は、どのようなスキルを持ち、かつ必要かについて定期的に見直すが、このことはどのような新しい理事が選ばれるかを反映する。

5.7.3　理事会の任命に先立ち、指名委員会が理事会に推薦する仕組も考慮する。

5.7.4　理事の任期は、定款及び法令の選任、重任に関する規定に準拠したうえで、合意された期間であるが、在任期間が９年超になれば、次の２点に留意した上で選任する。

　・理事会の活性化の必要性も考慮し、より厳しい審査によること
　・理事会の年次報告書にそのことを説明すること

5.7.5　チャリティの定款が、社員（メンバー)が単数または複数の理事を指名し選挙するか又は理事会が指名または推薦したのち、社員が選挙する手続きを規定している場合、チャリティは社員がこの役割を果たすべく支援しなければならない。

5.8　理事会の活性化

5.8.1　理事は、就任に際し必要な資料も備えた学びの機会が与えられること、この学びには、チャリティの全分野にわたる事業に関する幹部職員とのミーティングを含み、理事は学習と啓発の機会が継続的に与えられる。

5.8.2　理事会は理事会全体、各理事個人、及び議長の業績を評価する。**この評価は毎年、外部評価を受ける場合は三年に一度行う。**この評価にあたり典型的には、理事会のスキル、経験、知識、広義の意味での多様性、理事の協調性及びその他理事会の効率性に関連する要素を念頭に入れる。

5.8.3　理事会は、当該チャリティが理事会のガバナンス体制を**どのように検証若しくは評価しているかを、**その年報において説明する。

原則6　多様性

原則となる考え方

理事会が多様性を指向することは、理事会の有効性、リーダーシップ、そして意思決定に役立つ。

その根拠

広義の多様性は、理事会が最新の情報を得る、これに反応する、そしてボランティアセクターが直面する複雑で急速な変化に素早く対応するために、基本的に必要なことである。異なるバックグラウンドや異なる経験の理事が構成する理事会は、議論を深めその結果、よりよき結論を得られることとなろう。

ここで言う「多様性」とは、平等法（Equality Act）が規定する9つの多様性※及び異なるバックグラウンド、人生経験、キャリア及び異なる思想である。理事会は異なるやり方で考える人や異なるバックグラウンドの人物を探すよう努力すべきだ。

※(a)年齢、(b)障害、(c)性別転換、(d)人種、(e)宗教・信条、(f)性、(g)性的指向、(h)所帯構成（婚姻・同性婚）、(i)妊娠・出産

鍵となる成果

6.1　多様な考え方、経験、専門性を持つ人から構成される理事会は、より効果的である。

6.2　理事会は、当該チャリティが法令の最低限の規定を超えた妥当な水準の平等性と多様性を保つよう保証する。

推奨する運営実務

6.3　開放的かつ容易に参加できる体制を奨励する

　6.3.1　理事会は、多様性について、定期的に研修し状況を確認し、理事会のこの分野における責任を理解する。

　6.3.2　理事会は、必要に応じて予算的措置も含め許容できる範囲の資源を投入して、多様性を達成するために、理事となる人たちに関して障害となることを取り除く又は軽減する積極的な努力をする、このことは次のことを含む。

　　・理事会の時間、場所及び頻度

　　・例えばデジタル技術の活用も含め、理事会に提出される書類及び情報の工夫

　　・音声や点字による情報提供の配慮

　　・適切な費用の支払い

　　・理事の欠員についての公表及び募集

　6.3.3　議長は、如何にすれば理事会がより多くの参加を得て開催できるか及び各理事が互いに建設的な意見を交わし、すべての意見が公平に聞ける環境をどうすれば作れるかについての意見を問わなければならない。

6.4　多様な人材の理事をリクルートする

　6.4.1　理事会は、不均衡やある種のギャップがないかをみるために、定期的に理事全員の監査能力、経験、バックグラウンドの多様性を見直し、理事のリクルートや研修機会について通告する。

6.4.2 理事会は、どのような方法であれ理事会の定期的レビューの重要なテーマの一つとして多様性を検証する。また、理事会は理事会構成の多様性の価値を認め、多様性について適切な目標を持つこと。

6.4.3 理事のリクルート方法を決定する際、理事会は多様な候補者の集まりを如何にすれば引き付けられるかを考える。理事を公に募集する場合、多様性を考慮する。

6.5 多様性に関するモニタリングと報告

6.5.1 各理事は、理事会の多様性に関する目的をモニターし達成するための計画があることを確認する。

6.5.2 理事会は、チャリティの多様性に関する目標についての対応、果たした主導的役割、その成果について、できなかったことも含め年次報告をしなければならない。

原則7　開放性と説明責任

原則となる考え方

理事会は組織の透明性と説明責任について主導する。チャリティは、正当な理由がない限りその活動において開放的でなければならない。

その根拠

チャリティが公益活動を通じて貢献していることに対する社会からの信頼は、当該チャリティだけでなく、さらには非営利公益セクター全体の評価と成功にとって基本的に必要なものである。チャリティの成功を喜び、一方で失敗から教訓を学ぶ真の双方向のコミュニケーションを通じて説明責任を果たすことは、信頼と信認を醸成し（チャリティの）存在意義に正統性を与える。

鍵となる成果

7.1 組織の事業及びそのインパクトは、全てのステークホルダーから評価される。

7.2 理事会は、チャリティの成果及びステークホルダーとの協働関係は、理事会が決定している価値観、倫理そして文化に沿ったものであることを確認する。理事は、倫理的な運営を推進するためには、チャリティがステークホルダーと協働しなければならないことに留意すべきである。

7.3 チャリティは、その事業によって社会の信認と信頼を獲得する重大な責任がある。

7.4 チャリティは、その受益者やステークホルダーから表明される正当性を保有しなければならない。

推奨する運営実務

7.5 ステークホルダーとの効果的なコミュニケーションと意見聴取。

7.5.1 理事会はチャリティの事業に関係する主要なステークホルダーが誰であるか認識しなければならない。ステークホルダーには、事業の利用者(users)、受益者、スタッフ、ボランティア、メンバー、寄附者、取引先(suppliers)、コミュニティ、その他を含むこととなろう。

7.5.2 ステークホルダーは、チャリティの目的達成状況に関する情報を有している一方、理事会は、チャリティの目的、価値、事業、成果に関する定期的で有効な彼らとのコミュニケーションを心掛ける戦略を明確にすること。

7.5.3 この戦略の一つとして、理事会はいかに最善のコミュニケーションができるか、如何にチャリティが統治されているか、誰が理事で彼らの決定がどうかといった点を考えるべきである。

7.5.4 理事会は、ステークホルダーが合意された手続きとルートを通じて理事会に説明を求める機会があるよう配意する、たとえば Q&A セッションなどが挙げられる。

7.5.5 理事会は、チャリティの事業やポリシーに重大な変更をする場合には、ステークホルダーから意見聴取する適切な機会を設けること。

7.6　組織の開放的文化を育てる

7.6.1 理事会は、よいことと悪いことの報告、及びチャリティに寄せられた苦情について定期的に報告を受ける。理事会は誤りから学び、この学んだことから成果をあげること並びに内部的な意思決定を向上させることに使うことを公に示すものとする。

7.6.2 理事会は、寄せられた苦情について、隠すことなく、適切に周知しかつ実効性のある、タイムリーな取り扱いをすること並びに内部・外部を問わずその苦情について前向き、公平、そして実効性のある取り扱いをすることに留意する。

7.6.3 理事会は、理事及び幹部職員の受ける利益を記録し、原則３に則してこれらの事実を公に周知する方法について合意する。

7.6.4 理事会は幹部職員の報酬額の決定プロセス及び報酬の水準についてウエブサイト及び年次報告書で発表する。

7.7　会員の参加

理事が、理事会ではなく、広く会員によって選任されるチャリティにあっては、理事会は、次の諸点に留意する。

・会員の資格について明確な方針がある。

・明確で、正確かつ最新の名簿がある。

・会員にチャリティの事業について説明する。

・目的とする価値について会員の意見を求め、主要な課題についての会員の意見を反映する。

・会員は、委員会への参加や理事として選挙され得ることを含んだ、会員がチャリティのガバナンスに参画する方法が明らかにされている。

Useful links

This page contains some useful links to the resources available from code steering group partners.

The Charity Commission's website has essential information for trustees and those that support effective governance. The foundation section of the code refers to CC3 The Essential Trustee.

ACEVO is the community of civil society leaders. Its website contains advice and support on governance, in particular developing effective CEO and board relationships.

The Association of Chairs supports Chairs and Vice Chairs in England and Wales. You can find resources and events on their website
www.associationofchairs.org.uk

ICSA: The Governance Institute has general and detailed information for the charity and voluntary sectors, including guidance on trustee roles and duties and conflicts of interest, as well as books and courses. Go to the 'knowledge tab' and look for the link to 'charity resources'.

NCVO has a suite of tools and resources designed to support effective governance.

- The NCVO Knowhow Nonprofit site provides knowledge and e-learning for charities, social enterprises and community groups. The 'Board Basics' section contains a suite of tools, model documents and guidance for effective boards.
- The 'Studyzone' section hosts online trustee training and other courses which can help your board implement this code. These resources are free to NCVO members.
- Other information on NCVO's governance support, training, publications and topical blogs can be found through NCVO's website.

The Small Charities Coalition supports organisations with an income of under £1m a year. Its website includes information on events, advice and guidance for the trustees of smaller charities.

Charities based in Wales are encouraged to visit WCVA's website which has guidance and information on events. Third Sector Support Wales is a network of support organisations for the voluntar sector in Wales.

〈参考〉チャリティコミッション ガイダンス「理事の基本」（CC3）セクション２「理事の職務早わかり」抜粋

　「理事の基本」（CC3）は、チャリティコミッションが出しているガイダンスの一つです。ここには、「理事の基本」（CC3）の以下の13セクション中、セクション２「理事の職務早わかり」（Trustees'duties at a glance）の翻訳を収録しています。なお、「理事の基本」（CC3）の全文はチャリティコミッションのホームページ（https://www.gov.uk/government/collections/list-of-charity-commission-cc-guidance-publications）から入手できます。

The essential trustee：what you need to know, what you need to do（CC3）
Contents
1. About this guidance
2. Trustees'duties at a glance
3. Who can be a trustee and how trustees are appointed
4. Ensure your charity is carrying out its purposes for the public benefit
5. Comply with your charity's governing document and the law
6. Act in your charity's best interests
7. Manage your charity's resources responsibly
8. Act with reasonable care and skill
9. Ensure your charity is accountable
10. Reduce the risk of liability
11. Your charity's legal structure and what it means
12. Charity officers-the chair and treasurer
13. Technical terms used in this guidance

＊次頁からの本文にあるたとえば「セクション４をご参照ください。」と該当するセクションを示しているのは、上記「理事の基本」（CC3）の13セクションの中のセクションを指します。

セクション 2　理事の職務早わかり

　このセクションの内容は、このガイダンスの後半で詳しく説明する、「理事の主な法的責任」の概要を示したものです。このセクションは最小の事項を記しているので必ず目を通し、必要に応じて後半のセクションのガイダンスを参考にして、理事の責任について完全に理解するようにして下さい。

> **最初に、あなたがチャリティの理事の資格があるかを確認してください。**

　あなたが会社形態のチャリティまたは C. I. O.（Charitable Incorporated Organisation）の理事になる場合は、16 歳以上であることが必要です。また、その他の形態のチャリティの理事を務めるには、少なくとも 18 歳以上であることが必要です。

　あなたは、チャリティの定款に基づいた手続きならびに規程に従って、理事として任命される必要があります。

　理事の資格を失った場合は、チャリティ委員会の許可がない限り、理事として行動することはできません。理事の欠格事由は以下の通りです。

　・破産または自己破産中（individual voluntary arrangement）
　・特定の犯罪（不正行為または詐欺を含みます）により執行猶予中（unspent conviction）
　・性犯罪者として登録（sex offenders register）

　理事の自動的な欠格事由の詳細はガイダンスで知ることができます。危険にさらされている子供または大人と協力するチャリティの場合には、さらなる制限がありますが、セクション 3 をご参照ください。

> **あなたが理事であるチャリティが、公益のための目的を遂行しているかを確認してください。**

　あなたと同僚の理事は、チャリティがその設定した公益目的のみを遂行しているかどうかを認識している必要があります。このことは以下のことを意味しています。

　・定款に示されているチャリティの目的を確実に理解している。
　・チャリティの活動について計画を立て、それをどのように達成しようとしているかを理解している。
　・チャリティのすべての活動が、チャリティの目的達成をどのように促進し、支援しているかを説明できる。
　・チャリティの目的を遂行することによって、どのような形で公共の利益をもたらすかを理解している。

　チャリティの資金をその目的外に使うことは重大な問題です。場合によっては、理事は個人的にその分の資金をチャリティに返済しなければなりません。

　詳細はセクション4をご参照ください。

チャリティの定款と法律を遵守する

　あなたと同僚の理事は、以下のことを行わなければなりません。

・チャリティが定款を遵守しているかを確認しなければならない。
・あなたのチャリティに適用されるチャリティ法の要件およびその他法律を遵守しなければならない。

　法の要件を把握するため、関係するガイダンスを読んだり、必要に応じて適切なアドバイスを受けたりするなど、合目的的な措置を講じる必要があります。

　詳細はセクション5をご参照ください。

チャリティの最善の利益のために行動する

　あなたは次のように行動しなければなりません。

・チャリティの目的をもっともよく達成することができるように、あなたと同僚その他の理事が決定したことは行わなければならない。
・他の理事とともに、長期的ならびに短期的なことを考え、バランスがとれかつ分り易い意思決定をしなければならない。
・チャリティに対するあなたの義務として、自己の個人的利益や他の個人・法人に対する忠誠心と反するような立場に身を置くことは避けなければならない。
・適法な許可がない限り、またはチャリティの利益にならない限り、チャリティから利益を得てはならない。このことは、あなた以外にあなたと経済的に繋がりのある、例えば配偶者や扶養義務のある子供或いはビジネスパートナーも含まれます。

　詳細はセクション6をご参照ください。

責任をもってチャリティの資産を管理する

　あなたは、責任をもって合目的的にかつ誠実に行動しなければなりません。これはときに慎重義務（the duty of prudence）とよばれることもあります。この慎重さとは、健全な判断力を行使することです。あなたと同僚の理事は、次のように行動しなければなりません。

・チャリティの資産は、チャリティの目的を維持し、遂行するためにのみ使用されていることを確保しなければならない。
・チャリティの資産、受益者の評判を不当なリスクにさらすことを避けなければならない。
・チャリティに対して過剰にコミット（over-commit）してはならない。
・投資や借入をする時には特別な注意を払わなければならない。
・基金使用または土地売却に関するあらゆる制限を遵守しなければならない。

　あなたと同僚の理事は、以上のことが確実に守られるよう、適切な手続きと所定の安全対策を講じ、合目的的な手段をとる必要があります。そうでないと、あなたはチャリティを詐欺や窃盗、その他種類の不正行為の危険に晒し、各種の義務に違反していることになります。

　詳細はセクション 7 をご参照ください。

合理的な注意とスキルをもって行動する

チャリティの運営責任者として、あなたは次のように行動しなければなりません。

・あなたはスキルと経験を活かし、必要に応じて適切なアドバイスを受けながら、合理的な注意を払いつつ、技術を行使しなければならない。
・あなたはチャリティでの役割を果たすため、例えば全ての理事会に出席し、積極的に審議に加わり、そのための準備をするなど、十分な時間、思考、エネルギーを使わなければならない。

　詳細はセクション 8 をご参照ください。

チャリティが説明責任を果たしているかを確認する

　あなたと同僚の理事は、会計基準および法制上の報告要請を遵守しなければなりません。また、あなたは次のように行動しなければなりません。

・チャリティが法律を遵守し、効果的、適切に運営されていることを示すことができなければならない。
・もし、あなたのチャリティが理事会とは別に会員制度（membership）を導入している場合は、その会員に対して適切な説明責任を果たさなければならない。
・特に業務執行や決定に対する責任を職員やボランティアに委任している場合においては、チャリティ内で説明責任が果たされていなければならない。

　詳細はセクション 9 をご参照ください。

以上

Independent Sector

"Principles for Good Governance and Ethical Practice: A guide for charities and foundations"

第1部　法令順守および情報公開について

原則　1

公益を目的とする団体は、団体が設立された州および地域、またはその事業が実施される州および地域の関係法令を順守すると共に、合衆国のすべての関係法令を順守しなければならない。国外において事業を実施する場合には、国際的な関係法令および条約にも従わなければならない。

原則　2

公益を目的とする団体は、明文化された倫理規定を団体として正式に採用し、その理事、職員、ボランティアのすべてに周知した上で、これを順守させるべきである。

原則　3

公益を目的とする団体は、団体内および理事会における利益相反およびその潜在的な可能性、もしくは利益相反ではないかと思われる状況が、情報公開、利害関係者による関与の回避、またはその他の方法によってすべて適切に対応されるように、必要な諸規定および手続きを定め、実行すべきである。

原則　4

公益を目的とする団体は、個人が違法な行為や団体の諸規定に違反する行為に関する情報の提供を申し出ることができるように、諸規定および手続きを定め、実行すべきである。この内部告発（公益通報）に関する規定においては、団体が善意の報告を行った個人に対して報復を行わないこと、また、その秘密保持に努めることを明確にするべきである。

原則　5

公益を目的とする団体は、団体の重要なデータ、文書、および業務記録が保護されるように、そのための諸規定および手続きを定め、実行すべきである。（※）

　※　重要な文書の例として、納税申告関係の全書類、団体間の合併の取り決めに関する資料、寄付財産や助成金に関する文書、また、関係団体との取引に関する証憑書類などがあげられる。

原則 6

公益を目的とする団体の理事会は、団体の資産（所有財産、文書およびデータ、経済的・人的資源、プログラムの内容、団体の信用度や評価）が傷つけられたり、失われたりせずにしっかり保護されるように、適切な計画が立てられるようにすべきである。理事会は、団体または理事・役員に損害賠償責任保険を手当する必要があるかどうかを定期的に見直し、さらに、その他の対策によりリスクの軽減を図るべきである。

原則 7

公益を目的とする団体は、ガバナンス、財務、事業計画、活動内容など、その活動の情報を広く公開すべきである。さらに、公益を目的とする団体は、活動の結果を評価するために用いられている方法を公開し、評価の結果を共有することを検討すべきである。

第2部 効果的なガバナンスについて

原則 8

公益を目的とする団体は、団体のミッションおよび戦略的方向性、年間予算および重要な財務取引、報酬に関する諸慣行および諸規定、また、財務・ガバナンスの諸規定に関する見直しおよび承認において責任を担う機関を設置しなければならない。

原則 9

公益を目的とする団体の理事会は、その業務を遂行し、責任を果たすのに必要なだけの回数、定期的に開催されるべきである。

原則 10

公益を目的とする団体の理事会は、その規模および構成を自ら定めた上で、これについて定期的に見直しを行うべきである。理事会は、そのなかで十分な議論を行い、ガバナンスに関する考え方の多様性を担保し、また、団体の運営に関するその他のさまざまな事項に対応するのに必要なだけの人数の構成員を置くべきである。すなわち、極めて小さな規模の団体を除き、理事会には通常5名以上の構成員が置かれるべきである。

原則 11

公益を目的とする団体は、ミッションを推し進めるために、理事会の構成員として、多様な背景（エスニシティ、人種、ジェンダーなど）、経験、および運営・財務の技能を有する人びとを含めるべきである。

原則 12

パブリック・チャリティにおける理事会の大多数、通常その3分の2以上は、独立の理事が務めるべきである。独立の理事となる者は、（1）団体から被雇用者もしくは独立の業務請負人として報酬を得るべきではなく、（2）団体から報酬を受ける他の個人に自身の報酬に関して何も決定させるべきではなく、（3）団体の活動の対象として利益を受ける集団に自分自身が属することになる場合を除き、団体からの物質的・金銭的な利益を直接的にも間接的にも受けるべきではなく、また、（4）上記の誰かと（配偶者、兄弟、親または子として）関係があったり、あるいは同居していたりすべきではない。（※）

> ※　理事会の独立性に関する要件は、州によって大きく異なる場合がある。インディペンデント・セクターのウェブサイトでは、州レベルにおける特定の要件について概説を行った関係法令に関する調査結果が掲載されている。

原則 13

理事会は、団体のチーフ・エグゼクティブ・オフィサーに報酬を支払い、その業務状況を監督し、年一回その評価を行うべきである。この評価は、当該オフィサーとの複数年契約が実施されている場合、単にインフレや生活費の上昇を考慮した定期的な調整として報酬額の変更が行われる場合を除き、当該オフィサーの報酬について何らかの変更が行われる前に実施されるべきである。

原則 14

公益を目的とする団体の内、有給職員のいる団体の理事会は、チーフ・スタッフ・オフィサー、ボード・チェア、財務担当理事をそれぞれ別の個人が務めるようにすべきである。有給職員のいない団体の場合には、代表理事と財務担当理事をそれぞれ別の個人が務めるようにすべきである。

原則 15

理事会は、その構成員が理事としての法的および倫理的責任を自覚し、団体のプログラムや活動状況を把握し、また、その監督機能を有効に発揮することができるように、彼らに対する教育およびコミュニケーションの効果的な仕組みを構築すべきである。

原則 16

理事会の構成員は、全体および個人としての業務執行の状況について、3年に1回以上は自己評価を行うべきであり、また、理事としての責任を果たすことができない者については、更迭の手続きを取らなければならない。

原則　17

理事会は、その構成員の任期および重任回数に関する諸規定および手続きを明確に定めるべきである。

原則　18

理事会は、団体の運営およびガバナンスに関する文書等の見直しを5年に1回以上は行うべきである。

原則　19

理事会は、団体のミッションおよび目標を設定した上で、これらを定期的に見直し、さらに、ミッションの推進と団体の資源の効果的な活用を確実に実現するために、団体のプログラム、目標、活動の内容について、5年に1回以上は評価を行うべきである。

原則　20

理事会の構成員は、一般に、その業務の遂行のために発生した支出に対する支払いのほかには、報酬を得ずに団体の活動に従事するものとみなされている。公益を目的とする団体の内、理事会の構成員に報酬を支払う団体は、適切な比較対象のデータを用いて報酬額を決定すべきであり、また、報酬額の決定の過程を記録し、要求があった場合には、誰に対しても報酬額およびその理論的な根拠に関するすべての情報を提供すべきである。

第3部　財務状況の監督の強化について

原則　21

公益を目的とする団体は、完全かつ正確な最新の財務記録を残し、その財務の厳格な管理が行われていることを保証しなければならない。理事会は、団体の財務活動に関する最新の報告を受けてその確認を行うべきであり、資格を持つ独立した財務専門家を会計監査人とするか、または、これらの計算書類について、団体の大きさや事業の規模に応じた適切な方法により、年一回確認を行うべきである。

原則　22

公益を目的とする団体の理事会は、当該団体（および、該当する場合には、その補助的な団体）が法律の要件に従い、責任ある資金管理および投資を実行するように、その諸規定および手続きを定めなければならない。理事の全員が、団体の年間予算の確認を行った上でこれを承認し、また、予算計画に対する実際の執行状況を監視すべきである。

原則 23

公益を目的とする団体は、理事または役員に対し、資金の貸し付け（もしくはこれに相当
すること、たとえば、債務の保証、住居や事務所の所有権の購入または譲渡、借金または
リース債務の救済など）を行うべきではない。

原則 24

公益を目的とする団体は、年間予算の相当な額を団体のミッションのためのプログラムに
使用すべきである。また、これらのプログラムを責任をもって効果的に実施する上では、
そのための十分な運営能力およびファンドレイジング能力を備えていなければならない。

原則 25

公益を目的とする団体は、団体の業務や出張を行った者が支払った費用を支給するための
諸規定を明文化し、対象となる費用の種類や必要な証憑書類について定めるべきである。
出張に関しては、諸規定を通じ、費用対効果への配慮を求めるべきである。

原則 26

公益を目的とする団体は、団体の業務のために出張する者に同行する配偶者や扶養家族、
その他の者に対し、同行者自身が団体の業務を行う場合を除き、その旅費を支給するべき
ではない。

第4部　責任あるファンドレイジングについて

原則 27

寄付の勧誘など、寄付者および社会一般への呼びかけを行う場合には、どのような団体で
あるのかを明確に示し、正確かつ正直でなければならない。

原則 28

寄付財産は、その使用目的が寄付の呼びかけのなかで説明されている場合にも、あるいは
寄付者によって具体的に指示されている場合にも、寄付者の意思と合致する目的のために
使用されなければならない。

原則 29

公益を目的とする団体は、寄付者が税法上の諸要件に従って行動することができるように
情報を提供すると共に、内国歳入庁の諸要件に従い、寄付の受領証明書を発行しなければ
ならない。

原則　３０
公益を目的とする団体は、寄付財産が団体の倫理観、財政状況、プログラムの目的などに
照らして受け入れるべきものであるかどうかを判断するために、特別に免税とされたその
目的に基づき、はっきりした考え方を定めるべきである。

原則　３１
公益を目的とする団体は、団体のために寄付を募集する人びとに対し、その責任、および
合衆国、州、地域の関係法令について理解した上で、威圧的、脅迫的な寄付集めをせず、
また、執拗な要請により、寄付を検討している人びとを悩ませることのないように、適切
な研修および監督を実施すべきである。

原則　３２
公益を目的とする団体は、団体の内部、外部を問わず、募金担当者に対し、コミッション
や寄付に応じた報酬を支払うべきではない。

原則　３３
公益を目的とする団体は、寄付者のプライバシーを尊重し、法令による情報公開が必要な
場合を除き、寄付者に対して年一回は寄付者名簿から名前を削除するかどうかを選択する
機会を与えずに、名簿を売却するなど、その氏名や連絡先に関する情報を公開するべきで
はない。

以上

企業行動憲章

2017年11月8日

一般社団法人 日本経済団体連合会

企業行動憲章の改定にあたって
～Society 5.0 の実現を通じたＳＤＧｓ（持続可能な開発目標）の達成～

　経団連では、かねてより、公正かつ自由な市場経済の下、民主導による豊かで活力ある社会を実現するためには、企業が高い倫理観と責任感をもって行動し、社会から信頼と共感を得る必要があると提唱してきた。そのため、1991年に企業行動憲章を制定し、企業の責任ある行動原則を定めている。

　近年、グローバリゼーションが進展し、国境を越えた経済活動が活発に行われる反面、それに伴い生じた様々な変化を背景として、反グローバリズム・保護主義の動きが高まり、自由で開かれた国際経済秩序の維持・発展が脅かされる懸念がある。

　一方、国際社会では、「ビジネスと人権に関する指導原則」（2011年）や「パリ協定」（2015年）が採択され、企業にも社会の一員として社会的課題の解決に向けて積極的に取り組むよう促している。また、2015年に国連で、持続可能な社会の実現に向けた国際統一目標である「ＳＤＧｓ（持続可能な開発目標）」が採択され、その達成に向けて民間セクターの創造性とイノベーションの発揮が求められている。

　そうした中、経団連では、ＩｏＴやＡＩ、ロボットなどの革新技術を最大限活用して人々の暮らしや社会全体を最適化した未来社会、Society 5.0[1]の実現を目指している。この未来社会では、経済成長と健康・医療、農業・食料、環境・気候変動、エネルギー、安全・防災、人やジェンダーの平等などの社会的課題の解決とが両立し、一人ひとりが快適で活力に満ちた生活ができる社会が実現する。こうした未来の創造は、国連で掲げられたＳＤＧｓの理念とも軌を一にするものである。

　そこで、今般、経団連では、Society 5.0 の実現を通じたＳＤＧｓの達成を柱として企業行動憲章を改定する。

　会員企業は、持続可能な社会の実現が企業の発展の基盤であることを認識し、広く社会に有用で新たな付加価値および雇用の創造、ＥＳＧ（環境・社会・ガバナンス）に配慮した経営の推進により、社会的責任への取り組みを進める。また、自社のみならず、グループ企業、サプライチェーンに対しても行動変革を促すとともに、多様な組織との協働を通じて、Society 5.0 の実現、ＳＤＧｓの達成に向けて行動する。

　会員企業は、本憲章の精神を遵守し、自主的に実践していくことを宣言する。

---

[1] 狩猟社会、農耕社会、工業社会、情報社会に続く、人類社会発展の歴史における5番目の新しい社会。

企業行動憲章
― 持続可能な社会の実現のために ―

一般社団法人 日本経済団体連合会
1991年 9 月14日　制定
2017年11月 8 日　第 5 回改定

　企業は、公正かつ自由な競争の下、社会に有用な付加価値および雇用の創出と自律的で責任ある行動を通じて、持続可能な社会の実現を牽引する役割を担う。そのため企業は、国の内外において次の10原則に基づき、関係法令、国際ルールおよびその精神を遵守しつつ、高い倫理観をもって社会的責任を果たしていく。

(持続可能な経済成長と社会的課題の解決)
1．イノベーションを通じて社会に有用で安全な商品・サービスを開発、提供し、持続可能な経済成長と社会的課題の解決を図る。

(公正な事業慣行)
2．公正かつ自由な競争ならびに適正な取引、責任ある調達を行う。また、政治、行政との健全な関係を保つ。

(公正な情報開示、ステークホルダーとの建設的対話)
3．企業情報を積極的、効果的かつ公正に開示し、企業をとりまく幅広いステークホルダーと建設的な対話を行い、企業価値の向上を図る。

(人権の尊重)
4．すべての人々の人権を尊重する経営を行う。

(消費者・顧客との信頼関係)
5．消費者・顧客に対して、商品・サービスに関する適切な情報提供、誠実なコミュニケーションを行い、満足と信頼を獲得する。

(働き方の改革、職場環境の充実)
6．従業員の能力を高め、多様性、人格、個性を尊重する働き方を実現する。また、健康と安全に配慮した働きやすい職場環境を整備する。

(環境問題への取り組み)
7．環境問題への取り組みは人類共通の課題であり、企業の存在と活動に必須の要件として、主体的に行動する。

(社会参画と発展への貢献)
8．「良き企業市民」として、積極的に社会に参画し、その発展に貢献する。

(危機管理の徹底)
9．市民生活や企業活動に脅威を与える反社会的勢力の行動やテロ、サイバー攻撃、自然災害等に備え、組織的な危機管理を徹底する。

(経営トップの役割と本憲章の徹底)
10．経営トップは、本憲章の精神の実現が自らの役割であることを認識して経営にあたり、実効あるガバナンスを構築して社内、グループ企業に周知徹底を図る。あわせてサプライチェーンにも本憲章の精神に基づく行動を促す。また、本憲章の精神に反し社会からの信頼を失うような事態が発生した時には、経営トップが率先して問題解決、原因究明、再発防止等に努め、その責任を果たす。

経団連は SDGs を支援しています。

コーポレートガバナンス・コード

〜会社の持続的な成長と中長期的な企業価値の向上のために〜

2018 年 6 月 1 日

株式会社東京証券取引所

コーポレートガバナンス・コードについて

　本コードにおいて、「コーポレートガバナンス」とは、会社が、株主をはじめ顧客・従業員・地域社会等の立場を踏まえた上で、透明・公正かつ迅速・果断な意思決定を行うための仕組みを意味する。

　本コードは、実効的なコーポレートガバナンスの実現に資する主要な原則を取りまとめたものであり、これらが適切に実践されることは、それぞれの会社において持続的な成長と中長期的な企業価値の向上のための自律的な対応が図られることを通じて、会社、投資家、ひいては経済全体の発展にも寄与することとなるものと考えられる。

基本原則

【株主の権利・平等性の確保】

1.　上場会社は、株主の権利が実質的に確保されるよう適切な対応を行うとともに、株主がその権利を適切に行使することができる環境の整備を行うべきである。

　　また、上場会社は、株主の実質的な平等性を確保すべきである。

　　少数株主や外国人株主については、株主の権利の実質的な確保、権利行使に係る環境や実質的な平等性の確保に課題や懸念が生じやすい面があることから、十分に配慮を行うべきである。

【株主以外のステークホルダーとの適切な協働】

2.　上場会社は、会社の持続的な成長と中長期的な企業価値の創出は、従業員、顧客、取引先、債権者、地域社会をはじめとする様々なステークホルダーによるリソースの提供や貢献の結果であることを十分に認識し、これらのステークホルダーとの適切な協働に努めるべきである。

　　取締役会・経営陣は、これらのステークホルダーの権利・立場や健全な事業活動倫理を尊重する企業文化・風土の醸成に向けてリーダーシップを発揮すべきである。

【適切な情報開示と透明性の確保】

3.　上場会社は、会社の財政状態・経営成績等の財務情報や、経営戦略・経営課題、リスクやガバナンスに係る情報等の非財務情報について、法令に基づく開示を適切に行うとともに、法令に基づく開示以外の情報提供にも主体的に取り組むべきである。

　　その際、取締役会は、開示・提供される情報が株主との間で建設的な対話を行う上での基盤となることも踏まえ、そうした情報（とりわけ非財務情報）が、正確で利用者にとって分かりやすく、情報として有用性の高いものとなるようにすべきである。

【取締役会等の責務】

4． 上場会社の取締役会は、株主に対する受託者責任・説明責任を踏まえ、会社の持続的成長と中長期的な企業価値の向上を促し、収益力・資本効率等の改善を図るべく、
  (1) 企業戦略等の大きな方向性を示すこと
  (2) 経営陣幹部による適切なリスクテイクを支える環境整備を行うこと
  (3) 独立した客観的な立場から、経営陣（執行役及びいわゆる執行役員を含む）・取締役に対する実効性の高い監督を行うこと
をはじめとする役割・責務を適切に果たすべきである。
 こうした役割・責務は、監査役会設置会社（その役割・責務の一部は監査役及び監査役会が担うこととなる）、指名委員会等設置会社、監査等委員会設置会社など、いずれの機関設計を採用する場合にも、等しく適切に果たされるべきである。

【株主との対話】

5． 上場会社は、その持続的な成長と中長期的な企業価値の向上に資するため、株主総会の場以外においても、株主との間で建設的な対話を行うべきである。
 経営陣幹部・取締役（社外取締役を含む）は、こうした対話を通じて株主の声に耳を傾け、その関心・懸念に正当な関心を払うとともに、自らの経営方針を株主に分かりやすい形で明確に説明しその理解を得る努力を行い、株主を含むステークホルダーの立場に関するバランスのとれた理解と、そうした理解を踏まえた適切な対応に努めるべきである。

第1章　株主の権利・平等性の確保

【基本原則１】

　上場会社は、株主の権利が実質的に確保されるよう適切な対応を行うとともに、株主がその権利を適切に行使することができる環境の整備を行うべきである。

　また、上場会社は、株主の実質的な平等性を確保すべきである。

　少数株主や外国人株主については、株主の権利の実質的な確保、権利行使に係る環境や実質的な平等性の確保に課題や懸念が生じやすい面があることから、十分に配慮を行うべきである。

考え方

　上場会社には、株主を含む多様なステークホルダーが存在しており、こうしたステークホルダーとの適切な協働を欠いては、その持続的な成長を実現することは困難である。その際、資本提供者は重要な要であり、株主はコーポレートガバナンスの規律における主要な起点でもある。上場会社には、株主が有する様々な権利が実質的に確保されるよう、その円滑な行使に配慮することにより、株主との適切な協働を確保し、持続的な成長に向けた取組みに邁進することが求められる。

　また、上場会社は、自らの株主を、その有する株式の内容及び数に応じて平等に取り扱う会社法上の義務を負っているところ、この点を実質的にも確保していることについて広く株主から信認を得ることは、資本提供者からの支持の基盤を強化することにも資するものである。

> **【原則１－１．株主の権利の確保】**
> 　上場会社は、株主総会における議決権をはじめとする株主の権利が実質的に確保されるよう、適切な対応を行うべきである。

補充原則

１－１①　取締役会は、株主総会において可決には至ったものの相当数の反対票が投じられた会社提案議案があったと認めるときは、反対の理由や反対票が多くなった原因の分析を行い、株主との対話その他の対応の要否について検討を行うべきである。

１－１②　上場会社は、総会決議事項の一部を取締役会に委任するよう株主総会に提案するに当たっては、自らの取締役会においてコーポレートガバナンスに関する役割・責務を十分に果たし得るような体制が整っているか否かを考慮すべきである。他方で、上場会社において、そうした体制がしっかりと整っていると判断する場合には、上記の提案を行うことが、経営判断の機動性・専門性の確保の観点から望ましい場合があることを考慮に入れるべきである。

１－１③　上場会社は、株主の権利の重要性を踏まえ、その権利行使を事実上妨げることのないよう配慮すべきである。とりわけ、少数株主にも認められている上場会社及びその役員に対する特別な権利（違法行為の差止めや代表訴訟提起に係る権利等）については、その権利行使の確保に課題や懸念が生じやすい面があることから、十分に配慮を行うべきである。

> **【原則１－２．株主総会における権利行使】**
> 　上場会社は、株主総会が株主との建設的な対話の場であることを認識し、株主の視点に立って、株主総会における権利行使に係る適切な環境整備を行うべきである。

補充原則

１－２①　上場会社は、株主総会において株主が適切な判断を行うことに資すると考えられる情報については、必要に応じ適確に提供すべきである。

１－２②　上場会社は、株主が総会議案の十分な検討期間を確保することができるよう、招集通知に記載する情報の正確性を担保しつつその早期発送に努めるべきであり、また、招集通知に記載する情報は、株主総会の招集に係る取締役会決議から招集通知を発送するまでの間に、TDnet や自社のウェブサイトにより電子的に公表すべきである。

1－2③　上場会社は、株主との建設的な対話の充実や、そのための正確な情報提供等の観点を考慮し、株主総会開催日をはじめとする株主総会関連の日程の適切な設定を行うべきである。

1－2④　上場会社は、自社の株主における機関投資家や海外投資家の比率等も踏まえ、議決権の電子行使を可能とするための環境作り（議決権電子行使プラットフォームの利用等）や招集通知の英訳を進めるべきである。

1－2⑤　信託銀行等の名義で株式を保有する機関投資家等が、株主総会において、信託銀行等に代わって自ら議決権の行使等を行うことをあらかじめ希望する場合に対応するため、上場会社は、信託銀行等と協議しつつ検討を行うべきである。

【原則１－３．資本政策の基本的な方針】
　上場会社は、資本政策の動向が株主の利益に重要な影響を与え得ることを踏まえ、資本政策の基本的な方針について説明を行うべきである。

【原則１－４．政策保有株式】
　上場会社が政策保有株式として上場株式を保有する場合には、政策保有株式の縮減に関する方針・考え方など、政策保有に関する方針を開示すべきである。また、毎年、取締役会で、個別の政策保有株式について、保有目的が適切か、保有に伴う便益やリスクが資本コストに見合っているか等を具体的に精査し、保有の適否を検証するとともに、そうした検証の内容について開示すべきである。
　上場会社は、政策保有株式に係る議決権の行使について、適切な対応を確保するための具体的な基準を策定・開示し、その基準に沿った対応を行うべきである。

補充原則

1－4①　上場会社は、自社の株式を政策保有株式として保有している会社（政策保有株主）からその株式の売却等の意向が示された場合には、取引の縮減を示唆することなどにより、売却等を妨げるべきではない。

1－4②　上場会社は、政策保有株主との間で、取引の経済合理性を十分に検証しないまま取引を継続するなど、会社や株主共同の利益を害するような取引を行うべきではない。

> **【原則１−５．いわゆる買収防衛策】**
>
> 　買収防衛の効果をもたらすことを企図してとられる方策は、経営陣・取締役会の保身を目的とするものであってはならない。その導入・運用については、取締役会・監査役は、株主に対する受託者責任を全うする観点から、その必要性・合理性をしっかりと検討し、適正な手続を確保するとともに、株主に十分な説明を行うべきである。

補充原則

１−５①　上場会社は、自社の株式が公開買付けに付された場合には、取締役会としての考え方（対抗提案があればその内容を含む）を明確に説明すべきであり、また、株主が公開買付けに応じて株式を手放す権利を不当に妨げる措置を講じるべきではない。

> **【原則１−６．株主の利益を害する可能性のある資本政策】**
>
> 　支配権の変動や大規模な希釈化をもたらす資本政策（増資、ＭＢＯ等を含む）については、既存株主を不当に害することのないよう、取締役会・監査役は、株主に対する受託者責任を全うする観点から、その必要性・合理性をしっかりと検討し、適正な手続を確保するとともに、株主に十分な説明を行うべきである。

> **【原則１−７．関連当事者間の取引】**
>
> 　上場会社がその役員や主要株主等との取引（関連当事者間の取引）を行う場合には、そうした取引が会社や株主共同の利益を害することのないよう、また、そうした懸念を惹起することのないよう、取締役会は、あらかじめ、取引の重要性やその性質に応じた適切な手続を定めてその枠組みを開示するとともに、その手続を踏まえた監視（取引の承認を含む）を行うべきである。

第2章　株主以外のステークホルダーとの適切な協働

【基本原則2】

　上場会社は、会社の持続的な成長と中長期的な企業価値の創出は、従業員、顧客、取引先、債権者、地域社会をはじめとする様々なステークホルダーによるリソースの提供や貢献の結果であることを十分に認識し、これらのステークホルダーとの適切な協働に努めるべきである。

　取締役会・経営陣は、これらのステークホルダーの権利・立場や健全な事業活動倫理を尊重する企業文化・風土の醸成に向けてリーダーシップを発揮すべきである。

考え方

　上場会社には、株主以外にも重要なステークホルダーが数多く存在する。これらのステークホルダーには、従業員をはじめとする社内の関係者や、顧客・取引先・債権者等の社外の関係者、更には、地域社会のように会社の存続・活動の基盤をなす主体が含まれる。上場会社は、自らの持続的な成長と中長期的な企業価値の創出を達成するためには、これらのステークホルダーとの適切な協働が不可欠であることを十分に認識すべきである。また、近時のグローバルな社会・環境問題等に対する関心の高まりを踏まえれば、いわゆるESG（環境、社会、統治）問題への積極的・能動的な対応をこれらに含めることも考えられる。

　上場会社が、こうした認識を踏まえて適切な対応を行うことは、社会・経済全体に利益を及ぼすとともに、その結果として、会社自身にも更に利益がもたらされる、という好循環の実現に資するものである。

【原則2-1. 中長期的な企業価値向上の基礎となる経営理念の策定】
　上場会社は、自らが担う社会的な責任についての考え方を踏まえ、様々なステークホルダーへの価値創造に配慮した経営を行いつつ中長期的な企業価値向上を図るべきであり、こうした活動の基礎となる経営理念を策定すべきである。

【原則2-2. 会社の行動準則の策定・実践】
　上場会社は、ステークホルダーとの適切な協働やその利益の尊重、健全な事業活動倫理などについて、会社としての価値観を示しその構成員が従うべき行動準則を定め、実践すべきである。取締役会は、行動準則の策定・改訂の責務を担い、これが国内外の事業活動の第一線にまで広く浸透し、遵守されるようにすべきである。

補充原則

2-2①　取締役会は、行動準則が広く実践されているか否かについて、適宜または定期的にレビューを行うべきである。その際には、実質的に行動準則の趣旨・精神を尊重する企業文化・風土が存在するか否かに重点を置くべきであり、形式的な遵守確認に終始すべきではない。

【原則2-3. 社会・環境問題をはじめとするサステナビリティーを巡る課題】
　上場会社は、社会・環境問題をはじめとするサステナビリティー（持続可能性）を巡る課題について、適切な対応を行うべきである。

補充原則

2-3①　取締役会は、サステナビリティー（持続可能性）を巡る課題への対応は重要なリスク管理の一部であると認識し、適確に対処するとともに、近時、こうした課題に対する要請・関心が大きく高まりつつあることを勘案し、これらの課題に積極的・能動的に取り組むよう検討すべきである。

【原則2-4. 女性の活躍促進を含む社内の多様性の確保】
　上場会社は、社内に異なる経験・技能・属性を反映した多様な視点や価値観が存在することは、会社の持続的な成長を確保する上での強みとなり得る、との認識に立ち、社内における女性の活躍促進を含む多様性の確保を推進すべきである。

【原則２－５．内部通報】

　上場会社は、その従業員等が、不利益を被る危険を懸念することなく、違法または不適切な行為・情報開示に関する情報や真摯な疑念を伝えることができるよう、また、伝えられた情報や疑念が客観的に検証され適切に活用されるよう、内部通報に係る適切な体制整備を行うべきである。取締役会は、こうした体制整備を実現する責務を負うとともに、その運用状況を監督すべきである。

補充原則

２－５①　上場会社は、内部通報に係る体制整備の一環として、経営陣から独立した窓口の設置（例えば、社外取締役と監査役による合議体を窓口とする等）を行うべきであり、また、情報提供者の秘匿と不利益取扱の禁止に関する規律を整備すべきである。

【原則２－６．企業年金のアセットオーナーとしての機能発揮】

　上場会社は、企業年金の積立金の運用が、従業員の安定的な資産形成に加えて自らの財政状態にも影響を与えることを踏まえ、企業年金が運用（運用機関に対するモニタリングなどのスチュワードシップ活動を含む）の専門性を高めてアセットオーナーとして期待される機能を発揮できるよう、運用に当たる適切な資質を持った人材の計画的な登用・配置などの人事面や運営面における取組みを行うとともに、そうした取組みの内容を開示すべきである。その際、上場会社は、企業年金の受益者と会社との間に生じ得る利益相反が適切に管理されるようにすべきである。

第3章　適切な情報開示と透明性の確保

【基本原則３】

　上場会社は、会社の財政状態・経営成績等の財務情報や、経営戦略・経営課題、リスクやガバナンスに係る情報等の非財務情報について、法令に基づく開示を適切に行うとともに、法令に基づく開示以外の情報提供にも主体的に取り組むべきである。
　その際、取締役会は、開示・提供される情報が株主との間で建設的な対話を行う上での基盤となることも踏まえ、そうした情報（とりわけ非財務情報）が、正確で利用者にとって分かりやすく、情報として有用性の高いものとなるようにすべきである。

　考え方

　上場会社には、様々な情報を開示することが求められている。これらの情報が法令に基づき適時適切に開示されることは、投資家保護や資本市場の信頼性確保の観点から不可欠の要請であり、取締役会・監査役・監査役会・外部会計監査人は、この点に関し財務情報に係る内部統制体制の適切な整備をはじめとする重要な責務を負っている。

　また、上場会社は、法令に基づく開示以外の情報提供にも主体的に取り組むべきである。

　更に、我が国の上場会社による情報開示は、計表等については、様式・作成要領などが詳細に定められており比較可能性に優れている一方で、会社の財政状態、経営戦略、リスク、ガバナンスや社会・環境問題に関する事項（いわゆるＥＳＧ要素）などについて説明等を行ういわゆる非財務情報を巡っては、ひな型的な記述や具体性を欠く記述となっており付加価値に乏しい場合が少なくない、との指摘もある。取締役会は、こうした情報を含め、開示・提供される情報が可能な限り利用者にとって有益な記載となるよう積極的に関与を行う必要がある。

　法令に基づく開示であれそれ以外の場合であれ、適切な情報の開示・提供は、上場会社の外側にいて情報の非対称性の下におかれている株主等のステークホルダーと認識を共有し、その理解を得るための有力な手段となり得るものであり、「『責任ある機関投資家』の諸原則《日本版スチュワードシップ・コード》」を踏まえた建設的な対話にも資するものである。

> **【原則３−１．情報開示の充実】**
> 　上場会社は、法令に基づく開示を適切に行うことに加え、会社の意思決定の透明性・公正性を確保し、実効的なコーポレートガバナンスを実現するとの観点から、（本コードの各原則において開示を求めている事項のほか、）以下の事項について開示し、主体的な情報発信を行うべきである。
>
> 　（ｉ）会社の目指すところ（経営理念等）や経営戦略、経営計画
>
> 　（ⅱ）本コードのそれぞれの原則を踏まえた、コーポレートガバナンスに関する基本的な考え方と基本方針
>
> 　（ⅲ）取締役会が経営陣幹部・取締役の報酬を決定するに当たっての方針と手続
>
> 　（ⅳ）取締役会が経営陣幹部の選解任と取締役・監査役候補の指名を行うに当たっての方針と手続
>
> 　（ⅴ）取締役会が上記（ⅳ）を踏まえて経営陣幹部の選解任と取締役・監査役候補の指名を行う際の、個々の選解任・指名についての説明

補充原則

３−１①　上記の情報の開示（法令に基づく開示を含む）に当たって、取締役会は、ひな型的な記述や具体性を欠く記述を避け、利用者にとって付加価値の高い記載となるようにすべきである。

３−１②　上場会社は、自社の株主における海外投資家等の比率も踏まえ、合理的な範囲において、英語での情報の開示・提供を進めるべきである。

> **【原則３−２．外部会計監査人】**
> 　外部会計監査人及び上場会社は、外部会計監査人が株主・投資家に対して責務を負っていることを認識し、適正な監査の確保に向けて適切な対応を行うべきである。

補充原則

３−２①　監査役会は、少なくとも下記の対応を行うべきである。

　　　（ｉ）　外部会計監査人候補を適切に選定し外部会計監査人を適切に評価するための基準の策定

　　　（ⅱ）　外部会計監査人に求められる独立性と専門性を有しているか否かについての確認

3－2②　取締役会及び監査役会は、少なくとも下記の対応を行うべきである。

　　（ⅰ）　高品質な監査を可能とする十分な監査時間の確保

　　（ⅱ）　外部会計監査人からＣＥＯ・ＣＦＯ等の経営陣幹部へのアクセス（面談等）の確保

　　（ⅲ）　外部会計監査人と監査役（監査役会への出席を含む）、内部監査部門や社外取締役との十分な連携の確保

　　（ⅳ）　外部会計監査人が不正を発見し適切な対応を求めた場合や、不備・問題点を指摘した場合の会社側の対応体制の確立

第４章　取締役会等の責務

【基本原則４】

　上場会社の取締役会は、株主に対する受託者責任・説明責任を踏まえ、会社の持続的成長と中長期的な企業価値の向上を促し、収益力・資本効率等の改善を図るべく、
(1) 企業戦略等の大きな方向性を示すこと
(2) 経営陣幹部による適切なリスクテイクを支える環境整備を行うこと
(3) 独立した客観的な立場から、経営陣（執行役及びいわゆる執行役員を含む）・取締役に対する実効性の高い監督を行うこと
をはじめとする役割・責務を適切に果たすべきである。
　こうした役割・責務は、監査役会設置会社（その役割・責務の一部は監査役及び監査役会が担うこととなる）、指名委員会等設置会社、監査等委員会設置会社など、いずれの機関設計を採用する場合にも、等しく適切に果たされるべきである。

考え方

　上場会社は、通常、会社法（平成26年改正後）が規定する機関設計のうち主要な３種類（監査役会設置会社、指名委員会等設置会社、監査等委員会設置会社）のいずれかを選択することとされている。前者（監査役会設置会社）は、取締役会と監査役・監査役会に統治機能を担わせる我が国独自の制度である。その制度では、監査役は、取締役・経営陣等の職務執行の監査を行うこととされており、法律に基づく調査権限が付与されている。また、独立性と高度な情報収集能力の双方を確保すべく、監査役（株主総会で選任）の半数以上は社外監査役とし、かつ常勤の監査役を置くこととされている。後者の２つは、取締役会に委員会を設置して一定の役割を担わせることにより監督機能の強化を目指すものであるという点において、諸外国にも類例が見られる制度である。上記の３種類の機関設計のいずれを採用する場合でも、重要なことは、創意工夫を施すことによりそれぞれの機関の機能を実質的かつ十分に発揮させることである。

　また、本コードを策定する大きな目的の一つは、上場会社による透明・公正かつ迅速・果断な意思決定を促すことにあるが、上場会社の意思決定のうちには、外部環境の変化その他の事情により、結果として会社に損害を生じさせることとなるものが無いとは言い切れない。その場合、経営陣・取締役が損害賠償責任を負うか否かの判断に際しては、一般的に、その意思決定の時点における意思決定過程の合理性が重要な考慮要素の一つとなるものと考えられるが、本コードには、ここでいう意思決定過程の合理性を担保することに寄与すると考えられる内容が含まれており、本コードは、上場会社の透明・公正かつ迅速・果断な意思決定を促す効果を持つこととなるものと期待している。

> **【原則４－１．取締役会の役割・責務(1)】**
> 　取締役会は、会社の目指すところ（経営理念等）を確立し、戦略的な方向付けを行うことを主要な役割・責務の一つと捉え、具体的な経営戦略や経営計画等について建設的な議論を行うべきであり、重要な業務執行の決定を行う場合には、上記の戦略的な方向付けを踏まえるべきである。

補充原則

４－１①　取締役会は、取締役会自身として何を判断・決定し、何を経営陣に委ねるのかに関連して、経営陣に対する委任の範囲を明確に定め、その概要を開示すべきである。

４－１②　取締役会・経営陣幹部は、中期経営計画も株主に対するコミットメントの一つであるとの認識に立ち、その実現に向けて最善の努力を行うべきである。仮に、中期経営計画が目標未達に終わった場合には、その原因や自社が行った対応の内容を十分に分析し、株主に説明を行うとともに、その分析を次期以降の計画に反映させるべきである。

４－１③　取締役会は、会社の目指すところ（経営理念等）や具体的な経営戦略を踏まえ、最高経営責任者（ＣＥＯ）等の後継者計画（プランニング）の策定・運用に主体的に関与するとともに、後継者候補の育成が十分な時間と資源をかけて計画的に行われていくよう、適切に監督を行うべきである。

> **【原則４－２．取締役会の役割・責務(2)】**
> 　取締役会は、経営陣幹部による適切なリスクテイクを支える環境整備を行うことを主要な役割・責務の一つと捉え、経営陣からの健全な企業家精神に基づく提案を歓迎しつつ、説明責任の確保に向けて、そうした提案について独立した客観的な立場において多角的かつ十分な検討を行うとともに、承認した提案が実行される際には、経営陣幹部の迅速・果断な意思決定を支援すべきである。
> 　また、経営陣の報酬については、中長期的な会社の業績や潜在的リスクを反映させ、健全な企業家精神の発揮に資するようなインセンティブ付けを行うべきである。

補充原則

４－２①　取締役会は、経営陣の報酬が持続的な成長に向けた健全なインセンティブとして機能するよう、客観性・透明性ある手続に従い、報酬制度を設計し、具体的な報酬額を決定すべきである。その際、中長期的な業績と連動する報酬の割合や、現金報酬と自社株報酬との割合を適切に設定すべきである。

【原則４－３．取締役会の役割・責務(3)】
　取締役会は、独立した客観的な立場から、経営陣・取締役に対する実効性の高い監督を行うことを主要な役割・責務の一つと捉え、適切に会社の業績等の評価を行い、その評価を経営陣幹部の人事に適切に反映すべきである。
　また、取締役会は、適時かつ正確な情報開示が行われるよう監督を行うとともに、内部統制やリスク管理体制を適切に整備すべきである。
　更に、取締役会は、経営陣・支配株主等の関連当事者と会社との間に生じ得る利益相反を適切に管理すべきである。

補充原則

４－３①　取締役会は、経営陣幹部の選任や解任について、会社の業績等の評価を踏まえ、公正かつ透明性の高い手続に従い、適切に実行すべきである。

４－３②　取締役会は、ＣＥＯの選解任は、会社における最も重要な戦略的意思決定であることを踏まえ、客観性・適時性・透明性ある手続に従い、十分な時間と資源をかけて、資質を備えたＣＥＯを選任すべきである。

４－３③　取締役会は、会社の業績等の適切な評価を踏まえ、ＣＥＯがその機能を十分発揮していないと認められる場合に、ＣＥＯを解任するための客観性・適時性・透明性ある手続を確立すべきである。

４－３④　コンプライアンスや財務報告に係る内部統制や先を見越したリスク管理体制の整備は、適切なリスクテイクの裏付けとなり得るものであるが、取締役会は、これらの体制の適切な構築や、その運用が有効に行われているか否かの監督に重点を置くべきであり、個別の業務執行に係るコンプライアンスの審査に終始すべきではない。

【原則４－４．監査役及び監査役会の役割・責務】
　監査役及び監査役会は、取締役の職務の執行の監査、外部会計監査人の選解任や監査報酬に係る権限の行使などの役割・責務を果たすに当たって、株主に対する受託者責任を踏まえ、独立した客観的な立場において適切な判断を行うべきである。
　また、監査役及び監査役会に期待される重要な役割・責務には、業務監査・会計監査をはじめとするいわば「守りの機能」があるが、こうした機能を含め、その役割・責務を十分に果たすためには、自らの守備範囲を過度に狭く捉えることは適切でなく、能動的・積極的に権限を行使し、取締役会においてあるいは経営陣に対して適切に意見を述べるべきである。

補充原則

４－４①　監査役会は、会社法により、その半数以上を社外監査役とすること及び常勤の監査役を置くことの双方が求められていることを踏まえ、その役割・責務を十分に果たすとの観点から、前者に由来する強固な独立性と、後者が保有する高度な情報収集力とを有機的に組み合わせて実効性を高めるべきである。また、監査役または監査役会は、社外取締役が、その独立性に影響を受けることなく情報収集力の強化を図ることができるよう、社外取締役との連携を確保すべきである。

【原則４－５．取締役・監査役等の受託者責任】

　上場会社の取締役・監査役及び経営陣は、それぞれの株主に対する受託者責任を認識し、ステークホルダーとの適切な協働を確保しつつ、会社や株主共同の利益のために行動すべきである。

【原則４－６．経営の監督と執行】

　上場会社は、取締役会による独立かつ客観的な経営の監督の実効性を確保すべく、業務の執行には携わらない、業務の執行と一定の距離を置く取締役の活用について検討すべきである。

【原則４－７．独立社外取締役の役割・責務】

　上場会社は、独立社外取締役には、特に以下の役割・責務を果たすことが期待されることに留意しつつ、その有効な活用を図るべきである。
　（ⅰ）経営の方針や経営改善について、自らの知見に基づき、会社の持続的な成長を促し中長期的な企業価値の向上を図る、との観点からの助言を行うこと
　（ⅱ）経営陣幹部の選解任その他の取締役会の重要な意思決定を通じ、経営の監督を行うこと
　（ⅲ）会社と経営陣・支配株主等との間の利益相反を監督すること
　（ⅳ）経営陣・支配株主から独立した立場で、少数株主をはじめとするステークホルダーの意見を取締役会に適切に反映させること

【原則４－８．独立社外取締役の有効な活用】

　独立社外取締役は会社の持続的な成長と中長期的な企業価値の向上に寄与するように役割・責務を果たすべきであり、上場会社はそのような資質を十分に備えた独立社外取締役を少なくとも２名以上選任すべきである。

　また、業種・規模・事業特性・機関設計・会社をとりまく環境等を総合的に勘案して、少なくとも３分の１以上の独立社外取締役を選任することが必要と考える上場会社は、上記にかかわらず、十分な人数の独立社外取締役を選任すべきである。

補充原則

４－８①　独立社外取締役は、取締役会における議論に積極的に貢献するとの観点から、例えば、独立社外者のみを構成員とする会合を定期的に開催するなど、独立した客観的な立場に基づく情報交換・認識共有を図るべきである。

４－８②　独立社外取締役は、例えば、互選により「筆頭独立社外取締役」を決定することなどにより、経営陣との連絡・調整や監査役または監査役会との連携に係る体制整備を図るべきである。

【原則４－９．独立社外取締役の独立性判断基準及び資質】

　取締役会は、金融商品取引所が定める独立性基準を踏まえ、独立社外取締役となる者の独立性をその実質面において担保することに主眼を置いた独立性判断基準を策定・開示すべきである。また、取締役会は、取締役会における率直・活発で建設的な検討への貢献が期待できる人物を独立社外取締役の候補者として選定するよう努めるべきである。

【原則４－10．任意の仕組みの活用】

　上場会社は、会社法が定める会社の機関設計のうち会社の特性に応じて最も適切な形態を採用するに当たり、必要に応じて任意の仕組みを活用することにより、統治機能の更なる充実を図るべきである。

補充原則

４－10①　上場会社が監査役会設置会社または監査等委員会設置会社であって、独立社外取締役が取締役会の過半数に達していない場合には、経営陣幹部・取締役の指名・報酬などに係る取締役会の機能の独立性・客観性と説明責任を強化するため、取締役会の下に独立社外取締役を主要な構成員とする任意の指名委員会・報酬委員会など、独立した諮問委員会を設置することにより、指名・報酬などの特に重要な事項に関する検討に当たり独立社外取締役の適切な関与・助言を得るべきである。

> 【原則4－11.　取締役会・監査役会の実効性確保のための前提条件】
> 　取締役会は、その役割・責務を実効的に果たすための知識・経験・能力を全体としてバランス良く備え、ジェンダーや国際性の面を含む多様性と適正規模を両立させる形で構成されるべきである。また、監査役には、適切な経験・能力及び必要な財務・会計・法務に関する知識を有する者が選任されるべきであり、特に、財務・会計に関する十分な知見を有している者が1名以上選任されるべきである。
> 　取締役会は、取締役会全体としての実効性に関する分析・評価を行うことなどにより、その機能の向上を図るべきである。

補充原則

4－11①　取締役会は、取締役会の全体としての知識・経験・能力のバランス、多様性及び規模に関する考え方を定め、取締役の選任に関する方針・手続と併せて開示すべきである。

4－11②　社外取締役・社外監査役をはじめ、取締役・監査役は、その役割・責務を適切に果たすために必要となる時間・労力を取締役・監査役の業務に振り向けるべきである。こうした観点から、例えば、取締役・監査役が他の上場会社の役員を兼任する場合には、その数は合理的な範囲にとどめるべきであり、上場会社は、その兼任状況を毎年開示すべきである。

4－11③　取締役会は、毎年、各取締役の自己評価なども参考にしつつ、取締役会全体の実効性について分析・評価を行い、その結果の概要を開示すべきである。

> 【原則4－12.　取締役会における審議の活性化】
> 　取締役会は、社外取締役による問題提起を含め自由闊達で建設的な議論・意見交換を尊ぶ気風の醸成に努めるべきである。

補充原則

4－12①　取締役会は、会議運営に関する下記の取扱いを確保しつつ、その審議の活性化を図るべきである。

　（ⅰ）　取締役会の資料が、会日に十分に先立って配布されるようにすること

　（ⅱ）　取締役会の資料以外にも、必要に応じ、会社から取締役に対して十分な情報が（適切な場合には、要点を把握しやすいように整理・分析された形で）提供されるようにすること

　（ⅲ）　年間の取締役会開催スケジュールや予想される審議事項について決定しておくこと

（ⅳ）　審議項目数や開催頻度を適切に設定すること

（ⅴ）　審議時間を十分に確保すること

【原則４－13．情報入手と支援体制】
　取締役・監査役は、その役割・責務を実効的に果たすために、能動的に情報を入手すべきであり、必要に応じ、会社に対して追加の情報提供を求めるべきである。
　また、上場会社は、人員面を含む取締役・監査役の支援体制を整えるべきである。
　取締役会・監査役会は、各取締役・監査役が求める情報の円滑な提供が確保されているかどうかを確認すべきである。

補充原則

4－13①　社外取締役を含む取締役は、透明・公正かつ迅速・果断な会社の意思決定に資するとの観点から、必要と考える場合には、会社に対して追加の情報提供を求めるべきである。また、社外監査役を含む監査役は、法令に基づく調査権限を行使することを含め、適切に情報入手を行うべきである。

4－13②　取締役・監査役は、必要と考える場合には、会社の費用において外部の専門家の助言を得ることも考慮すべきである。

4－13③　上場会社は、内部監査部門と取締役・監査役との連携を確保すべきである。また、上場会社は、例えば、社外取締役・社外監査役の指示を受けて会社の情報を適確に提供できるよう社内との連絡・調整にあたる者の選任など、社外取締役や社外監査役に必要な情報を適確に提供するための工夫を行うべきである。

【原則４－14．取締役・監査役のトレーニング】
　新任者をはじめとする取締役・監査役は、上場会社の重要な統治機関の一翼を担う者として期待される役割・責務を適切に果たすため、その役割・責務に係る理解を深めるとともに、必要な知識の習得や適切な更新等の研鑽に努めるべきである。このため、上場会社は、個々の取締役・監査役に適合したトレーニングの機会の提供・斡旋やその費用の支援を行うべきであり、取締役会は、こうした対応が適切にとられているか否かを確認すべきである。

補充原則

4－14①　社外取締役・社外監査役を含む取締役・監査役は、就任の際には、会社の事業・財務・組織等に関する必要な知識を取得し、取締役・監査役に求められる役割と責務（法的責任を含む）を十分に理解する機会を得るべきであり、就任後においても、必要に応じ、これらを継続的に更新する機会を得るべきである。

4－14②　上場会社は、取締役・監査役に対するトレーニングの方針について開示を行うべきである。

第5章　株主との対話

【基本原則５】

　上場会社は、その持続的な成長と中長期的な企業価値の向上に資するため、株主総会の場以外においても、株主との間で建設的な対話を行うべきである。

　経営陣幹部・取締役（社外取締役を含む）は、こうした対話を通じて株主の声に耳を傾け、その関心・懸念に正当な関心を払うとともに、自らの経営方針を株主に分かりやすい形で明確に説明しその理解を得る努力を行い、株主を含むステークホルダーの立場に関するバランスのとれた理解と、そうした理解を踏まえた適切な対応に努めるべきである。

考え方

　「『責任ある機関投資家』の諸原則《日本版スチュワードシップ・コード》」の策定を受け、機関投資家には、投資先企業やその事業環境等に関する深い理解に基づく建設的な「目的を持った対話」（エンゲージメント）を行うことが求められている。

　上場会社にとっても、株主と平素から対話を行い、具体的な経営戦略や経営計画などに対する理解を得るとともに懸念があれば適切に対応を講じることは、経営の正統性の基盤を強化し、持続的な成長に向けた取組みに邁進する上で極めて有益である。また、一般に、上場会社の経営陣・取締役は、従業員・取引先・金融機関とは日常的に接触し、その意見に触れる機会には恵まれているが、これらはいずれも賃金債権、貸付債権等の債権者であり、株主と接する機会は限られている。経営陣幹部・取締役が、株主との対話を通じてその声に耳を傾けることは、資本提供者の目線からの経営分析や意見を吸収し、持続的な成長に向けた健全な企業家精神を喚起する機会を得る、ということも意味する。

【原則５－１．株主との建設的な対話に関する方針】

　上場会社は、株主からの対話（面談）の申込みに対しては、会社の持続的な成長と中長期的な企業価値の向上に資するよう、合理的な範囲で前向きに対応すべきである。取締役会は、株主との建設的な対話を促進するための体制整備・取組みに関する方針を検討・承認し、開示すべきである。

補充原則

５－１①　株主との実際の対話（面談）の対応者については、株主の希望と面談の主な関心事項も踏まえた上で、合理的な範囲で、経営陣幹部または取締役（社外取締役を含む）が面談に臨むことを基本とすべきである。

５－１②　株主との建設的な対話を促進するための方針には、少なくとも以下の点を記載すべきである。

　　　　（ⅰ）　株主との対話全般について、下記（ⅱ）～（ⅴ）に記載する事項を含めその統括を行い、建設的な対話が実現するように目配りを行う経営陣または取締役の指定

　　　　（ⅱ）　対話を補助する社内のＩＲ担当、経営企画、総務、財務、経理、法務部門等の有機的な連携のための方策

　　　　（ⅲ）　個別面談以外の対話の手段（例えば、投資家説明会やＩＲ活動）の充実に関する取組み

　　　　（ⅳ）　対話において把握された株主の意見・懸念の経営陣幹部や取締役会に対する適切かつ効果的なフィードバックのための方策

　　　　（ⅴ）　対話に際してのインサイダー情報の管理に関する方策

５－１③　上場会社は、必要に応じ、自らの株主構造の把握に努めるべきであり、株主も、こうした把握作業にできる限り協力することが望ましい。

【原則５－２．経営戦略や経営計画の策定・公表】

　経営戦略や経営計画の策定・公表に当たっては、自社の資本コストを的確に把握した上で、収益計画や資本政策の基本的な方針を示すとともに、収益力・資本効率等に関する目標を提示し、その実現のために、事業ポートフォリオの見直しや、設備投資・研究開発投資・人材投資等を含む経営資源の配分等に関し具体的に何を実行するのかについて、株主に分かりやすい言葉・論理で明確に説明を行うべきである。

スポーツ団体ガバナンスコード

＜中央競技団体向け＞

令和元年 6 月 10 日

第1章　中央競技団体における適正なガバナンスの確保について

1．なぜ中央競技団体におけるガバナンスの確保が求められるのか

　スポーツは，個人の心身の健全な発達，健康・体力の保持及び増進を目的とする活動であり，国際競技大会における代表選手の活躍等を通じて国民に誇り，夢と感動を与え，さらには，地域・経済の活性化，共生社会や健康長寿社会の実現，国際理解の促進など幅広く社会に貢献する営みである。このようなスポーツの価値を実現していくためには，その前提として，スポーツの普及・振興等の重要な担い手であるスポーツ団体が適切に運営されていることが求められる。

　スポーツ基本法（平成23年法律第78号）は，国民生活における多面にわたるスポーツの果たす役割の重要性に鑑み，スポーツ団体の努力として「スポーツを行う者の権利利益の保護，心身の健康の保持増進及び安全の確保に配慮しつつ，スポーツの推進に主体的に取り組む」（第5条第1項），「事業を適正に行うため，その運営の透明性の確保を図るとともに，その事業活動に関し自らが遵守すべき基準を作成する」（第5条第2項），「スポーツに関する紛争について，迅速かつ適正な解決に努める」（第5条第3項）旨が規定されている。これは，スポーツ団体の事業運営の適正性の確保に対する社会的要請が高まってきていることを受けて，スポーツ団体自らの主体的な努力により適正なガバナンスの確保が図られることを期待した規定であると解される。

　スポーツ団体のうち，中央競技団体（以下「NF」という。）は，国内において特定のスポーツを統括して広範な役割を担い，そのスポーツに関わる人々の拠りどころとなる団体であるが，その特徴を概括すると，

(1) トップレベルの選手や指導者以外にも，対象スポーツに「する」「みる」「ささえる」といった様々な形で関わる全国の愛好者，都道府県協会や都道府県連盟といった地方組織，スポンサー，メディア，地域社会など多くのステークホルダー（利害関係者）が存在する，

(2) 唯一の国内統括組織として，対象スポーツの普及・振興，代表選手の選考，選手強化予算の配分，各種大会の主催，審判員等の資格制度や競技者・団体登録制度の運用等の業務を独占的に行っている，

という2つが挙げられる。また，NFは，これらの特徴に鑑み，各種の公的支援の対象となっている。

これらのことから，NFは，その業務運営が大きな社会的影響力を有するとともに，国民・社会に対しても適切な説明責任を果たしていくことが求められる公共性の高い団体として，特に高いレベルのガバナンスの確保が求められているといえる。

しかしながら，近年，様々なNFにおいて，ガバナンスの機能不全等により，スポーツの価値を毀損するような様々な不祥事事案が発生し，スポーツ基本法の理念の実現に向かっているとはいい難い状況にある。NFを含めたスポーツ団体における様々な不祥事の要因は個々の事案によって異なるが，共通する一つの背景としては，多くのスポーツ団体は，人的・財政的基盤が脆弱である中，スポーツを愛好する人々の自発的な努力によって支えられてきたことが挙げられる。NFにおいても役員等が無報酬である例は多く，また，現場においても，指導者が無償又は低い報酬で，自己負担により遠征や合宿に参加している例もある。

スポーツを愛好する人々の善意やボランティア精神に支えられた組織運営は，自主性・自律性を育み，我が国のスポーツの多様な発展に貢献してきたが，一方で，組織運営に係る責任の所在を曖昧にし，コンプライアンス意識が徹底されず，組織運営上の問題が見過ごされがちになるなど，ガバナンスの確保がおざなりになってきた面があると考えられる。また，スポーツ団体が，そのスポーツに関わる，いわば「身内」のみによって運営されることにより，法令遵守よりも組織内の慣習や人間関係への配慮が優先され，時として，「身内」には通用しても社会一般からは到底理解を得られないような組織運営に陥るケースも見られる。

スポーツ庁においては，このようなスポーツ界の現状に鑑み，平成30年12月に策定した「スポーツ・インテグリティの確保に向けたアクションプラン」（以下「アクションプラン」という。）において，スポーツ基本法第5条第2項に規定する，スポーツ団体における自ら遵守すべき基準の作成等に資するよう，適切な組織運営を行う上での原則・規範として，スポーツ団体ガバナンスコード（以下「ガバナンスコード」という。）を策定することとした。これは，単に不祥事事案の未然防止にとどまらず，先述のスポーツの価値が最大限発揮されるよう，その重要な担い手であるスポーツ団体における適正なガバナンスの確保を図ることを目的としている。

　なお，NF の組織運営上の問題の背景に人的・財政的基盤が脆弱であることがある以上，当然ながら，NF の経営基盤の強化も重要な課題であり，アクションプランにおいても，NF の経営基盤の強化のための施策を掲げているところである。NF においては，ガバナンスの確保のためにも，経営基盤の強化に戦略的に取り組む必要があると考えられる。

2. NF のガバナンス確保に向けた新たな仕組みについて

　アクションプランにおいて，スポーツ団体の適正なガバナンス確保のための仕組みとして，スポーツ庁，独立行政法人日本スポーツ振興センター（以下「JSC」という。），公益財団法人日本スポーツ協会（以下「JSPO」という。），公益財団法人日本オリンピック委員会（以下「JOC」という。）及び公益財団法人日本障がい者スポーツ協会（以下「JPSA」という。）が緊密な連携の下で，NF のガバナンス確保に取り組む体制を構築するため，スポーツ庁長官が主宰し，各団体等の長を構成員とする「スポーツ政策の推進に関する円卓会議」（以下「円卓会議」という。）を設置することとした。

　平成 30 年 12 月 26 日に開催した第 1 回円卓会議においては，NF のガバナンスの確保に向けた各構成員の取組事項について，相互に承認するとともに，誠実に履行することを合意した。この中で，JSPO，JOC 及び JPSA（以下「統括団体」と総称する。）は，以下の 4 つの事項に取り組むこととしている。

(1) NF に対して，ガバナンスコードへの適合性審査を 4 年ごとに実施し，その結果を公表する。3 団体に共通する加盟団体に対しては，共同で審査を実施する。審査基準については，加盟団体の実情を踏まえ，一定の柔軟性を有するものとする。

(2) NF において，ガバナンスの機能不全等による不祥事案件が発生した場合，必要な指導助言，改善に向けた支援，処分等を適切に実施する。3 団体に共通する加盟団体の案件については，可能な限り共同で対応する。

(3) NF に対して，ガバナンスコードの適合状況について自己説明及び公表を年 1 回実施することなど，必要な取組を促す。

(4) 上記の各事項を適切に実施するために，加盟要件にガバナンスコードへの適合性を追加するとともに，必要に応じて加盟団体規程を改定する。

　このように，各 NF がガバナンスコードに適合しているかどうかは，統括団体が審査することとなり，その結果については，円卓会議に報告されることとなる。また，スポーツ庁は，円卓会議において，統括団体による適合性審査の実施状況や不祥事案が発生した際の対応等について確認し，必要に応じて改善を求めるとともに，その結果を公表することとしている。

3. ガバナンスコードの役割と自己説明の在り方について

　NF は，先述のとおり，対象スポーツに関する唯一の国内統括組織として，多くのステークホルダーに対して様々な権限を行使し得るなど，大きな社会的影響力を有するとともに，各種の公的支援を受けており，国民・社会に対して適切な説明責任を果たしていくことが求められる公共性の高い団体である。

　本ガバナンスコードは，このような公共性の高い団体である NF がガバナンスを確保し，適切な組織運営を行う上での原則・規範を定めたものであり，各 NF においては，ガバナンスコードの遵守状況（直ちに遵守することが困難である場合を含む。）について，具体的かつ合理的な自己説明を行い，これを公表することが求められる。

　NF の法人形態や業務内容，組織運営の在り方は，団体によって異なることから，ガバナンスコードの全ての規定が必ずしも全ての NF に適用されるとは限らない。そこで，NF においては，自らに適用することが合理的でないと考える規定については，その旨を説明することが必要となる。その際，単に自らの団体の慣習等に合わない，現在の役員等の賛同を得ることが難しいといった主観的な主張のみに依拠した説明は合理的とは認められず，業務の内容や国際競技団体（以下「IF」という。）が定める NF 運営に係る規程等に鑑みて，当該規定が自らの団体に当てはまらないことについて，対外的にも理解が得られるような合理的な説明をすることが求められる。

　また，人的・財政的な制約等から，直ちに遵守することが困難である規定がある場合は，その具体的かつ合理的な理由のみならず，遵守に向けた今後の具体的な方策や見通しについて説明することが求められる。その際，達成の目標時期を示すことが望まれる（下図参照）。

　NF については，統括団体が適合性審査を行うこととなるが，ガバナンスコードへの適合性という観点から，具体的にどのような自己説明が許容され得るかについては，今後，統括団体が策定する審査基準に基づき，適合性審査において個別具体的に判断されることとなる。

　なお，統括団体は，先述のとおり，審査基準について，加盟団体の実情を踏まえ，一定の柔軟性を有するものとするとしているところである。

<図：自己説明の在り方について>

遵守している → 遵守している旨の説明が必要
※ 根拠を示す（データの提示，規程等の添付）

適用される

遵守できていない → 以下2点について説明が必要
①直ちに遵守することが困難である具体的かつ合理的な理由（例えば人的・財政的制約等），
②遵守に向けた今後の具体的な方策や見通し
※達成の目標時期を示すことが望まれる。

個々の原則，規定
原則A　「…すべき」
　　（1）「…すること」

適用されない
（極めて例外的。例えば，IFが定めるNF運営に係る規程等にガバナンスコードの規定と異なる内容が定められていることや，代表選手の選考を行っていない場合に代表選手の選考に係る規定が適用されないことなどが想定される。）
→ 自らに適用することが合理的でないと考える理由の説明が必要
※　対外的にも理解が得られるような合理的な説明をすることが必要。

第2章　スポーツ団体ガバナンスコードの規定及び解説

　本章では，ガバナンスコードの個別の規定及びその解説を掲載している。規定は13の原則の下に，より具体的な原則・規範を定めている。また，解説として，13の原則ごとに，「求められる理由」と，より具体的な規定に関する「補足説明」を記載している。NFにおいては，各規定及び解説の内容を踏まえ，適正なガバナンスの確保に向けた取組を進めることが求められる。

1．ガバナンスコードの規定一覧

> 原則1　組織運営等に関する基本計画を策定し公表すべきである。
>
> (1) 組織運営に関する中長期基本計画を策定し公表すること
>
> (2) 組織運営の強化に関する人材の採用及び育成に関する計画を策定し公表すること
>
> (3) 財務の健全性確保に関する計画を策定し公表すること

> 原則2　適切な組織運営を確保するための役員等の体制を整備すべきである。
>
> (1) 組織の役員及び評議員の構成等における多様性の確保を図ること
>
> 　① 外部理事の目標割合（25%以上）及び女性理事の目標割合（40%以上）を設定するとともに，その達成に向けた具体的な方策を講じること
>
> 　② 評議員会を置くNFにおいては，外部評議員及び女性評議員の目標割合を設定するとともに，その達成に向けた具体的方策を講じること
>
> 　③ アスリート委員会を設置し，その意見を組織運営に反映させるための具体的な方策を講じること
>
> (2) 理事会を適正な規模とし，実効性の確保を図ること
>
> (3) 役員等の新陳代謝を図る仕組みを設けること
>
> 　① 理事の就任時の年齢に制限を設けること
>
> 　② 理事が原則として10年を超えて在任することがないよう再任回数の上限を設けること
>
> (4) 独立した諮問委員会として役員候補者選考委員会を設置し，構成員に有識者を配置すること

原則 3　組織運営等に必要な規程を整備すべきである。

(1) NF 及びその役職員その他構成員が適用対象となる法令を遵守するために必要な規程を整備すること

(2) その他組織運営に必要な規程を整備すること

(3) 代表選手の公平かつ合理的な選考に関する規程その他選手の権利保護に関する規程を整備すること

(4) 審判員の公平かつ合理的な選考に関する規程を整備すること

原則 4　コンプライアンス委員会を設置すべきである。

(1) コンプライアンス委員会を設置し運営すること

(2) コンプライアンス委員会の構成員に弁護士，公認会計士，学識経験者等の有識者を配置すること

原則 5　コンプライアンス強化のための教育を実施すべきである。

(1) NF 役職員向けのコンプライアンス教育を実施すること

(2) 選手及び指導者向けのコンプライアンス教育を実施すること

(3) 審判員向けのコンプライアンス教育を実施すること

原則 6　法務，会計等の体制を構築すべきである。

(1) 法律，税務，会計等の専門家のサポートを日常的に受けることができる体制を構築すること

(2) 財務・経理の処理を適切に行い，公正な会計原則を遵守すること

(3) 国庫補助金等の利用に関し，適正な使用のために求められる法令，ガイドライン等を遵守すること

原則 7　適切な情報開示を行うべきである。

(1) 財務情報等について，法令に基づく開示を行うこと

(2) 法令に基づく開示以外の情報開示も主体的に行うこと

　① 選手選考基準を含む選手選考に関する情報を開示すること

　② ガバナンスコードの遵守状況に関する情報等を開示すること

原則 8　利益相反を適切に管理すべきである。

(1) 役職員，選手，指導者等の関連当事者と NF との間に生じ得る利益相反を適切に管理すること

(2) 利益相反ポリシーを作成すること

原則 9　通報制度を構築すべきである。

(1) 通報制度を設けること

　① 通報窓口を NF 関係者等に周知すること

　② 通報窓口の担当者に，相談内容に関する守秘義務を課すこと

　③ 通報窓口を利用したことを理由として，相談者に対する不利益な取扱いを行うことを禁止すること

(2) 通報制度の運用体制は，弁護士，公認会計士，学識経験者等の有識者を中心に整備すること

原則 10　懲罰制度を構築すべきである。

(1) 懲罰制度における禁止行為，処分対象者，処分の内容及び処分に至るまでの手続を定め，周知すること

(2) 処分審査を行う者は，中立性及び専門性を有すること

> 原則 11　選手，指導者等との間の紛争の迅速かつ適正な解決に取り組むべきである。
>
> (1) NF における懲罰や紛争について，公益財団法人日本スポーツ仲裁機構による
>   スポーツ仲裁を利用できるよう自動応諾条項を定めること
>
> (2) スポーツ仲裁の利用が可能であることを処分対象者に通知すること

> 原則 12　危機管理及び不祥事対応体制を構築すべきである。
>
> (1) 有事のための危機管理体制を事前に構築し，危機管理マニュアルを策定する
>   こと
>
> (2) 不祥事が発生した場合は，事実調査，原因究明，責任者の処分及び再発防止策
>   の提言について検討するための調査体制を速やかに構築すること
>
> (3) 危機管理及び不祥事対応として外部調査委員会を設置する場合，当該調査委員
>   会は，独立性・中立性・専門性を有する外部有識者（弁護士，公認会計士，学識経
>   験者等）を中心に構成すること

> 原則 13　地方組織等に対するガバナンスの確保，コンプライアンスの強化等に係
>   る指導，助言及び支援を行うべきである。
>
> (1) 加盟規程の整備等により地方組織等との間の権限関係を明確にするとともに，
>   地方組織等の組織運営及び業務執行について適切な指導，助言及び支援を行う
>   こと
>
> (2) 地方組織等の運営者に対する情報提供や研修会の実施等による支援を行うこと

2．ガバナンスコードの各規定に関する解説

> **原則1　組織運営等に関する基本計画を策定し公表すべきである。**
>
> **(1) 組織運営に関する中長期基本計画を策定し公表すること**
>
> **(2) 組織運営の強化に関する人材の採用及び育成に関する計画を策定し公表する**
> **こと**
>
> **(3) 財務の健全性確保に関する計画を策定し公表すること**

【求められる理由】

　NF が多岐にわたる業務を効果的に推進し，安定的かつ持続的な組織運営を実現するためには，組織としてのミッションやビジョン，それを実現するための戦略や計画を定めた中長期的基本計画を策定することが不可欠である。また，NF の人的・財政的基盤の脆弱さが組織運営上の問題発生の要因となり得ることを踏まえれば，組織運営の基盤強化に資する人材の採用及び育成に関する計画並びに財務の健全性を確保するための計画も合わせて策定することが求められる。

　NF は，多数のステークホルダーを有し，大きな社会的影響力を有することに鑑み，その説明責任を果たす一環として，これらの計画を公表することが求められる。

【補足説明】

(1) について

・　中長期基本計画の構成要素としては，例えば，以下のものが考えられる。

　　① 　組織として目指すところ（ミッション，ビジョン，戦略等）

　　② 　現状分析

　　③ 　達成目標（具体的な最終到達地点，例えば 10 年後，20 年後など）

　　④ 　戦略課題（現状と達成目標までのギャップを埋める上での課題）

　　⑤ 　課題解決のための戦略及び実行計画

　　⑥ 　計画・実施・検証・見直しのプロセス（PDCA サイクル）

・　中長期基本計画は，NF の各業務分野が対象となるが，例えば，競技力向上，普及，マーケティング，ガバナンスなど，重要な業務分野ごとに，より詳細な計画を策

定することも考えられる。その場合であっても，それぞれの計画が縦割りで部分最適化に陥ることがないよう，全体の中長期計画の下で各計画間の整合性が図られるよう留意することが必要である。

(2) について

- 人材の採用及び育成に関する計画においては，ガバナンス及びコンプライアンスに係る知見を有する人材の採用や，原則5にある役職員向けコンプライアンス教育に係る計画等も盛り込むことが望まれる。

- 特に小規模なNFにおいては，特定の業務を同一人物が長年にわたり担当し，世代交代が進んでいないことも多いが，各業務分野の人員配置を俯瞰しつつ，安定的かつ持続的な組織運営が可能となるよう，人材の採用及び育成を進めていくことが望まれる。また，財政上の制約等から事務職員の十分な確保が困難である場合には，例えば，経理等に関する専門知識を有する事務職員について，他のNFと共同して採用するといった取組を進めることが望まれる。

- なお，人的基盤を強化する上では，NFの各業務分野について，専門的な知識や経験を有する外部人材を採用することが有効であるが，資金面の制約により採用が困難と考える団体もあると思われる。そのような場合には，例えば，副業・兼業を前提に様々な能力を有する外部人材の採用を行っているNFの事例を参考にすることが考えられる。

(3) について

- 財務の健全性確保のための計画においては，例えば，過去の実績を分析し，中長期的な視点から明確かつ測定可能な目標を記載した計画を策定することが望まれる。

- 財務の健全性確保のための計画に基づき会計年度ごとの詳細な計画を策定し実行するとともに，計画と実績値の比較を行い，その差異について分析し，理事会等で報告するといった取組も望まれる。

(1) ～(3)共通事項について

・ 様々な計画立案に向けた検討においては，役職員や構成員から幅広く意見を募る
など，組織全体として一体となって取り組むことが重要である。その際，特に理事
等の経営層のコミットメントは，計画の内容を充実させるだけでなく，策定後，そ
の計画が組織運営の基軸であることを役職員の共通認識とするという意味におい
ても重要である。

・ また，NFの役職員，構成員以外の多様なステークホルダーの意見を反映させると
ともに，特に，普及やマーケティング等については，NFとして，その時点ではス
テークホルダーとして認識していない層の人々も含めて，多様な視点を取り入れ
て検討することが望まれる。

・ 各計画に基づく方策の実施状況，目標の達成状況等については，定期的に把握・分
析し，目標等の修正，方策の改善，次期計画の策定等に活かすなど，計画を軸とし
たPDCAサイクルの確立に取り組むことが望まれる。

原則2　適切な組織運営を確保するための役員等の体制を整備すべきである。

(1) 組織の役員[1]及び評議員の構成等における多様性の確保を図ること

　① 外部理事の目標割合（25%以上）及び女性理事の目標割合（40%以上）を設定するとともに，その達成に向けた具体的な方策を講じること

　② 評議員会を置くNFにおいては，外部評議員及び女性評議員の目標割合を設定するとともに，その達成に向けた具体的方策を講じること

　③ アスリート委員会を設置し，その意見を組織運営に反映させるための具体的な方策を講じること

(2) 理事会を適正な規模とし，実効性の確保を図ること

(3) 役員等の新陳代謝を図る仕組みを設けること

　① 理事の就任時の年齢に制限を設けること

　② 理事が原則として 10 年を超えて在任することがないよう再任回数の上限を設けること[2]

(4) 独立した諮問委員会として役員候補者選考委員会を設置し，構成員に有識者を配置すること

【求められる理由】

　NF における適正なガバナンスの確保を図る上で，組織運営上の重要な意思決定や業務執行に係る権限を有する理事がその権限を適切に行使するとともに，理事会や評議員会において，その権限の行使を適確に監督することが極めて重要である。この点，NF が特に留意すべきポイントは，理事等の多様性及び実効性を確保するとともに，新陳代謝を図る仕組みを設けることである。

---

[1] 「役員」とは，一般社団法人及び一般財団法人に関する法律，特定非営利活動促進法の適用を受ける団体にあっては，理事及び監事を指す。

[2] 激変緩和措置として，各 NF は，理事の再任回数の制限について直ちに実施することが困難であると判断する場合，統括団体による1回目の適合性審査（令和2年度〜令和5年度を想定）に限っては，以下の2点について適切な自己説明を行えば足りることとされる。
・ 理事就任時の年齢制限を含めて新陳代謝を図るための計画を策定し，組織として合意形成を行っていること
・ 組織運営及び業務執行上，10年を超えて引き続き在任することが特に必要である理事について，役員候補者選考委員会等において実績等を適切に評価していること

（1）多様性の確保について

　理事による権限の行使及び監督が適切に行われるためには，様々な知識・経験を有する多様な人材によって組織が構成されることが重要である。

　NF においては，第1章で述べたとおり，選手，指導者以外にも多くのステークホルダーが存在し，その意思決定や業務執行は大きな社会的影響力を持つ。このため，NF がその社会的責任を果たすためには，意思決定や業務執行において，これらのステークホルダーの多様な意見を反映させることが求められる。

　また，外部理事の任用により，選手又は指導者としての高い実績が認められている者（以下「競技実績者」という。）とは異なる観点からの多様な意見が出ることにより，理事会等における議論が活性化し，理事に対するチェック機能の向上につながることが期待される。その際，弁護士，会計士等の専門家，学識経験者等のガバナンスやコンプライアンスに精通した外部理事を任用すると，より専門的・客観的な視点から組織運営を監督することが可能となると考えられる。

　しかしながら，NF の現状を見ると，外部理事の割合は平均で 12.6%にとどまっており，また，外部理事が一人もいない NF が半数以上である[3]など，多様な視点を取り入れた組織運営がなされているとはいい難い。

　いうまでもなく，競技実績者が有する競技に関する豊富な知識と経験は，競技力の向上や国際大会への選手派遣等，競技に関わる専門的な業務を担う上で不可欠である。一方で，NF の運営において，競技実績が過度に重視され，特定の競技実績者に権限が集中すると，競技に特有の常識や慣行にとらわれがちになり，客観的に見るとバランスを欠く意思決定や業務執行がなされるおそれがある。実際に，近年の NF における不祥事事案でも，競技実績者への過度な偏重が不適切な組織運営を招いた要因として挙げられることが少なくない。

　そこで，NF には，外部理事の積極的な任用のため，その目標割合を具体的に設定するとともに，達成に向けた具体的方策を講じることが求められる。また，特に重要なステークホルダーである選手については，「アスリートファースト（プレイヤーズファースト）」の理念を実現する観点から，アスリート委員会の設置・運営を通じて意

---

[3] 平成 31 年 3 月にスポーツ庁が実施した「平成 30 年度中央競技団体の組織運営の現状に関する実態調査」（以下「NF 実態調査」という。）に基づく。

見をくみ上げ，組織運営に反映させることが重要である。

　女性理事については，「第４次男女共同参画基本計画」（平成 27 年 12 月閣議決定）
では，社会のあらゆる分野において，2020 年までに「『指導的地位に女性が占める割
合を 30％程度とすること』（以下「30％目標」という。）は，社会の多様性と活力を
高め我が国経済が力強く発展していく観点や，男女間の実質的な機会の平等を担保す
る観点から極めて重要な目標であり，30％目標を目指すことを国民の間でしっかり共
有するとともに，現在の国民の間での女性の活躍に関する機運の高まりをチャンスと
捉え，女性の参画拡大の動きを更に加速していく必要がある」とされている。また，
我が国が平成 29 年に署名した「ブライトン・プラス・ヘルシンキ 2014 宣言」にお
いては，スポーツ組織・団体における意思決定の地位における女性の割合が，2020
年（令和 2 年）までに 40％に引き上げられるべきとされているが，一方で，我が国
の NF における女性理事の割合は平均で 15.6％と未だ低い水準にある[4]。

　女性競技者の増加等を通じた競技の更なる普及発展や，スポーツを通じた女性の社
会参画・活躍を促進する観点から，女性理事の目標割合の設定及びその達成に向けた
具体的な方策を講じることにより，女性の視点や考え方をより積極的に取り入れてい
くことが求められる。

（2）実効性の確保について

　グローバル化や情報化等が急速に進展する変化の激しい時代にあって，NF におい
ても，理事会において迅速かつ戦略的な意思決定を行うこととともに，そのような意思
決定を適確に監督することが必要である。

　一方で，理事会の規模が過大になると，重要な役割・職責に対する各理事等の自覚
が希薄化して活発な議論が行われにくくなり，結果として，一部の理事や事務局の方
針を追認するだけの存在となるなど，会議体として機能不全に陥るおそれがある。

　このため，NF においては，理事会について，その構成において多様性の確保と両
立させつつ，理事会を適正な規模とすることが求められる。

---

[4] NF 実態調査に基づく。

（3）新陳代謝を図る仕組みについて

　理事が長期間にわたって在任することは，人的構成の固定化を招き，特定の理事の発言力を過度に高め，理事会等での議論の停滞等を招くおそれがある。実際に，長期間在任する特定の理事が過度な支配力を持ち，その強権的・独占的な運営によって様々な不祥事を引き起こした事案も発生している。

　そこで，理事の再任回数に一定の制限を設けることなどにより，人的構成を固定化させず，定期的に新陳代謝を図るための仕組みを設けることが求められる。

（4）役員候補者選考委員会の設置について

　外部理事，女性理事に限らず，競技実績者も含めた理事の任用に当たっては，いわゆる派閥・学閥や年功序列，順送り人事等の旧態依然の組織的慣行にとらわれることなく，理事としての資質・能力を適切に確認するとともに，競技・種別や年齢構成等の観点からも多様な意見を反映できる理事構成とすることが重要である。このような観点から，役員候補者の選考を適切に行うため，役員候補者選考委員会を設置し，その構成員に有識者を配置することが求められる。

【補足説明】

（1）について

・　①の外部理事とは，最初の就任時点で，以下のア）～ウ）のいずれにも該当しない者を指す[5]。

　　ア）　当該団体と下記の緊密な関係がある者

　　　・過去4年間の間に当該団体の役職員又は評議員であった

　　　・当該団体と加盟，所属関係等にある都道府県協会等の役職者である

　　　・当該団体の役員又は幹部職員の親族（4親等以内）である

---

[5] ア）については，当該団体の何らかの役職（例えば，各種委員会の委員等）に就いている有識者について，これらの専門的知見（例えば，法務，会計，ビジネス等）による貢献を期待して理事として任用している場合には，外部理事として整理することも考えられる。
イ）及びウ）については，当該理事が競技実績や指導実績を有している者であっても，競技経験に基づく対象スポーツに関する知見ではなく，当該理事の有するその他の知見（法務，会計，ビジネス等）による貢献を期待して理事として任用している場合には，外部理事として整理することも考えられる。

　　イ）　当該競技における我が国の代表選手として国際競技大会への出場経験がある
　　　　又は強化指定を受けたことがあるなど，特に高い競技実績を有している者[6]

　　ウ）　指導するチーム又は個人が全国レベルの大会で入賞するなど，当該競技の指
　　　　導者として特に高い指導実績を有している者

・　女性理事について，外部理事のみ女性を任用するのではなく，外部理事以外の理
　　事についても女性を任用することが望まれる。また，業務執行理事に女性を任用
　　することが望まれる。

・　具体的な方策とは，例えば，理事選任に関する規程等において外部理事及び女性
　　理事の選任に関する定めを置くとともに，直ちに目標割合を達成することが難し
　　い場合であっても，達成の目標時期を設定した上で，定時社員総会又は定時評議
　　員会における理事の改選において外部理事及び女性理事を１名ずつ選任するなど，
　　段階的な任用を計画的に行うことや，そのための公募を実施することなどが考え
　　られる。

・　どのような者を外部理事として任用するかは，各 NF において，現状や課題等を
　　踏まえて適切に判断することが必要となる。例えば，ガバナンスやコンプライア
　　ンスの向上の観点から専門的な知見を有する弁護士，会計士や学識経験者等を，
　　経営基盤強化の観点から他競技の NF 経営で成果を上げた者や企業経営経験者を，
　　IF 等との国際交渉能力の向上を図る観点から豊富な国際経験を有する人材をそ
　　れぞれ任用するなどの対応が考えられる。

・　②の外部評議員及び女性評議員の目標割合については，評議員会の役割や総数等
　　を踏まえ，各 NF において適切に設定することが求められる。

・　外部評議員の定義については，①の外部理事と同様である。具体的な方策につい
　　ても，外部理事と同様に，段階的な任用を計画的に行うことなどが考えられる。

・　なお，多様性の確保という観点からは，理事や評議員の選任に当たっては，障害
　　者の任用及び年齢構成，競技・種別等のバランスについても考慮することが望ま
　　れる。

---

[6] 国際競技大会がない又はなかった場合については，国内における全国的な大会における競技実
績を勘案することが考えられる。

- ・ ③のアスリート委員会とは，現役選手又は選手経験者で構成され，競技環境の整備等を始めとした NF の業務について選手の意見をくみ上げ，組織運営に反映させるための会議体をいう。
- ・ アスリート委員会の構成については，性別や競技・種別等のバランスに留意するとともに，委員会で取り扱う事項等を踏まえて適切な人選を行うことが求められる。
- ・ アスリート委員会における議論を組織運営に反映させるための方策については，例えば，アスリート委員会から理事会等に対する答申，報告等を行う仕組みを設けることや，アスリート委員会の委員長を理事として選任することなどが考えられる。

（2）について

- ・ 理事会の適正な規模については，理事会がその役割・責務を実効的に果たすための知識・経験・能力を全体としてバランスよく備えているか，意思決定の迅速化，議論の質の向上，監督機能の強化等に資するかなどの観点から検討することが望まれる。

（3）について

- ・ ①の就任時の年齢制限に関しては，外部理事について，他の理事とは異なる年齢制限を設ける又は年齢制限の対象外とすることも考えられる。
- ・ ②の「原則として 10 年を超えて在任することがないよう」とは，在任期間が連続して 10 年を超えることがないようにすることを指す。最長期間に達した者については，再び選任されるまでに必要な経過期間（例えば４年間）を合わせて定めることが考えられる。
- ・ 理事の在任期間が 10 年に達する場合であっても，以下のア）又はイ）のいずれかに該当すると認められる場合，当該理事が 10 年を超えて在任（１期又は２期）することが考えられる。
  - ア） 当該理事が IF の役職者である場合
  - イ） 当該理事の実績等に鑑み，特に重要な国際競技大会に向けた競技力向上を始

めとする中長期基本計画等に定める目標を実現する上で，当該理事が新たに又は継続して代表理事又は業務執行理事を務めることが不可欠である特別な事情があるとの評価[7]に基づき，理事として選任された場合

・　理事の候補となり得る人材を各種委員会等に配置し，NF 運営に必要となる知見を高める機会を設けることなどにより，将来の NF 運営の担い手となり得る人材を計画的に育成していくことが強く期待される。

・　なお，評議員会を置く NF については，その構成が長期間にわたって固定化しないよう，より客観的な視点から NF 運営を監督できる者を定期的に選任するなどの取組を行うことが望まれる。

(4) について

・　役員候補者選考委員会における役員候補者等の決定は，理事会等の他の機関から独立して行われることが求められる。

・　役員候補者選考委員会の構成員には，有識者のほか，評議員や監事を充てることが考えられる。

・　有識者，女性委員を複数名配置することが望まれる。その際，有識者について，外部理事又は外部評議員を充てることが考えられる。

・　なお，公平性及び公正性の確保の観点から，当該役員候補者選考委員会において，役員候補者の選考対象として想定される者については，構成員としない又は当該委員は自らを役員候補者として決定する議決には参加しないこととするなどの配慮をすることが望まれる。

---

[7] 外部理事や外部評議員等により構成される役員候補者選考員会において，客観的な視点を確保した上で，当該理事の実績，特別な事情の有無等について評価を行うことが求められる。

> **原則3　組織運営等に必要な規程を整備すべきである。**
>
> **(1) NF 及びその役職員その他構成員が適用対象となる法令を遵守するために必要な規程を整備すること**
>
> **(2) その他組織運営に必要な規程を整備すること**
>
> **(3) 代表選手の公平かつ合理的な選考に関する規程その他選手の権利保護に関する規程を整備すること**
>
> **(4) 審判員の公平かつ合理的な選考に関する規程を整備すること**

【求められる理由】

　NF に限らず，全ての法人及び個人が法令を遵守することは当然である。NF の法人形態や事業内容によって適用される法令は異なるが，いかなる法令でも遵守できる体制を構築することが必要である。

　また，NF は，組織を運営するために必要な規程を定めることも求められる。組織の意思決定は，個人の独断で行われるべきではなく，理事会を始め，様々な会議体によってなされることが必要である。意思決定に必要な規程を設けることにより，意思決定の公正性や透明性を確保することができる。

　代表選手の選考については，その選考基準及び選考過程に公平性と透明性が求められる。例えば，「①国内スポーツ連盟の決定がその制定した規程に違反している場合，②規程には違反していないが著しく合理性を欠く場合，③決定に至る手続に瑕疵がある場合，又は④規程自体が法秩序に違反し若しくは著しく合理性を欠く場合」（公益財団法人日本スポーツ仲裁機構 JSAA-AP-2018-001 等）には，選手選考に係る決定が取り消される可能性がある。

　代表選手選考に限らず，強化指定選手等の選考についての基準も公平かつ合理的である必要がある。強化指定選手であることが代表選手選考の要件となっている場合もあり，また，代表選手選考の要件ではない場合でも，強化指定選手となることで他の選手よりも充実した練習環境が与えられる等の利益を享受できることが多いためである。

　審判員は，試合の唯一の判定者であり，競技の実施に当たって強大な権限を有している。試合の帰趨が多くのステークホルダーに影響を与えることは多言を要さない。昨今，判定を事後的に検証する情報システム等の導入が進んでいるものの，全ての競

技や試合で実施されていない。また，「競技中になされる審判の判定」はスポーツ仲裁の対象とされておらず（スポーツ仲裁規則第２条第１項），一度下された判定を争うことは難しい。このため，試合の唯一の判定者となる審判員は公平かつ公正であることが求められ，そのような審判員を公平かつ合理的に選考するための規程を整備すべきである。

【補足説明】

（1）及び（2）について

・　NFには，組織運営に必要な一般的な規程に加え，NF特有の事業運営に必要な規程が必要となる。

　　まず，法人の運営に関して必要となる一般的な規程としては，例えば，社員（会員）等の入退会に関する規程，会費等に関する規程，社員総会等の運営に関する規程，理事会の運営に関する規程，監事に関する規程，各種委員会の運営等に関する規程，業務分掌規程，職務権限規程，経理規程，事務局運営規程，コンプライアンス規程等が挙げられる。なお，規程整備の際，会議体の適切な権限分配がなされるよう留意するとともに，各会議体の意思決定を理事会等へ報告し，分配した権限どおりの活動がなされているかについて監督を受けることが必要である。

・　法人の業務に関する規程としては，例えば，文書取扱規程，情報公開に関する規程，個人情報保護に関する規程，公益通報者の保護に関する規程，稟議規程，リスク管理規程，反社会的勢力対応規程，不祥事対応規程，苦情処理規程等が挙げられる。

・　法人の役職員の報酬等に関する規程としては，例えば，役員等の報酬に関する規程，役員等の退職手当に関する規程，職員の給与に関する規程を含む就業規則，職員の退職手当に関する規程等が挙げられる。

・　法人の財産に関する規程としては，財産管理に関する規程，寄附の受入れに関する規程，基金の取扱いに関する規程等が挙げられる。

・　NFが適切なガバナンスを実施する上で必要な財政的基盤を整えるための規程としては，スポンサーシップ，試合の放映，商品化等の付随的事業を実施するためのNFの権利に関する規程等が挙げられる。

- そのほか，NF において，国際大会に派遣する代表選手選考を行っている場合，後述の「（3）について」にあるとおり，代表選手選考に関する規程が必要であり，通報制度を設ける場合や，選手・チームの登録制度の下で処分を行う場合には，原則 9 及び原則 10 で定める通報制度及び懲罰に関する規程が必要である。
- なお，現実的には，NF に適用される全ての法令について，役職員が完全な知識を有することは困難であると考えられるが，潜在的な問題を把握し，調査の必要性の有無等を判断できる程度の法的知識は求められる。また，相談内容に応じて適切な弁護士への相談ルートを確保するなど，専門家に日常的に相談や問い合わせをできる体制を確保することが求められる。

（3）について

- 公平かつ合理的な選手選考をするためには，まず，選手選考に関する規程（選考基準及び選考過程）の作成者の選定を公平かつ合理的な過程で実施することが必要である。
- 選考基準はできる限り，明確かつ具体的にすることが望まれる。例えば，個人種目について，ある大会での上位者から代表選手を選考するということは明確かつ具体的な基準といえるが，当該大会以外の実績を考慮する必要があるか否かなど，様々な事情も多面的に検討した上で，選考に関する規程を作成することが求められる。なお，団体種目であって，明確かつ具体的な選考基準に係る規程を整備することが困難である場合については必ずしも規程の整備は求められない。
- 選考過程についてもできる限り明確かつ具体的にすることが求められる。選考過程において，客観性・透明性のある手続を確保することで，利益相反を適切に管理することも望まれる。
- また，選考から漏れた選手や指導者からの要望等に応じて，事後に選考理由を開示することが望まれる。

（4）について

- 審判員の選考に関して，選考基準（資格制度等を設けることも考えられる。）及び選考過程を，できる限り明確かつ具体的にすることが望まれる。

> **原則 4 コンプライアンス委員会を設置すべきである。**
>
> **(1) コンプライアンス委員会を設置し運営すること**
>
> **(2) コンプライアンス委員会の構成員に弁護士，公認会計士，学識経験者等の有識者を配置すること**

【求められる理由】

　コンプライアンスの実践は，単なる法令遵守にとどまらず，組織や業界において定められる様々な規範，さらには社会規範の遵守を含むものであり，NF が多様なステークホルダーや国民・社会からの信頼を得て，安定的かつ持続的に組織運営を行う上での前提条件又は組織統治の基盤になるものである。

　ひとたびコンプライアンス違反事案が発生すると，仮に NF が国際競技大会での優秀な成績など本来の業務で優れた成果を上げたとしても，組織に対する社会的信用を失墜させ，ひいては対象スポーツへの社会的評価を低下させることにつながりかねない。NF が組織として存続する限り，常にコンプライアンスが実践されている又はコンプライアンス違反が生じていない状態が保持されていることが必要である。　そのためには，一過性の取組ではなく，コンプライアンス委員会を定期的に開催し，コンプライアンス強化に係る方針や計画の策定及びその推進，実施状況の点検，リスクの把握等を組織的，継続的に実践し続けることが求められる。

　コンプライアンス委員会の設置に当たっては，コンプライアンス強化に係る業務には様々な法令，規則等に関する専門的な知見が不可欠であることを踏まえ，弁護士，公認会計士等の有識者が構成員に含まれていることが求められる。

【補足説明】

(1) について

・　コンプライアンス委員会がその機能を十分に発揮できるよう，その役割や権限事項を明確に定めておくことが求められる。基本的な権限事項としては，コンプライアンス強化に係る方針や計画の策定及びその推進，実施状況の点検，リスクの把握等が考えられる。そのほか，原則 5 に定めるコンプライアンス教育の企画・実施や，コンプライアンス違反事案に係る調査，裁定委員会等への処分申請等を

コンプライアンス委員会の権限事項としている例を参考にすることも考えられる。

・ コンプライアンス強化の重要性に鑑みれば，コンプライアンス強化のみを担う委員会として独立して設けることが望まれるが，人的・財政的な制約等から独立した委員会の設置が難しい場合，権限事項を明確に定めた上で，他の役割も合わせて担う委員会として運用することも考えられる。

・ コンプライアンス委員会の運営内容について，理事会に報告され，その監督を受けるとともに，コンプライアンス委員会からも，理事会等の意思決定機関に対して定期的に助言や提言を行うことができる仕組みを設けることが望まれる。

・ コンプライアンスの現況や潜在的リスクの把握等を効果的に行うためには，JSCが実施するモニタリングを活用することが考えられる。当該モニタリングを直接活用することが難しい場合であっても，NF事務局や競技現場におけるコンプライアンス違反を発生させるリスクを把握し可視化するために JSC が開発している「スポーツ・コンプライアンス評価指標」を活用することが有効と考えられる。

(2) について

・ コンプライアンス委員会の構成員には，法令等に関する専門的な知見のみならず，スポーツ団体の実情やスポーツの持つ社会的意義を十分に理解した有識者を選出することが望まれる。なお，複数の専門家を確保することが難しい場合であっても，法令遵守の徹底はコンプライアンス強化の中核であることから，少なくとも1名は弁護士を選出することが必要と考えられる。

・ コンプライアンス委員会の構成員の少なくとも1名以上は，女性委員を配置することが求められる。

・ NF が組織としてコンプライアインスの強化を図るためには，原則 2(1)①に規定する外部理事のうち，専門的な知見を有する者（弁護士，会計士，学識経験者等）を業務担当理事として，コンプライアンス委員会の構成員に加えることが考えられる。

・ なお，適切な有識者を構成員として確保した上で，NF内部の状況に精通した者や対象スポーツの実態に詳しい競技実績者を構成員として加えることも考えられる。

> **原則5 コンプライアンス強化のための教育を実施すべきである。**
>
> **(1) NF役職員向けのコンプライアンス教育を実施すること**
>
> **(2) 選手及び指導者向けのコンプライアンス教育を実施すること**
>
> **(3) 審判員向けのコンプライアンス教育を実施すること**

【求められる理由】

　原則4で述べたとおり，コンプライアンスの実践は組織統治の基盤となるものであるが，違反事案を未然に防ぐためには，コンプライアンス委員会の設置等による組織体制の整備のみならず，NFに関わる全ての者がコンプライアインスに係る知識を身に付けるとともに，コンプライアンス意識を徹底することが不可欠である。

　NFをめぐるコンプライアンス違反事案は，大別すると，不適切な経理処理を始めとする組織運営上の違反事案と，選手・指導者間，選手間等における暴力行為やハラスメント，選手等による不正行為など，競技や指導の現場に近いところで発生する違反事案がある。

　これらのコンプライアンス違反事案を効果的に防止するためには，NFの役職員に対しては，適切な組織運営の在り方やそのために必要な関係法令の理解等に重点を置いたコンプライアンス教育を行うことが求められる。また，選手及び指導者に対しては，スポーツの価値を体現する者としての心構えや倫理観の醸成，選手及び指導者のそれぞれが陥りがちな違反事案の防止に重点を置いたコンプライアンス教育を実施することが求められる。さらに，審判員に対しては，公平・公正・安全に競技を行うという選手の基本的な権利を守り，スポーツの価値を守るという重要な役割を担っていることを踏まえ，審判員としてのあるべき姿や心構え，不公正な判定の防止等について教育を実施することが求められる。

【補足説明】

(1) について

・ NF役職員向けのコンプライアンス教育においては，例えば，以下のような内容を取り扱うことが考えられる。

　　① 一般社団法人及び一般財団法人に関する法律（以下「一般社団・財団法人法」

という。）や公益社団法人及び公益財団法人の認定等に関する法律（以下「公益法人認定法」という。）等，NF に適用される関係法令及びガバナンスコードについて

② NF がその組織運営のために整備している各種規程（原則 3 参照）や統括団体が定める加盟要件等に係る規程について

③ 不適切な経理処理を始めとする不正行為の防止について

④ 代表選手選考の適切な実施について

⑤ 大会運営，強化活動等における選手等の安全確保の徹底について

・ その際，①については，特に，理事，監事，評議員等，組織の意思決定に関わる役員等が，NF のガバナンス確保及びコンプライアンス強化における重要な職責を全うできるよう，それぞれの法令上の権限及び責任（理事会・評議員会・監事の権限，善管注意義務，問題発生時にとり得る法的手段等）について十分な理解が得られる内容とすることが望まれる。

・ なお，③の不正行為を防止するための教育においては，不正行為がどのようなメカニズムで発生するのか，不正行為を誘発する要因等についての理解を深めることも重要と考えられる（【なぜ不正行為が生じるのか】（30 頁）を参照）。

（2）について

・ 選手・指導者向けのコンプライアンス教育を実施する際の前提として，各 NF においては，当該スポーツを通じてどのような人間を育成するかについて明確にし，目標として定めておくことが望まれる。

・ 選手及び指導者向けのコンプライアンス教育においては，例えば，以下の内容を取り扱うことが考えられる。

① 不正行為の防止について（ドーピング，八百長行為等）

② 人種，信条，性別，性的指向及び性自認，社会的身分等に基づく差別の禁止について

③ 暴力行為，セクハラ，パワハラについて

④ その他の違法行為について（未成年の飲酒・喫煙，違法賭博，交通違反・事故等）

⑤　SNS の適切な利用を含む交友関係（反社会的勢力との交際問題を含む。），社会常識について

・コンプライアンス教育の企画・実施に当たっては，その類型や発生経緯の分析を行い，具体的な事例を取り上げるとともに，これらのコンプライアンス違反事案が選手又は指導者自身にもたらし得る重大な結果や関係者への多大な影響についても，十分に理解できるようにすることが望まれる。

・なお，例えば，身体接触を伴う対人競技において，指導者が選手に対して必要以上の負荷をかけることが生じ得ることや，障害者スポーツにおいて，指導者やサポートスタッフが選手の競技面のみならず生活面も含めて様々な支援を行うという密接な関係性の中で，時として選手に対するハラスメントが発生することがあるなど，対象スポーツの競技特性や競技環境等を踏まえて，陥りやすいコンプライアンス違反事案を取り上げるなどの工夫をすることが望まれる。

（3）について

・審判員に対するコンプライアンス教育については，例えば，審判員の養成講習等において，審判員はスポーツの価値を守るという重要な役割を担っていることの自覚を促し，審判員としてのあるべき姿や心構え，選手等に対する言動における注意事項，不公正な判定の防止等を取り扱うことが考えられる。

（1）～（3）共通事項について

・研修の実施に当たっては，単なる講義形式だけではなく，学習者である役職員，選手，指導者等が能動的に学ぶことができるようなグループワーク等のアクティブラーニングの手法を取り入れた研修教育の実施が効果的であると考えられる。こうした手法により，様々な不祥事やトラブルに対する危機意識を醸成し，より具体的な解決方法を導く上で実践的な内容とすることが望まれる。

・対象スポーツを統括する団体として，都道府県協会，都道府県連盟といった地方組織，学生連盟や年代別の関係競技団体等の役職員，登録チームや登録選手，登録指導者等に対しても，コンプライアンス教育を展開することが望まれる。

・　研修資料や普及啓発のためのパンフレット等を作成するに当たっては，弁護士等の有識者の意見を取り入れることにより，競技関係者のみでは見落としがちな観点を十分に踏まえ，役職員，選手及び指導者にとって分かりやすい内容とすることが望まれる。

【なぜ不正行為が生じるのか】

　JSC においては，いわゆる「不正のトライアングル」の考え方を参考にした「スポーツ・コンプライアンス評価指標」を開発している。これは，「動機・プレッシャー」，「機会」，「正当化」の３つの要素がそろった時に不正が行われるリスクが高いとする考え方であり，JSC では，スポーツ団体について，３つの要素別に下表のとおり整理している。

＜表：スポーツ団体の不正行為を誘発する要因のイメージ＞

不正行為を誘発する要素	説明	要因のイメージ
動機・プレッシャー	不正を実際に行う際の心理的なきっかけ	・パフォーマンスに伸び悩んでいた/思うように選手のパフォーマンスを伸ばせていなかった ・一人で処理しきれない量の業務を抱えていた ・発生した問題を相談できる相手がいなかった
機会	不正を行おうとすれば可能な環境が存在する状態	・特定の人物に権限が集中していた ・特定現場/事務局の一部の人間が属人的に判断・意思決定する状況があった
正当化	不正を行おうとする者が良心を働かせないためにする理由付け	・急な案件でどうにか対応せざるを得ない状況だった ・「現場は特別」という雰囲気や土壌があった ・「大事の前の小事」という甘い認識があった ・以前からの慣習や伝統に従うのが通例となっていた

　この３つの要素はそれぞれに連動し，不正行為のきっかけは，３つの要素のどこからでも生じ得る。例えば，「機会」があれば潜在的な「動機」を呼び起こし，自らの行為を「正当化」する。「動機」があれば，「機会」を探し，「正当化」しようとする。「正当化」された理由があれば「動機」が生まれ，「機会」を探し求める。

　多くの NF は人的・財政的基盤が脆弱である一方で，国際大会等での競技成績が求められることなどから，本来的に「動機」や「プレッシャー」が生じやすい条件がある。NF においては，不正行為を効果的に防止するため，不正行為を誘発するリスクが生じていないかについて，自らの組織や競技・指導現場の状況等を定期的に点検するとともに，不正行為が「正当化」されないよう，コンプライアンス意識の徹底，浸透を図るための教育を継続的に実施することが極めて重要である。

原則6 法務，会計等の体制を構築すべきである。

(1) 法律，税務，会計等の専門家のサポートを日常的に受けることができる体制を構築すること

(2) 財務・経理の処理を適切に行い，公正な会計原則を遵守すること

(3) 国庫補助金等の利用に関し，適正な使用のために求められる法令，ガイドライン等を遵守すること

【求められる理由】

NFの活動は多岐にわたり，その中には，公的資金の不正使用に係る調査，暴力等を始めとする各種ハラスメント問題への対応など，法律，税務，会計等の専門的な内容を含むものも数多く存在する。こうした専門的な内容が関連する業務運営は，一つの判断ミスが組織全体や役員の重大な責任に直結するおそれがあるため，NFにおいては，こうした事項に適切に対応できるよう，日常的に外部の各種専門家のサポートを受けることができる体制を構築することが重要となる。

特にNFは，スポーツの普及，競技力の向上等に関し，公的資金による支援を受けているほか，多くのステークホルダーからの登録料，協賛金，寄附金等の資金も受領して活動しており，それらの資金の使途については，極めて高い公正性と透明性の保持が求められる。

しかしながら，NFにおいて，公的資金の不正使用を始めとする会計処理に関連する不祥事は依然として発生していることから，NFにおけるガバナンスの整備において，財務・経理の処理につき，一般に公正妥当と認められる会計の原則に則った会計処理を確実に行うことの重要性は一層高まっている。

【補足説明】

(1) について

・組織運営において専門家のサポートが必要となると想定される場面や内容を事前に洗い出した上で，定期的にその適否について検証を行うことが求められる。

・計算書類や組織運営規程等の各種書面は，専門家ではない者が容易に整備又は作成を行えるものではないため，その作成作業の補助や有効性・妥当性のチェック

に際して，外部の専門家を積極的に活用することが有効と考えられる。

・ 専門家の選定に当たっては，スポーツに関する業界動向や適用のある法律・税制・会計基準の改正等に通じた専門家の人選を行うことが望まれる。

（2）について

・ 公正な会計原則を遵守するための業務サイクルを確立することが求められる。特に，理事等の経済的利益の透明性を確保するための規程，支出に関する領収書その他証憑の保存を徹底するための経費使用に関する規程及び財産の独立管理の徹底を図るための規程を団体内において明確に定めるとともに，その運用の浸透と定着を図り，また，定期的にその実効性を検証することが望まれる。

・ NF は，各種法人法（一般社団・財団法人法，特定非営利活動促進法，会社法等），公益法人認定法等のうち適用を受ける法律に基づき適性のある監事等を設置し，各事業年度の計算書類等の会計監査及び適法性監査に加え，具体的な業務運営の妥当性に関する監査も可能な限り積極的に実施し，組織の適正性に係る監査報告書を作成することが求められる。

・ 監査業務の実効性を高めるべく，監事等の職務を補助すべき職員を置くことが望まれる。また，監事等が理事等の経営陣から独立して各種専門家に相談できる体制を構築することが望まれる。

・ 理事等の役職員と監事との間における日常的な情報共有・連携体制の構築に重点的に取り組むことが望まれる。当該体制の構築に当たっては，組織の規模に照らし，内部監査・監事監査・会計監査人監査の連携による，いわゆる三様監査体制の構築についても積極的に検討することが望まれる。

（3）について

・ NF の中長期的な活動の基礎を成す財務健全性の確保の重要性を十分に意識しながら短期・中長期の財務計画を策定し，資金源の確保，支出財源の特定，予算の執行，事業計画の策定及び遂行等の各種手続を適切に実施することが望まれる。

・ 国庫補助金等の公的資金の適正な使用に関し，自らの団体が遵守義務を負う法令・ガイドライン等の洗い出しを行い，当該法令・ガイドライン等において遵守すべ

　き事項が組織運営の業務プロセスにおいて適切に実行されるよう，財務会計方針，手続等の運用規程を定め，適確に運用することが望まれる。

> **原則 7　適切な情報開示を行うべきである。**
>
> **(1) 財務情報等について，法令に基づく開示を行うこと**
>
> **(2) 法令に基づく開示以外の情報開示も主体的に行うこと**
>
> 　**① 選手選考基準を含む選手選考に関する情報を開示すること**
>
> 　**② ガバナンスコードの遵守状況に関する情報等を開示すること**

【求められる理由】

　NF は，対象スポーツに関する唯一の国内統括組織として，多くのステークホルダーに様々な権限を行使し得るなど，大きな社会的影響力を有するとともに，各種の公的支援を受けており，国民・社会に対して適切な説明責任を果たしていくことが求められる。

　このような観点から，NF においては，法令に基づいて開示が求められる財務情報等に加えて，組織運営に重要な影響を及ぼし得る役職員の選定に関する情報や，選手及び指導者に多大な影響を及ぼすとともに多くのステークホルダーが高い関心を持つ選手選考に関する情報について，主体的に開示することが求められる。

　また，組織運営の透明性を確保し，適正なガバナンスを実現するとともに，開かれた NF としてステークホルダー及び国民・社会から信頼を得るためには，ガバナンスコードの遵守状況に関する情報を主体的に開示することが求められる。

【補足説明】

(1) 及び (2) 共通事項について

・ 開示の方法については，特段の理由がない限り，当該 NF のウェブサイト等での開示が望まれる。

(2) について

・ ①の選手選考については，規程を整備し，ウェブサイト等で開示するだけでなく，説明会等を実施し，ステークホルダー等に積極的に周知することも望まれる。

・ また，選手や指導者に対しては，選手選考基準に関する説明会等を実施し，より積極的に周知することや，選手選考基準に修正又は変更があった場合には，直ちに

ステークホルダーに対して周知することが望まれる。

・ 選手選考については，その結果を開示することが望まれ，選考から漏れた選手や指導者からの要望等に応じて，選考理由についても開示することが望まれる。

・ 選手選考のほか，監督や主要な指導者の選考基準や選考理由についても開示することが望まれる。

・ ②については，ガバナンスコードの遵守状況に関する情報（自己説明を記載した文書等）に加えて，原則8に定める利益相反ポリシー，原則10に定める懲罰制度に関する規程及び重大な事案に係る処分結果等（プライバシー情報等は除く。）についても，NFの意思決定過程の透明性を確保するため，主体的に開示することが望まれる。

・ 法令に基づいて開示が求められる情報は法人形態によって異なるが，NFは，法人形態の如何を問わず公益性の高い団体である。一般法人であるNFについても，公益法人と類似の性質を有するといえることから，公益法人認定法に基づき，公益法人が事務所に備え置き，何人も閲覧等を請求できるとされている書類について，主体的に開示することが望まれる。具体的には，事業計画書，収支予算書，資金調達及び設備投資の見込みを記載した書類（公益法人認定法第21条第1項，同法施行規則第27条・様式第4号，同規則第37条），財産目録，役員等名簿，理事，監事及び評議員に対する報酬等の支給の基準を記載した書類，キャッシュ・フロー計算書，運営組織及び事業活動の状況の概要並びにこれらに関する数値のうち重要なものを記載した書類，社員名簿，計算書類等（各事業年度に係る計算書類（貸借対照表及び損益計算書）及び事業報告並びにこれらの附属明細書（監事の監査を要する場合又は会計監査人の監査を要する場合には，監査報告又は会計監査報告を含む。）並びに滞納処分に係る国税及び地方税の納税証明書を開示することが望まれる。

> **原則 8　利益相反を適切に管理すべきである。**
>
> **(1) 役職員，選手，指導者等の関連当事者と NF との間に生じ得る利益相反を適切に管理すること**
>
> **(2) 利益相反ポリシーを作成すること**

【求められる理由】

　先述のとおり，NF には，重要なステークホルダーが数多く存在するところ，NF が有する各種の重大な権限（大会への出場資格の付与，団体登録，代表の選手選考を始めとする各種選手の選考等）の適正な行使を担保し，NF に対する国民・社会からの信頼を醸成するためには，NF における利益相反への適切な対応が組織のガバナンスとして重要となる。

　この点に関し，一般社団法人及び一般財団法人については，一般社団・財団法人法において，理事が，法人と競業する取引や，自己又は第三者のために法人と利益の相反する取引等をしようとする場合には，それらの取引について社員総会（一般社団法人の場合）又は理事会（一般財団法人の場合）に当該取引について重要な事実を開示し，その承認を受けなければならない旨が定められている(一般社団・財団法人法第84条，第197条)。

　また，公益法人については，公益法人認定法において，「その事業を行うに当たり，社員，評議員，理事，監事，使用人その他の政令で定める当該法人の関係者に対し特別の利益を与えないものであること」及び「その事業を行うに当たり，株式会社その他の営利事業を営む者又は特定の個人若しくは団体の利益を図る活動を行うものとして政令で定める者に対し，寄附その他の特別の利益を与える行為を行わないものであること」が認定の要件として定められており(公益法人認定法第5条第3号,第4号)，NF には利益相反に対する一定の法規制が課されている。NF においては，こうした法令上の要求を踏まえ，役職員，選手，指導者等の関連当事者と NF との間に生じ得る利益相反を適切に管理することが求められる。

　こうした利益相反取引規制は，法令上求められる遵守事項でもあり，これを守ることは，NF として当然の義務となる。しかしながら，日々の NF の運用においては，どのような取引が利益相反関係に該当するのか（利益相反取引該当性）が必ずしも明確

ではない場合や，どのような価値判断に基づいて利益相反取引の妥当性を検討すべきであるかという基準（利益相反の承認における判断基準）が明確ではない場合も考えられる。このため，NF においては，利益相反の適切な管理手続を実践するために，NF の実情に応じた「利益相反ポリシー」を作成し，客観性・透明性のある手続を確保することが重要となる。

　利益相反取引の中には，金額の大きな契約や，当該契約による影響や利害関係が大きい契約が含まれる場合があるところ，こうした重要な契約は，特定の理事等の不正な利益供与等にもつながるおそれがあるため，客観性・透明性につき，特に慎重な検証が求められる。

【補足説明】

(1) について

・ NF の定款や利益相反に関する規程において，理事の利益相反取引を原則として禁止する条項，利益相反取引を実施する場合の議決方法に関する条項，利益相反に該当するおそれがある場合の申告及び承認後の報告に関する条項等の必要な規定を設けることが望まれる。

・ NF の機関において利益相反取引を承認する場合には，その取引についての重要な事実の開示，取引の公正性を示す証憑の有無，内容，議論の経過，承認の理由・合理性等につき，会議体の議事録に詳細に記載し，意思決定の透明性を確保することが望まれる。

・ そもそも，利益相反取引に該当するおそれのある取引については，実務上の不都合がない場合は，入札方式等，公正な方法により契約することが望まれる。また，随意契約による場合においても，相見積りの取得等，公正な契約であることを証明できる資料を残すことが望まれる。

(2) について

・ 利益相反ポリシーの作成に当たっては，どのような取引が利益相反関係に該当するのか（利益相反取引該当性），どのような価値判断に基づいて利益相反取引の妥当性を検討すべきか（利益相反の承認における判断基準）について，当該団体の実

情を踏まえ，現実に生じ得る具体的な例を想定して，可能な限り分かりやすい基準を策定することが望まれる。

・ 運用の実効性を確保すべく，利益相反取引該当性を定めるに当たっては，理事が所属する他の企業・団体，理事の近親者等の形式的な基準に加えて，理事が懇意とする取引先等，当該 NF において想定される「利益相反的関係」を有する者（関連当事者）についても，実情に照らし適切に該当範囲に含めることが望まれる。なお，他方において，過度に広範で曖昧な基準とすることにより，基準の明確性が損なわれないように留意することが望まれる。

【利益相反取引の具体例】

例えば，ある NF（X）の理事 A が，当該スポーツに関連する営利企業 Y の代表取締役を兼任している状態で，X と当該営利企業 Y の間におけるスポンサー契約を締結するというケースを想定する。こうしたケースにおいて，仮に理事 A が X の関係者としてスポンサー契約に関与する場合には，その取引内容が相手方である当該営利企業 Y に対して有利な判断を行っている疑いがないかについて，慎重な判断が求められることとなる。こうした取引は，NF の運営にとって有益な場合もあると考えられるため，一律にその存在を否定されるものではないが，特定の者への不当な利益誘導を防止するための適切なステップを踏んだ上で，実質的な観点に基づき利益相反取引の適正性を判断し，透明性のある手続に沿って対処する体制を構築することが重要となる。

原則9　通報制度を構築すべきである。

(1) 通報制度を設けること

　① 通報窓口を NF 関係者等に周知すること

　② 通報窓口の担当者に，相談内容に関する守秘義務を課すこと

　③ 通報窓口を利用したことを理由として，相談者に対する不利益な取扱いを行うことを禁止すること

(2) 通報制度の運用体制は，弁護士，公認会計士，学識経験者等の有識者を中心に整備すること

【求められる理由】

　スポーツ界においては，縦社会的及び閉鎖的体質を背景として，違反行為自体は存在するにもかかわらず，これが顕在化せず，未解決のままになる傾向がある。NF 内部の違反行為又はこれに関連する違反行為が外部告発によって発覚する場合，NF は厳しい社会的批判にさらされ，その信用を著しく低下させることがある。選手を始めとしたスポーツを行う者の権利利益が不当に侵害されることがないよう，NF 内部の違反行為又はこれに関連する違反行為を通報により早期に発見し，自浄作用を機能させることが求められる。

【補足説明】

(1) について

・　（①について）構築した通報制度の存在，制度の内容，通報窓口の連絡先等について，ウェブサイト，SNS 等を通じて，恒常的に NF 関係者等に周知徹底することが求められる。

・　（②について）通報窓口その他通報制度の運営に関わる者に対して守秘義務を課すとともに，通報者を特定し得る情報や通報内容に関する情報の取扱いについて一定の規定を設け，情報管理を徹底することが求められる。

・　（③について）通報したことによる不利益取扱いの禁止に関する規定を設けるとともに，研修等の実施を通じて，通報が正当な行為として評価されるものであるという意識付けを徹底することが求められる。

（その他通報制度の構築，運用における留意点）

・ NF 関係者が，不利益を被る危険を懸念することなく，違反行為等に関する情報や真摯な疑念を伝えることができるよう，また，伝えられた情報や疑念が客観的に検証され適切に活用されるよう，適切な通報制度を構築することが望まれる。ただし，NF 固有の通報制度を設けることが困難である場合には，統括団体の相談窓口や JSC の第三者相談・調査制度相談窓口の利用を促すことが考えられる。

・ 通報制度は，NF の役職員のほか，登録選手や登録指導者を始めとする重要なステークホルダーが広く利用できるものとし，通報方法については，面会，書面，電話，電子メール，FAX，ウェブサイト上の通報フォーム等，できるだけ利用しやすい複数の方法を設けることが望まれる。

・ 通報対象には，暴力行為等の法令違反行為及び各種ハラスメントのほか，定款を始めとする団体の内部規程に違反する行為及び違反行為に至るおそれがある旨の事実を広く含めることが望まれる。また，これから行う行為が違反行為となるか否かに関する事前相談についても通報窓口にて対応することが考えられる。

・ 弁護士等の有識者を含む，経営陣から独立した中立な立場の者で構成される調査機関（原則 4 に定めるコンプライアンス委員会等）を設け，調査の必要の有無，調査の必要がある場合には調査方法等について決定し，同機関の構成員又は同機関において指定された者（当該事案に何らかの形で関与したことがある者を除く。）により速やかに調査を実施することが望まれる。

・ 通報窓口において通報を受領してから当該通報に係る事実の調査を実施するまでのフロー，並びに調査対象にするか否かの客観的かつ具体的な基準及び調査の方法等について，あらかじめ明確に定め，原則としてこれらに従って運用することが望まれる。

・ 通報窓口の対応者に男女両方を配置し，通報者が希望すれば対応者の性別を選べるようにすることが望まれる。

・ NF の職員その他内部関係者等が通報窓口を務める内部通報窓口に加えて，NF の外部の者（弁護士等が想定される。）が通報窓口を務める外部通報窓口を併設することが望まれる。

・ 通報制度の運営において専門家のサポートが必要になると想定される場面や内容

を事前に洗い出した上で，定期的にその適否について検証を行うことが望まれる。

（2）について

- 専門性を確保する観点から，弁護士，公認会計士，学識経験者等の有識者を中心として，通報制度の運用体制を整備することが求められる。

- 通報窓口その他通報制度の運営は，NFの経営陣から独立した中立な立場の者が担当し，NFの経営陣が通報者を特定し得る情報や通報内容等にアクセスできない体制を整備することが望まれる。事案の軽重により，SNSやコールセンター等を窓口の運用に利用することも有効である。

> **原則 10 懲罰制度を構築すべきである。**
>
> **(1) 懲罰制度における禁止行為，処分対象者，処分の内容及び処分に至るまでの手続を定め，周知すること**
>
> **(2) 処分審査を行う者は，中立性及び専門性を有すること**

【求められる理由】

　NF関係者に対して，法律，定款・規則等の内規，団体行動規範，団体倫理等を遵守させ，NFにおける秩序維持を図るためには，NF関係者による違反行為を対象とする懲罰制度が必要である。

　NFによる懲罰処分は，対象となったNF関係者に対して，NFにおける権利・自由を制限し，又は不利益を課すことがあるため，恣意的な判断がなされないよう，規程においてあらかじめ処分の対象となる行為，処分の内容等を定めるとともに，規程に定める適正な手続を経て行われなければならない。

【補足説明】

(1) について

・ 懲罰制度の適用対象となる禁止行為，処分対象者，処分の内容及び処分に至るまでの手続等を，規程において明確に定め，ウェブサイト等を通じて，恒常的にNF関係者等に周知徹底することが望まれる。NF外部の中立的かつ専門的な第三者により，懲罰制度が当該規程に従って適切に運用されているか否かの確認を定期的に受け，当該第三者の助言指導を踏まえて定期的に運用を見直すことが望まれる。

・ 処分内容の決定は，行為の態様，結果の重大性，経緯，過去の同種事例における処分内容，情状等を踏まえて，平等かつ適正になされることが望まれる。規程において，あらかじめ明確かつ具体的な処分基準を定め，処分内容の決定に当たっては原則として当該基準に従うことが望まれる。

・ 調査機関の構成員又は同機関において指定した者（当該事案に何らかの形で関与したことがある者を除く。）による調査結果等を踏まえ，有効かつ適切な証拠により認定された行為についてのみ，処分の対象とすることが望まれる。

- NF関係者等に対し，処分対象行為の調査に対する協力義務及び調査内容に関する守秘義務を課すことが望まれる。
- 処分審査を行うに当たって，処分対象者に対し，処分対象行為について可能な限り書面を交付することが望まれる。
- 処分審査を行うに当たって，処分対象者に対し，聴聞（意見聴取）の機会を設けることが求められる。
- 処分結果は，処分対象者に対し，処分の内容，処分対象行為，処分の理由，不服申立手続の可否，その手続の期限等が記載された書面にて告知することが求められる。認定根拠となった証拠や処分の手続の経過についても，可能な範囲で告知することが望まれる。
- 処分対象者のプライバシーについても配慮した上で，処分結果の公表基準を定め，これに従って，公表の有無及び公表の内容を決定することが望まれる。

（2）について

- 弁護士等の有識者を含む，経営陣から独立した中立な立場の者で構成される処分機関（倫理委員会等）を設け，同機関（当該事案に何らかの形で関与したことがある者を除く。）において，客観的かつ速やかに，処分審査（処分対象行為該当性及び処分内容の決定）を行うことが望まれる。同機関の構成員は，調査機関の構成員と兼任しないことが望まれる。
- 処分審査が中立な者により行われることを担保するため，処分審査を行う者について，当該処分に関するステークホルダーを除く等の制度を設けることが望まれる。

原則 11 選手，指導者等との間の紛争の迅速かつ適正な解決に取り組むべきである。

(1) NF における懲罰や紛争について，公益財団法人日本スポーツ仲裁機構による
　　スポーツ仲裁を利用できるよう自動応諾条項を定めること

(2) スポーツ仲裁の利用が可能であることを処分対象者に通知すること

【求められる理由】

　対象スポーツにおける，代表選考，懲罰処分等を独占している NF においては，国民に適正手続を要請する憲法第 31 条の規定や公平な裁判を受ける権利を与える憲法第 32 条の規定の趣旨に則り，紛争解決制度を整備することが求められる。他方，懲罰処分や紛争を適正に解決するためには，NF の自主的判断を尊重しながらも，法の支配を及ぼすという観点から，司法的解決を図るという視点が重要である。

　現在の裁判実務においては，NF の各種の決定等をめぐる紛争は，必ずしも裁判所で解決すべき事案とされない可能性があること，仮に審理の対象とされたとしても審理に長期間を要し，実効的な紛争解決につながらない可能性が高いことなど，通常訴訟を利用することは，スポーツ紛争の特殊性を踏まえた適正な解決を期待し得ない現状がある。

　このような現状並びにスポーツ基本法第 5 条及び第 15 条の規定を踏まえれば，公益財団法人日本スポーツ仲裁機構（以下「JSAA」という。）によるスポーツ仲裁を活用することがスポーツ紛争を迅速かつ適正に解決するために求められる。

【補足説明】

(1) について

・ JSAA が運営するスポーツ仲裁を利用できるよう，自動応諾条項（例：「○○○のする決定に対する不服申立は，JSAA の『スポーツ仲裁規則』に従ってなされるスポーツ仲裁により解決されるものとする。」(注:○○○部分には団体名)）を定めることが望まれる。自動応諾条項の対象事項には，懲罰等の不利益処分に対する不服申立に限らず，代表選手の選考を含む NF のあらゆる決定を広く対象に含めるとともに，申立期間について合理的ではない制限を設けないことが求められる。

- スポーツ仲裁制度を利用することに加えて，スポーツ紛争を迅速かつ適正に解決することができるよう，弁護士等の有識者から支援を受けて，NF 内において，以下の点に十分留意して，適切な紛争解決制度を構築することも考えられる。

  ① 制度の適用対象者，適用対象事案，利用方法，手続の流れ等を規程において明確に定め，ウェブサイト等を通じて，恒常的に NF 関係者等に周知徹底すること

  ② NF 外部の中立的かつ専門的な第三者により，紛争解決制度が当該規程に従って適切に運用されているか否かの確認を定期的に受け，当該第三者の助言指導を踏まえて定期的に運用を見直すこと

  ③ 弁護士等の有識者を含む，経営陣から独立した中立な立場の者で構成される紛争解決機関（不服申立委員会等）を設け，同機関（当該事案に何らかの形で関与したことがある者を除く。）において，客観的にかつ速やかに，紛争解決手続を行うこと（同機関の構成員は，調査機関又は処分機関の構成員と兼任しないこと）

  ④ 紛争解決手続が中立な者により行われることを担保するため，紛争解決手続を行う者について，当該紛争に関するステークホルダーを除くこと

  ⑤ 申立当事者からの意見聴取，証拠提出機会の確保，対立当事者からの意見聴取及び証拠提出機会の確保を行うなど，両当事者に十分な手続保障を与えるほか，紛争解決制度を利用したこと又は紛争解決手続において意見表明等を行ったことによる不利益取扱いの禁止に関する規定を設けること

  ⑥ NF 内における紛争解決制度と JSAA によるスポーツ仲裁は，申立人の選択に応じてどちらも利用できるよう整備すること

(2) について

- 処分機関が処分結果を通知する際に，処分対象者に対し，JSAA によるスポーツ仲裁の活用が可能である旨とその方法，手続の期限等が記載された書面を交付することが望まれる。

原則 12　危機管理及び不祥事対応体制を構築すべきである。

（1）有事のための危機管理体制を事前に構築し，危機管理マニュアルを策定する
**　　こと**

（2）不祥事が発生した場合は，事実調査，原因究明，責任者の処分及び再発防止策
**　　の提言について検討するための調査体制を速やかに構築すること**

（3）危機管理及び不祥事対応として外部調査委員会を設置する場合，当該調査委員
**　　会は，独立性・中立性・専門性を有する外部有識者（弁護士，公認会計士，学識**
**　　経験者等）を中心に構成すること**

【求められる理由】

　先述のとおり，NF には，重要なステークホルダーが数多く存在する。このため，ひとたび NF の不祥事（重大な不正・不適切な行為等）が発生すれば，その影響が多方面にわたり，当該 NF の組織のみならず，スポーツ界全体の信頼を損なうといった重大な影響を及ぼしかねない。したがって，NF は，公共性を有する組織としての強い自覚を持ち，自らに関わる不祥事又はその疑いを察知した場合は，速やかにその事実関係や原因を徹底して解明し，その結果に基づいて確かな再発防止を図る責務があり，NF 自身が自浄作用を発揮することにより，ステークホルダーからの信頼の回復を確かなものとすることが強く求められる。

　しかしながら，昨今の我が国の NF の不祥事対応を見ると，不祥事対応に際して，不十分な調査がかえって世間の不信感を増大させた事例や，十分な考慮のない団体トップの会見や発言が世間の反感を買い，更に大きな騒動を招いた事例も生じており，不祥事を解決するための対応が，むしろ不祥事をより拡大させたケースも散見される。このような二重三重の不祥事を発生させないためには，平時の段階から，有事のための危機管理体制の在り方を十分に議論し，危機管理対応時に拠りどころとすべき危機管理マニュアルを策定し，広報対応等の突発的な対応も含めて，いつでも機敏に危機管理対応を実施できるよう，日頃から訓練を行うことが重要となる。

　NF において不祥事が発生・発覚した場合には，スポーツ活動に対する社会的な関心の高さも相俟って，不祥事防止のための取組が不十分であったとの厳しい批判を受ける事態も想定され，場合によっては，NF のみならず，当該スポーツそのものに対

する世間のイメージを毀損する可能性がある。そのような事態を避けるべく，NFには，不祥事発生時の混乱を最小限度にとどめ，早急な事案の解決を図る責務がある。NFがその責務を適切に果たすためには，不祥事の経緯を明らかにする事実調査，根本に迫った原因究明，厳格な責任者の処分及び実効的な再発防止策の提言を行うための調査体制を速やかに構築し，徹底的な調査を実施することが求められる。

　昨今では，NFのみならず，企業や行政機関に生じた不祥事について，第三者委員会，特別調査委員会等の名称を冠した調査委員会を設置し，事実調査，原因究明，責任者の処分，再発防止策等について調査を行うことが一般的となりつつある。本来，NF内で生じた不祥事は，団体内部の内部統制や監事等による監査，ガバナンスの充実によって解決されるべきものであるが，重大な不祥事が発生・発覚した場合には，弁護士，公認会計士，学識経験者等の外部専門家により構成された委員会による調査を実施することが解決策の提案・実践のための有効な手段となり得る。

　もっとも，昨今では，「第三者委員会」と銘打ちながら，調査委員の選定プロセス，調査期間，調査方法，調査結果等の外形的な事情から，第三者委員会の「第三者性」につき疑問が投げかけられるケースも散見される。このため，危機管理及び不祥事対応体制の一環として外部調査委員会を設置する際は，委員の選定プロセスの透明性を確保し，その独立性・中立性・専門性につき十分に配慮し，「名ばかり」であるとの疑念を持たれない調査体制を構築することが極めて重要となる。また，第三者委員会は，一般的にその費用が高額になることが多く，ひとたび第三者委員会が設置されると，当該NFの財政基盤を揺るがしかねない。このような事態をできる限り避けるためにも，平時から危機管理体制の在り方を十分に議論し，万が一の場合に備えて，危機管理対応を実施できる体制を構築することが求められる。

【補足説明】

（1）について

・　危機管理を専門に取り扱う部署や危機管理委員会を設けるなど，組織の規模や実情に応じた危機管理体制を構築することが望まれる。危機管理体制の構築に当たっては，不祥事対応を機動的に行えるよう，コンプライアンス担当の理事に危機管理担当も兼務させるなどの工夫を行い，組織横断的な活動を可能とする体制を

構築することが望まれる。

- ・危機管理マニュアルの策定に当たっては，競技の特性や各団体の運営の特徴等を踏まえ，発生しやすい不祥事類型やリスクを特定し，当該リスクの発現可能性の高低や発生した場合の影響等の評価を加え，これに従ったリスクの制御方法や監視体制及びその見直しの在り方についても規定することが望まれる。

- ・危機管理マニュアルが単なる書類として形骸化しないよう，マニュアルに従ったリスク管理の実効性を定期的に検証したり，緊急の危機管理体制を発動するための仮想訓練を定期的に実施したりするなど，平時からその存在を浸透させるための活動を運営業務に組み込むことが望まれる。

(2) について

- ・不祥事が発生した場合，NF の信頼を回復することは容易ではないことに留意し，その問題解決の難しさや，世間に与える影響等について，身内の論理・感覚で軽率な判断をしてはならないことを強く意識することが望まれる。

- ・重大な不祥事の端緒を認識した場合には，最適な調査体制を迅速に構成し，徹底した事実調査を実施した上で，外部専門家の知見と経験も踏まえつつ，表層的な現象や因果関係の列挙にとどまらない，根本的な原因究明を行うことが望まれる。

- ・調査の結果，法令違反等の不祥事の発生が認められた場合には，その原因となった責任者・監督者につき，NF が有する倫理規程や懲罰規程等に従って，責任者を適切に処分することが望まれる。この際，その者が有する権限や社会的地位を理由として遠慮・忖度することは許されず，そうした判断は，むしろ更なる社会の非難を招き得ることに強く留意することが望まれる。

- ・再発防止策は，根本的な原因分析に即した実効性の高い方策としなければならず，その取組は迅速かつ着実に実行することが望まれる。こうした再発防止策の策定に当たっては，組織の変更や規程の改定等の表面的な対応にとどめることなく，今後の日々の業務運営等に具体的かつ継続的に反映させることが重要である。

- ・不祥事対応が一度収束した後においても，再発防止策の取組が適切に運用され，定着しているかを不断にモニタリングした上で，その改善状況を定期的に公表することが望まれる。

(3) について

・ 第三者を委員とする調査委員会を設置する場合には，当該委員の選定プロセスについても十分に配慮し，当該委員が NF に対して独立性・中立性・専門性を有する者であることについて，合理的な説明をする責任を果たすことが望まれる。

・ 外部調査委員会による調査は，時として理事等の責任者の運営責任（及び法的責任）に結び付く場合があることをあらかじめ認識した上で，調査期間が限定される事由があることなどを理由に，安易で不十分な調査にとどめ，客観性・中立性に疑いを持たれるような事態を招かないよう留意することが望まれる。

> **原則13 地方組織等に対するガバナンスの確保，コンプライアンスの強化等に係る指導，助言及び支援を行うべきである。**
>
> **(1) 加盟規程の整備等により地方組織等との間の権限関係を明確にするとともに，地方組織等の組織運営及び業務執行について適切な指導，助言及び支援を行うこと**
>
> **(2) 地方組織等の運営者に対する情報提供や研修会の実施等による支援を行うこと**

【求められる理由】

　NF には，都道府県協会，都道府県連盟といった地方組織，学生連盟や年代別の関係競技団体等（以下「地方組織等」と総称する。）が存在する団体も多いが，これらの地方組織等は，各地方における選手強化，競技大会の開催，競技の普及活動，指導者への研修等，競技の振興を図る上で重要な役割を担っている。

　一方で，これらの地方組織等の多くは法人格を持たず，若干名のボランティアが運営していることも珍しくないなど，その人的・財政的基盤は極めて脆弱である。このため，都道府県体育協会等からの助成金に関する不正使用や，規程等に基づいた公正な手続を経ないで構成員の処分が行われるといった問題も生じている。また，地方組織等は，対象スポーツの指導現場等に密接に関わる者が自主的，自発的に運営していることが多く，このような各地方の愛好者による努力が様々な対象スポーツを下支えしてきたという評価がある一方で，「身内」の慣習や常識が優先され，ややもすると指導者等による不適切な行為が見過ごされがちになる傾向に陥りやすいと考えられる。

　地方組織等における不適切な組織運営により，対象スポーツの価値が損なわれる不祥事が発生したり，競技者を始めとした構成員の権利利益が不当に侵害されたりすることがないよう，NF は，対象スポーツに関する唯一の国内統括組織として，地方組織等におけるガバナンスの確保及びコンプライアンスの強化についてリーダーシップを発揮し，適切な指導，助言及び支援を行うことが求められる。

【補足説明】

(1) について

- 地方組織等の加盟制度に関する規程を整備し，ガバナンスの確保，コンプライアンスの強化等に関する助言を行うほか，地方組織等の組織運営や業務執行に問題があると考えられるときには積極的に指導し，自主的な改善が見込まれない場合には，規程に基づき処分を行うなどの対応をとることが望まれる。

- 地方組織等における組織体制について，女性役員の目標割合の設定等を通じた積極的な任用，役員就任時の年齢制限等により新陳代謝を図る仕組みの導入が進むよう，指導，助言及び支援を行うことが望まれる。

- 地方組織等の規模や活動内容等によっては，法人格を取得して，組織運営体制の強化を図ることが望ましい場合もある。そのような場合，法人格取得に向けた専門的な助言や財政面を含めた支援を行うことが考えられる。

(2) について

- NF が作成するコンプライアンス強化に係る研修資料や普及啓発のためのパンフレット等の提供等を行うことが考えられる。

- 地方組織等の代表等が集まる会議（例えば，社員総会や評議員会等）の開催と合わせて，ガバナンスやコンプライアンスに関する研修会を実施することが考えられる。

- 地方組織等に対して，法律，会計等のサポートサービスを提供する形で支援することが考えられる。

第3章 セルフチェックリスト

　本セルフチェックリストは，各NFがガバナンスコードへの対応状況について，自らの現状を把握できるようにするためのものである。まず自らの現状を的確に把握することにより，次になすべき対応を戦略的に検討することが可能になると考えられる。

　各項目には，第2章に記載した原則及び規定のほか，「求められる理由」及び「補足説明」において記載されている事項も含まれている。このため，本セルフチェックリストの全ての項目に対応しなければガバナンスコードに適合したことにならないということを意味するものではない。しかしながら，より良いガバナンスを目指す上では，できる限り多くの項目に対応することが望まれる。

項目	対応状況
原則1について	
1.　組織運営に関する中長期基本計画を策定し公表しているか。	
2.　競技力向上，普及，マーケティング，ガバナンス等の重要な業務分野ごとに，より詳細な計画を策定し公表しているか。	
3.　組織運営の強化に関する人材の採用及び育成に関する計画を策定し公表しているか。	
4.　ガバナンス及びコンプライアンスに係る知見を有する人材の採用をしているか。	
5.　財務の健全性確保に関する計画を策定し公表しているか。	
6.　会計年度ごとの詳細な計画を策定しているか。	
7.　計画策定に当たり，役職員や構成員から幅広く意見を募っているか。	
8.　各計画に基づく方策の実施状況，目標の達成状況等について，定期的に把握・分析し，目標等の修正，方策の改善をしているか。	
原則2について	
1.　外部理事の目標割合（25%以上）及び女性理事の目標割合（40%以上）を設定するとともに，その達成に向けた具体的な方策を講じているか。 （現在の人数） ・理事の総数　　　　人 　うち外部理事　　　人（　　%） 　うち女性理事　　　人（　　%）	
2.　女性理事について，外部理事についてのみ女性を任用するのではなく，外部理	

	事以外の理事についても女性を任用しているか。	
3.	業務執行理事に女性を任用しているか。	
4.	評議員会を置く NF においては，外部評議員及び女性評議員の目標割合をそれぞれ設定するとともに，その達成に向けた具体的方策を講じているか。	
5.	アスリート委員会を設置し，その意見を組織運営に反映させるための具体的な方策を講じているか。	
6.	アスリート委員会の構成について，性別や競技・種別等のバランスに留意するとともに，委員会で取り扱う事項等を踏まえて適切な人選が行われているか。	
7.	アスリート委員会における議論を組織運営に反映させるために，アスリート委員会から理事会等に対する答申，報告等を行う仕組みを設けるとともに，アスリート委員会の委員長を理事として選任しているか。	
8.	理事会を適正な規模とし，実効性の確保を図っているか。	
9.	理事の就任時の年齢に制限を設けているか。	
10.	理事が原則として 10 年を超えて在任することがないよう再任回数の上限を設けているか。	
11.	理事の候補となり得る人材を各種委員会等に配置し，NF 運営に必要となる知見を高める機会を設けることなどにより，将来の NF 運営の担い手となり得る人材を計画的に育成しているか。	
12.	独立した諮問委員会として役員候補者選考委員会を設置し，構成員に有識者を配置しているか。	
13.	役員候補者選考委員会における役員候補者等の決定が理事会等の他の機関から独立して行われているか。	
14.	役員候補者選考委員会の構成員には，役員構成における多様性の確保に留意して役員候補者を選考する観点から，有識者，女性委員を複数名配置しているか。	
原則 3 について		
1.	NF 及びその役職員その他構成員が適用対象となる法令を遵守するために必要な規程を整備しているか。	
2.	その他組織運営に必要な規程を整備しているか。	
3.	法人の運営に関して必要となる一般的な規程を整備しているか。	
4.	法人の業務に関する規程を整備しているか。	
5.	法人の役職員の報酬等に関する規程を整備しているか。	
6.	法人の財産に関する規程を整備しているか。	
7.	財政的基盤を整えるための規程を整備しているか。	
8.	役職員は，潜在的な問題を把握し，調査の必要性の有無等を判断できる程度の	

法的知識を有しているか。	
9.　相談内容に応じて適切な弁護士への相談ルートを確保するなど，専門家に日常的に相談や問い合わせをできる体制を確保しているか。	
10.　代表選手の公平かつ合理的な選考に関する規程を整備しているか。	
11.　その他選手の権利保護に関する規程を整備しているか。	
12.　選手選考に関する規程（選考基準及び選考過程）の作成者の選定を公平かつ合理的な過程で実施しているか。	
13.　選手選考に関して，選考基準及び選考過程をできる限り明確かつ具体化しているか。	
14.　選考から漏れた選手や指導者からの要望等に応じて，事後に選考理由を開示しているか。	
15.　審判員の公平かつ合理的な選考に関する規程を整備しているか。	
原則 4 について	
1.　コンプライアンス委員会を設置し，定期的に開催しているか。	
2.　コンプライアンス委員会がその機能を十分に発揮できるよう，その役割や権限事項を明確に定め，コンプライアンス強化に係る方針や計画の策定及びその推進，実施状況の点検，リスクの把握等を組織的，継続的に実践しているか。	
3.　コンプライアンス委員会の運営内容について，理事会に報告され，その監督を受けるとともに，コンプライアンス委員会からも，理事会等の意思決定機関に対して定期的に助言や提言を行うことができる仕組みを設けているか。	
4.　コンプライアンス委員会の構成員に弁護士，公認会計士，学識経験者等の有識者を配置しているか。	
5.　コンプライアンス委員会の構成員に，少なくとも1名以上は女性委員を配置しているか。	
6.　外部理事のうち，専門的な知見を有する者（弁護士，会計士，学識経験者等）を業務担当理事として，コンプライアンス委員会の構成員に加えているか。	
原則 5 について	
1.　NF役職員向けのコンプライアンス教育を実施しているか。 （教育の内容） 　□　NFに適用される関係法令及びガバナンスコードについて 　□　NFが定める規程について 　□　不適切な経理処理を始めとする不正行為の防止について 　□　代表選手選考の適切な実施について 　□　大会運営等における選手等の安全確保について	

2. 選手及び指導者向けのコンプライアンス教育を実施しているか。 （教育の内容） 　□　不正行為の防止について（ドーピング，八百長行為等） 　□　差別の禁止について 　□　各種ハラスメントについて 　□　その他の違法行為（未成年の飲酒及び喫煙，違法薬物，財産に関する罪，交通事故等）について 　□　SNS の適切な利用について	
3. 審判員向けのコンプライアンス教育を実施しているか。	
4. 都道府県協会，都道府県連盟といった地方組織，学生連盟や年代別の関係競技団体等の役職員，登録チームや登録選手，登録指導者等に対しても，コンプライアンス教育を展開しているか。	
5. 対象スポーツの競技特性や競技環境等を踏まえて，研修資料や普及啓発のためのパンフレット等を作成しているか。	
原則 6 について	
1. 法律，税務，会計等の専門家のサポートを日常的に受けることができる体制を構築しているか。	
2. 組織運営において専門家のサポートが必要となると想定される場面や内容を事前に洗い出した上で，定期的にその適否について検証を行っているか。	
3. 計算書類や組織運営規程等の各種書面の作成作業の補助や有効性・妥当性のチェックに際して，外部の専門家を積極的に活用しているか。	
4. 財務・経理の処理を適切に行い，公正な会計原則を遵守しているか。	
5. 経費使用及び財産管理に関する規程等を整備することなどにより，公正な会計原則を遵守するための業務サイクルを確立しているか。	
6. 各種法人法（一般社団・財団法人法，特定非営利活動促進法，会社法等），公益法人認定法等のうち適用を受ける法律に基づき適性のある監事等を設置しているか。	
7. 各事業年度の計算書類等の会計監査及び適法性監査に加え，具体的な業務運営の妥当性に関する監査も可能な限り積極的に実施し，組織の適正性に係る監査報告書を作成しているか。	
8. 監事等の職務を補助すべき職員を置いているか。	
9. 監事等が理事等の経営陣から独立して各種専門家に相談できる体制を構築しているか。	
10. 理事等の役職員と監事との間における日常的な情報共有・連携体制の構築に重	

点的に取り組んでいるか。	
11. 国庫補助金等の利用に関し，適正な使用のために求められる法令，ガイドライン等を遵守しているか。	
12. 資金源の確保，支出財源の特定，予算の執行，事業計画の策定及び遂行等の各種手続を適切に実施しているか。	
13. 法令・ガイドライン等において遵守すべき事項が組織運営の業務プロセスにおいて適切に実行されるよう，財務会計方針，手続等の運用規程を定め，適確に運用しているか。	
原則 7 について	
1. 財務情報等について，法令に基づく開示を行っているか。	
2. 選手選考基準を含む選手選考に関する情報を開示しているか。	
3. 選手選考については，規程を整備し，ウェブサイト等で開示するだけでなく，説明会等を実施し，ステークホルダー等に積極的に周知しているか。	
4. 選手や指導者に対しては，選手選考基準に関する説明会等を実施し，より積極的に周知するとともに，選手選考基準に修正又は変更があった場合には，直ちにステークホルダーに対して周知しているか。	
5. 選考から漏れた選手や指導者からの要望等に応じて，選考理由について開示しているか。	
6. 監督の選考基準や選考理由等について開示しているか。	
7. ガバナンスコードの遵守状況に関する情報等を開示しているか。	
8. 原則 8 に定める利益相反ポリシー，原則 10 に定める懲罰制度に関する規程及び処分結果等（プライバシー情報等は除く。）を開示しているか。	
9. 公益法人認定法に基づき，公益法人が事務所に備え置き，何人も閲覧等を請求できるとされている書類について，主体的に開示しているか。	
10. NF のウェブサイト等において情報を開示しているか。	
原則 8 について	
1. 役職員，選手，指導者等の関連当事者と NF との間に生じ得る利益相反を適切に管理しているか。	
2. 重要な契約（金額の多寡，関係者への影響の大小等から判断する。）については，客観性・透明性につき，特に慎重な検証を行っているか。	
3. 定款や利益相反に関する規程において，理事の利益相反取引を原則として禁止する条項，利益相反取引を実施する場合の議決方法に関する条項，利益相反に該当するおそれがある場合の申告及び承認後の報告に関する条項等の必要な規定を設けているか。	

4. NF の機関において利益相反取引を承認する場合には，その取引についての重要な事実の開示，取引の公正性を示す証憑の有無，内容，議論の経過，承認の理由・合理性等につき，会議体の議事録に詳細に記載し，意思決定の透明性を確保しているか。	
5. 利益相反取引に該当するおそれのある取引については，実務上の不都合がない場合は，入札方式等，公正な方法により契約しているか。	
6. 随意契約による場合においても，相見積りの取得等，公正な契約であることを証明できる資料を残しているか。	
7. 利益相反ポリシーを作成しているか。	
8. 利益相反ポリシーの作成に当たっては，どのような取引が利益相反関係に該当するのか（利益相反取引該当性），どのような価値判断に基づいて利益相反取引の妥当性を検討すべきか（利益相反の承認における判断基準）について，当該団体の実情を踏まえ，現実に生じ得る具体的な例を想定して，可能な限り分かりやすい基準を策定しているか。	
9. 利益相反取引該当性を定めるに当たっては，理事が所属する他の企業・団体，理事の近親者等の形式的な基準に加えて，理事が懇意とする取引先等，当該 NF において想定される「利益相反的関係」を有する者（関連当事者）についても，実情に照らし適切に該当範囲に含めているか。	
原則 9 について	
1. 通報制度を設けているか。	
2. 通報方法については，面会，書面，電話，電子メール，FAX，ウェブサイト上の通報フォーム等，できるだけ利用しやすい複数の方法を設けているか。	
3. 通報対象には，暴力行為等の法令違反行為及び各種ハラスメントのほか，定款を始めとする団体の内部規程に違反する行為及び違反行為に至るおそれがある旨の事実を広く含めているか。	
4. これから行う行為が違反行為となるか否かに関する事前相談についても通報窓口にて対応しているか。	
5. 弁護士等の有識者を含む，経営陣から独立した中立な立場の者で構成される調査機関（原則 4 に定めるコンプライアンス委員会等）を設け，調査の必要の有無，調査の必要がある場合には調査方法等について決定し，同機関の構成員又は同機関において指定された者（当該事案に何らかの形で関与したことがある者を除く。）により速やかに調査を実施しているか。	
6. 通報窓口において通報を受領してから当該通報に係る事実の調査を実施するまでのフロー，並びに調査対象にするか否かの客観的かつ具体的な基準及び調	

査の方法等について，あらかじめ明確に定め，原則としてこれらに従って運用しているか。	
7. 通報窓口の対応者に男女両方を配置し，通報者が希望すれば対応者の性別を選べているか。	
8. 通報制度の運営において専門家のサポートが必要になると想定される場面や内容を事前に洗い出した上で，定期的にその適否について検証しているか。	
9. 通報窓口について，ウェブサイト，SNS 等を通じて，恒常的に NF 関係者等に周知しているか。	
10. 通報窓口の担当者に相談内容に関する守秘義務を課しているか。	
11. 通報者を特定し得る情報や通報内容に関する情報の取扱いについて一定の規定を設け，情報管理を徹底しているか。	
12. 通報窓口を利用したことを理由として，相談者に対する不利益な取扱いを行うことを禁止しているか。	
13. 研修等の実施を通じて，NF 役職員に対して，通報が正当な行為として評価されるものであるという意識付けを徹底しているか。	
14. 通報制度の運用体制は，弁護士，公認会計士，学識経験者等の有識者を中心に整備しているか。	
15. 通報窓口その他通報制度の運営は，NF の経営陣から独立した中立な立場の者が担当し，NF の経営陣が通報者を特定し得る情報や通報内容等にアクセスできない体制を整備しているか。	
原則 10 について	
1. 懲罰制度における禁止行為，処分対象者，処分の内容及び処分に至るまでの手続を定め，ウェブサイト等を通じて，恒常的に NF 関係者等にこれを周知しているか。	
2. NF 外部の中立的かつ専門的な第三者により，懲罰制度が当該規程に従って適切に運用されているか否かの確認を定期的に受け，当該第三者の助言指導を踏まえて定期的に運用を見直しているか。	
3. 処分内容の決定は，行為の態様，結果の重大性，経緯，過去の同種事例における処分内容，情状等を踏まえて，平等かつ適正になされているか。	
4. 規程においてあらかじめ明確かつ具体的な処分基準を定め，処分内容の決定に当たっては原則として当該基準に従っているか。	
5. 調査機関の構成員又は同機関において指定した者（当該事案に何らかの形で関与したことがある者を除く。）による調査結果等を踏まえ，有効かつ適切な証拠により認定された行為についてのみ処分の対象としているか。	

6. NF 関係者等に対し，処分対象行為の調査に対する協力義務及び調査内容に関する守秘義務を課しているか。	
7. 処分審査を行うに当たって，処分対象者に対し，処分対象行為について可能な限り書面を交付しているか。	
8. 処分審査を行うに当たって，処分対象者に対し，聴聞（意見聴取）の機会を設けているか。	
9. 処分結果は，処分対象者に対し，処分の内容，処分対象行為，処分の理由，不服申立手続の可否，その手続の期限等が記載された書面にて告知しているか。	
10. 認定根拠となった証拠や処分の手続の経過についても，可能な範囲で告知しているか。	
11. 処分審査を行う者は，中立性及び専門性を有しているか。	
12. 弁護士等の有識者を含む，経営陣から独立した中立な立場の者で構成される処分機関（倫理委員会等）を設け，同機関（当該事案に何らかの形で関与したことがある者を除く。）において，客観的かつ速やかに，処分審査（処分対象行為該当性及び処分内容の決定）を行っているか。	
13. 処分審査が中立な者により行われることを担保するため，処分審査を行う者について，当該処分に関するステークホルダーを除く等の制度を設けているか。	
原則 11 について	
1. 選手，指導者等との間の紛争の迅速かつ適正な解決に取り組んでいるか。	
2. NF における懲罰や紛争について，公益財団法人日本スポーツ仲裁機構（JSAA）によるスポーツ仲裁を利用できるよう自動応諾条項を定めているか。	
3. 自動応諾条項の対象事項には，懲罰等の不利益処分に対する不服申立に限らず，代表選手の選考を含む NF のあらゆる決定を広く対象に含めているか。	
4. 処分機関が処分結果を通知する際に，処分対象者に対し，JSAA によるスポーツ仲裁の活用が可能である旨とその方法，手続の期限等が記載された書面を交付しているか。	
原則 12 について	
1. 危機管理を専門に取り扱う部署や危機管理委員会を設けるなど，組織の規模や実情に応じた危機管理及び不祥事対応のための体制を構築するとともに，危機管理マニュアルを策定しているか。	
2. 危機管理体制の構築に当たっては，不祥事対応を機動的に行えるよう，コンプライアンス担当の理事に危機管理担当も兼務させるなどの工夫を行い，組織横断的な活動を可能とする体制を構築しているか。	
3. 危機管理マニュアルが単なる書類として形骸化しないよう，マニュアルに従っ	

たリスク管理の実効性を定期的に検証したり，緊急の危機管理体制を発動するための仮想訓練を定期的に実施したりするなど，平時からその存在を浸透させるための活動を運営業務に組み込んでいるか。	
4.　不祥事が発生した場合は，事実調査，原因究明，責任者の処分及び再発防止策の提言について検討するための調査体制を速やかに構築しているか。	
5.　重大な不祥事の端緒を認識した場合には，最適な調査体制を迅速に構成し，徹底した事実調査を実施した上で，外部専門家の知見と経験も踏まえつつ，表層的な現象や因果関係の列挙にとどまらない，根本的な原因究明を行っているか。	
6.　調査の結果，法令違反等の不祥事の発生が認められた場合には，その原因となった責任者・監督者につき，NF が有する倫理規程や懲罰規程等に従って，責任者を適切に処分しているか。	
7.　再発防止策の策定に当たっては，組織の変更や規程の改定等の表面的な対応にとどめることなく，今後の日々の業務運営等に具体的かつ継続的に反映させているか。	
8.　不祥事対応が一度収束した後においても，再発防止策の取組が適切に運用され，定着しているかを不断にモニタリングした上で，その改善状況を定期的に公表しているか。	
9.　危機管理及び不祥事対応として外部調査委員会を設置する場合，当該調査委員会は，独立性・中立性・専門性を有する外部有識者（弁護士，公認会計士，学識経験者等）を中心に構成しているか。	
10.　第三者を委員とする調査委員会を設置する場合には，当該委員の選定プロセスについても十分に配慮し，委員が NF に対して独立性・中立性・専門性を有する者であることについて，合理的な説明をする責任を果たしているか。	
原則 13 について	
1.　地方組織等に対するガバナンスの確保，コンプライアンスの強化等に係る指導，助言及び支援を行っているか。	
2.　加盟規程の整備等により地方組織等との間の権限関係を明確にするとともに，地方組織等の組織運営及び業務執行について適切な指導，助言及び支援を行っているか。	
3.　ガバナンスの確保，コンプライアンスの強化等について，地方組織等の組織運営や業務執行に問題があると考えられるときには積極的に指導し，自主的な改善が見込まれない場合には，規程に基づき処分を行うなどの対応をしているか。	

4. 地方組織等における組織体制について，女性役員の目標割合の設定等を通じた積極的な任用，役員就任時の年齢制限等により新陳代謝を図る仕組みの導入が進むよう，指導，助言及び支援を行っているか。	
5. 地方組織等に対し法人格取得に向けた専門的な助言や財政面を含めた支援を行っているか。	
6. 地方組織等の運営者に対する情報提供や研修会の実施等による支援を行っているか。	
7. NF が作成するコンプライアンス強化に係る研修資料や普及啓発のためのパンフレット等の提供等を行っているか。	
8. 地方組織等の代表等が集まる会議（例えば，社員総会や評議員会等）の開催と合わせて，ガバナンスやコンプライアンスに関する研修会を実施しているか。	
9. 地方組織等に対して，法律，会計等のサポートサービスを提供する形で支援しているか。	

公益法人等のガバナンス改革検討チームの提言とりまとめ

令和元年6月28日
自由民主党行政改革推進本部
公益法人等のガバナンス改革検討チーム

1．これまでの経緯等

（公益法人制度について）

　公益法人制度に関しては、明治29年の民法制定以来、抜本的な制度の見直しが行われておらず、時代の変化に対応した民間の公益活動が妨げられてきたこと、公益性の判断基準が不明瞭な中、営利法人類似の公益法人が多数設立され、税制上の優遇措置等を受けていたことなどが問題として指摘されていた。

　自由民主党では、こうした状況を踏まえ、公益法人制度が抱える様々な問題の中核をなす主務官庁制の廃止を含めた、公益法人制度の抜本的改革に向けた議論を行い、平成8年以降累次にわたり提言を取りまとめ、行政改革プロジェクトチーム等から政府に対して申し入れを行った。これらを受け、政府において公益法人制度改革に向けた検討が進められ、平成18年には公益法人制度関連三法案が国会において可決されて成立し、平成20年12月1日から新たな公益法人制度が施行されるに至った。新公益法人制度は、公益法人の設立における主務官庁による裁量的な許可制度を廃止し、（1）登記のみで一般法人の設立を認めた上、（2）法定された公益認定基準に基づき民間有識者で構成される合議体の機関による公益認定の判断を行うほか、（3）法人の各機関の役割と責任の法定化などの措置を盛り込んだものであった。こうした改革により、法人の自主的・自律的な運営が可能となり、民間の公益活動の活性化が図られた。

　他方、新公益法人制度施行から10年が経過する中、公益法人の内部には株式会社における株主と同程度に法人運営に強い利害関係を有するステークホルダーが不在であるというガバナンス上の課題も指摘されている。近年では、公益法人における不祥事が複数発生しており、公益法人のガバナンスの機能不全が疑われる事態も生じている。公益法人は、税制優遇（公益法人に対する税制優遇の状況については、別紙1参照）を受けるに相応しいガバナンスが求められており、このような事態が生じていることについては、国民から厳しい批判を受けている。

（学校法人制度について）

　学校法人制度については、戦後間もない昭和24年に公布された私立学校法（昭和24年法律第270号、その後の改正を含む。）に基づく運営が長らく続けられてきたが、平成16年に行われた同法の改正により、学校法人の各機関の役割と責任を明確にするほか、財務情報に係る情報開示もなされるようになった。その後も私立学校法について数度の改正が行われ、平成26年には理事の忠実義務の明記や、所轄庁による監督権限の強化がなされるなど、継続的に制度の改善が図られてきた。

　しかしながら、学校法人のガバナンスについては、公益法人や社会福祉法人等と比較しても、役員の業務執行を監督する仕組みが十分でないことなど、依然として多数の課題が残されている状況にある。近年では、公益法人と同様、学校法人においても複数の不祥事が発生しており、学校法人のガバナンスの機能不全が疑われる事態も生じている。学校法

人は、税制優遇（学校法人に対する税制優遇の状況については、別紙１参照）や国・地方公共団体等からの補助金を受けるに相応しいガバナンスが求められており、このような事態が生じていることについては、国民から厳しい批判を受けている。

２．「公益法人等のガバナンス改革検討チーム」における取組

　このような中、新公益法人制度施行後10年の経過を機に、公益法人制度改革を再検証し、公益法人のガバナンスのあり方について検討するとともに、多くの課題が残されたままとなっている学校法人のガバナンスについても検証を行うことが、公益法人制度改革その他の行政改革を推進した党としての果たすべき役割であると考えられる。

　公益法人等は、あくまで民間団体として自主的・自律的に運営されるべきものであるが、他方で、公益法人等は税制優遇や国や地方公共団体等からの補助金を受けていることから、そうした優遇を受けるに相応しいガバナンスが求められる（公益法人等に対する税制優遇の状況については、別紙１参照）。

　こうした点も踏まえ、自由民主党行政改革推進本部「公益法人等のガバナンス改革検討チーム」では、これまで10回にわたるヒアリングを実施し、公益法人等の制度や運用状況について検証を行ってきた。そして、それらの検証を踏まえ、本チームは、昨今問題視されている公益法人等のガバナンスの機能不全を予防・改善し、公益法人等の自律的な運営をより確かなものにするための方策として、下記３．及び４．のとおり、公益法人に関する10の提言及び学校法人に関する８の提言を行う。

３．公益法人制度に対する10の提言

（評議員・評議員会の職務等及び社員の人数について）
① 一定規模以上の公益財団法人に対し、１名以上の独立評議員（公益財団法人と利益相反が生ずるおそれがない外部評議員であり、外部性・独立性の基準については下記⑥と同等とする。）の選任を義務付けること。独立評議員の選任が義務付けられる公益財団法人の規模については、例えば、下記⑦において提言する会計監査人の設置の義務付けと一致させることが考えられる。
　　（提言の趣旨）
　　公益財団法人におけるガバナンスには評議員会による役員等に対する監督機能が重要な役割を果たす。しかしながら、評議員会が業務を執行する役員等から独立していない評議員のみで構成されている場合、評議員会が役員等に対する実効性の高い監督を行うことは期待できない。そのため、公益社団法人及び公益財団法人の認定等に関する法律（平成18年法律第49号、その後の改正を含む。以下「公益法人認定法」という。）を改正し、評議員会の役員等に対する監督機能の実効性を高めることを目的として、当該公益法人と利益相反が生じるおそれのない独立評議員の選任を義務付け

るべきである。他方、公益財団法人の規模次第では、独立評議員の選任自体が大きな負担となり得ることから、一定規模以上の公益財団法人に限って独立評議員の選任を義務付けるべきである。独立評議員の選任を義務付ける公益財団法人の範囲については、当該公益財団法人が営む公益目的事業の規模のほか、独立評議員の報酬等の負担能力なども考慮して基準を設定する必要がある。例えば、業務の執行に関与しない独立評議員が評議員会においてその役割・責務を実効的に果たすためには、会計監査人による監査報告等が存在することが望ましいことから、下記⑦において提言する会計監査人設置義務に係る基準と連動させることが考えられる（なお、下記⑦のとおり、会計監査人設置義務に係る基準について段階的な導入を行う場合は、独立評議員の設置義務に係る基準も同様に段階的な導入を行うことが考えられる。）。

② 評議員による役員等の責任追及の訴えを認め、評議員による監視体制を強化すること。

（提言の趣旨）

公益財団法人の役員等の義務違反に対する実効性の高い責任追及手段を確保することは、当該役員等による義務違反の発生の防止に寄与するものである。しかしながら、一般社団法人及び一般財団法人に関する法律（平成18年法律第48号、その後の改正を含む。以下「一般法人法」という。）は、一般社団法人（公益社団法人を含む。）につき社員による役員等の責任追及の訴えの制度を定めている（一般法人法第278条第1項、第2項）にもかかわらず、一般財団法人（公益財団法人を含む。）につき同様の制度を定めていない。そのため、公益財団法人においては、役員等がその善管注意義務（一般法人法第172条第1項、民法第644条）に違反したとしても、事実上、その責任追及がなされ難い仕組みとなっている。このような役員等に対する責任追及機会の乏しさを解消し、公益財団法人における役員等による義務違反の発生を抑止するため、一般法人法又は公益法人認定法を改正し、評議員による役員等の責任追及の訴えの制度を導入するべきである。このような制度は、独立評議員の選任の義務付けとともに導入することにより、善管注意義務への違反があった場合には、独立評議員によってその責任追及がなされ得るという心理的抑止力が役員等において働くことによって、その実効性が担保されるものと考えられる。

③ 公益社団法人の社員及び公益財団法人の評議員については、一定数以上の人数（例えば、それぞれ6人以上といった基準が考えられる。）を必要とすること。

（提言の趣旨）

社員又は評議員が少人数の公益社団法人や公益財団法人において、例えば理事と社員が重複している場合や評議員の人数が極めて少ない場合等には、役員等の選解任権限を有し、役員等の業務執行を監督する役割を担っている社員総会又は評議員会が恣意的に運用され、役員等に対する牽制効果が十分に働かないことが懸念される。このような社員又は評議員が少人数であることに伴う弊害を防ぐために、公益法人認定法を改正し、公益認定基準として、一定数以上の社員又は評議員を必要とする定めを設け

るべきである。その基準としては、社会福祉法人における最低評議員数（6名）と同
様に、6名とすることが考えられる。

④ 公益財団法人の評議員資格に関し、役員と同様に、「評議員のうちには、各役員・各評
議員について、その配偶者又は三親等内の親族その他各役員・各評議員と特殊の関係の
ある者が含まれてはならない。」旨の要件を定めること。

　　（提言の趣旨）

　　役員の選解任権限を有し、役員の業務執行を監督する役割を担っている評議員会にお
いて、役員や他の評議員の近親者等が多数となると、各評議員の判断の独立性が阻害
され、ひいては評議員会が恣意的に運用されるおそれが生じることから、公益財団法
人の評議員については、役員や社会福祉法人の評議員と同様に、親族等の選任に一定
の制約を設けるべきである。なお、上記の基準は、既に内閣府公益認定等委員会が作
成したガイドラインに基づき充足することが事実上求められている基準ではあるが、
強制力を持たせる観点からは、公益法人認定法を改正し、公益認定基準として定める
ことが望ましい。

（役員の職務等について）

⑤ 一定規模以上の公益法人に対し、それぞれ1名以上の独立理事及び独立監事（公益法人
と利益相反が生ずるおそれがない外部役員であり、その基準については下記⑥のとお
り。）の選任を義務付けること。独立役員の選任を義務付けられる公益法人の規模の基
準については、公益法人の独立役員の報酬等の負担能力や上場会社における会計監査人
の設置と独立取締役の選任との関係性等を考慮し、下記⑦において提言する会計監査人
の設置の義務付けの基準に上乗せ基準を付加した基準を設けることが考えられる。上乗
せ基準については、例えば、東京証券取引所市場第二部の上場基準において連結純資産
額10億円以上が要求されることを参考にすることが考えられる。

　　（提言の趣旨）

　　公益法人の理事会は、独立した客観的な立場から、業務執行理事に対する監督を行う
役割・責務が期待されている。また、公益法人の監事は、独立した客観的な立場から、
理事の職務の執行を監査する役割・責務を担う。そのため、理事会や監事による実効
性の高い法人運営の監督・監査を確保すべく、公益法人認定法を改正し、公益法人に
対し、当該公益法人と利益相反が生じるおそれのない独立役員の選任を義務付けるべ
きである。他方、公益法人の規模次第では、独立役員の選任自体が大きな負担となり
得ることから、一定規模以上の公益法人に限って独立役員の選任を義務付けるべきで
ある。独立役員の選任を義務付ける公益法人の範囲については、当該公益法人が営む
公益目的事業の規模のほか、独立役員の報酬等の負担能力なども考慮して基準を設定
する必要があるところ、株式会社における会計監査人設置義務と独立取締役との関係
性等も考慮すると、独立役員の選任を義務付ける法人規模に関する基準は、下記⑦に

おいて提言する会計監査人設置義務に係る基準よりも厳しい基準（会計監査人設置基準に上乗せ基準を付加した基準）とすることが考えられる。当該上乗せ基準については、東京証券取引所市場第一部又は市場第二部に上場している株式会社は、同証券取引所のコーポレートガバナンス・コード上、独立取締役の設置が推奨されているところ、市場第二部に係る上場基準の一つとして「連結純資産額 10 億円以上」が定められていることを一つの考慮要素とすることが考えられる。なお、下記⑦において提言する会計監査人設置義務に係る基準と同様、制度改正に対応する公益法人の負担等を考慮し、独立役員設置義務に係る基準を段階的に導入することも検討に値する。

⑥ 独立役員の外部性・独立性については、東京証券取引所が上場企業の独立役員に求める基準なども参考に、例えば、その就任の前 10 年間にわたって就任予定の公益法人の業務執行を行う役員又は従業員であったことがないことや、当該公益法人を主要な取引先とする者でないことなど、法人のガバナンスを実効的なものとする観点から十分な内容と明確性を伴った基準を設けること（基準案については別紙 2 参照）。

　　（提言の趣旨）

　　独立役員の選任を義務付けたとしても、その外部性・独立性の基準が十分かつ明確でなければ、独立役員の選任を義務付けた趣旨は没却されてしまう。そのため、公益法人認定法において定めるべき独立役員の外部性・独立性については、株式会社の独立役員に関する基準など既に存在する基準を参考に、十分な内容と明確性を伴った基準を設ける必要がある。

（監査体制の徹底について）

⑦ 会計監査人の設置を義務付ける基準を引き下げること。会計監査人の設置の義務付けの基準については、公益法人と同様に税制優遇を受けている社会福祉法人において、収益 10 億円超又は負債 20 億円超の法人に会計監査人の設置を義務付けることが目指されていることを参考にすることが考えられる。そのほか、会計監査人の設置対象外の公益法人のうち一定規模以上の補助金等を受給している公益法人に対し、行政庁へ提出する計算書類について公認会計士等による会計監査を要求することによって、公益法人に対する外部監査の範囲を拡大すること。行政庁へ提出する計算書類について公認会計士等による会計監査を要求する基準については、学校法人において、私立学校振興助成法上、受給した補助金等の額が 1,000 万円以上の場合に当該会計監査が要求される仕組みとなっていることを参考にすることが考えられる。

　　（提言の趣旨）

　　現在、公益法人に関する会計監査人設置基準は、収益 1,000 億円以上、費用及び損失の合計額 1,000 億円以上又は負債 50 億円以上（公益法人認定法第 5 条第 12 号ただし書、公益法人認定法施行令第 6 条）というものであって、この基準を満たす公益法人は極めて限定されている。しかし、昨今、一部の公益法人において会計不正や補助金

の不正受給等の問題が生じているところ、このような不祥事を抑止する観点からは、会計監査人の設置を義務付ける法人の範囲を拡大し、公益法人の経理に対する外部監査体制の整備を求めることが望ましい。その基準としては、公益法人と同様に税制優遇を受けている社会福祉法人において、収益 10 億円超又は負債 20 億円超の法人に会計監査人の設置を義務付けることが目指されている（ただし、現在は段階的な基準導入の途上にあり、収益 30 億円超又は負債 60 億円超の法人に会計監査人の設置義務が課されている。）ことを一つの考慮要素とすることが考えられる。なお、制度改正に対応する公益法人の監査費用の負担能力や監査の受入れ態勢なども考慮し、社会福祉法人における会計監査人設置基準と同様に、基準を段階的に導入することも検討に値する。

他方で、常設の会計監査人を設置する義務がない場合であっても、ある会計年度において国又は地方公共団体等からの補助金等を一定額以上受給している場合には、公金の適切な使用を確保する観点からその会計処理の適切性を第三者が監査する必要性が高いため、当該会計年度に関する計算書類について公認会計士・監査法人による会計監査を要求することが考えられる。このような会計監査を要求する金額基準については、学校法人において、私立学校振興助成法上、受給した補助金等の額が 1,000 万円以上の場合は当該会計監査が要求される仕組みとなっていることを一つの考慮要素とすることが考えられる。

（公益法人のガバナンスの自律性と透明性の確保について）

⑧ 公益法人が作成・開示する事業報告等における法人のガバナンスに関する記載を拡充させることにより、その更なる透明化を図るとともに、情報開示プラットフォームとなるオンラインポータルサイトの利便性・検索性・網羅性を高めることで国民によるガバナンスを強化すること。また、事業報告等の開示のあり方についても、現在のような、国民による閲覧を認める仕組みから、閲覧の請求の有無にかかわらず、オンラインポータルサイトを通じて国民一般へと公表する仕組みに改めること。

　（提言の趣旨）

公益法人の社員及び評議員は、法人運営に一定の利害関係を有するものの、株式会社における株主が当該株式会社に対する残余財産分配請求権等を有することと比較して、法人運営に対して有する利害関係は弱いというべきである。このように、公益法人は、その内部に法人運営に強い利害関係を有するステークホルダーを有しないため、公益法人の機関によるガバナンスのみならず、公益法人に対する寄附や公益目的事業の利用を通じて法人運営に利害関係を有する国民によるガバナンスの実効性を高める必要がある。そのため、公益法人の運営に対する国民の評価を十分ならしめるため、公益法人に関する情報開示を拡充し、法人運営の透明性を確保するべきである。現在、公益法人の事業報告等については、国民一般が閲覧請求できることとなっているが、

このような情報開示のあり方を更に進めて、上場会社における開示書類のように、公衆の縦覧に供する仕組みに改めることが望ましい。また、当該公衆縦覧に当たっては、内閣府が運営するオンラインポータルサイト（「公益法人 information」）を情報開示プラットフォームとして活用することで、初期投資を抑えつつ、効率的な情報開示を行うことが期待できる。

⑨ 上記のような法令に基づくルールベースのガバナンス改革に加えて、諸外国の実例を参考に、実効的な公益法人のガバナンスの実現に資する主要な原則（代表理事を含む業務執行を行う役員の適格性に関する考え方、役員の選任プロセスの透明化を確保する手段、役職員に対するコンプライアンス教育の実施や内部通報制度の整備、公益財団法人における評議員の選任プロセスのあり方などの内容を含む。）を取りまとめた、プリンシプルベースの行動準則（チャリティガバナンス・コード）の策定を推進すること（チャリティガバナンス・コードの内容として取り上げるべきと考えられる事項については別紙3 参照）。チャリティガバナンス・コードは、可能な限り公益法人関係者や学識者、法曹実務家等が中心となって取りまとめ、民間における自主基準として策定されることが望ましいが、チャリティガバナンス・コードの維持・改訂・運営等の実務面を考慮し、内閣府公益認定等委員会等が適切かつ限定的な形でその策定に関与することも考えられる（内閣府公益認定等委員会等が関与する場合であっても、チャリティガバナンス・コードの取りまとめの主宰者及び事務責任者は、公益法人関係者や学識者、法曹実務家等が務めるものとし、内閣府公益認定等委員会等の関与は、会議へのオブザーバー参加や会議場所の提供、事務作業のサポート等の限定的なものとすることが望ましい。）。

（提言の趣旨）

上記のような法令に基づくルールベースのガバナンス改革は、公益法人として備えるべき最低基準のガバナンスに関するものである。一方、より望ましいガバナンスのあり方については、それぞれの公益法人において持続的な公益目的事業の遂行のための自律的な対応が図られることが望ましい。そのため、英国等の諸外国の実例を参考にしつつ、実効的な公益法人のガバナンスの実現に資する主要な原則をチャリティガバナンス・コードとして取りまとめ、公益法人がそれを自主的に遵守し、又はその遵守状況を公表することが望ましい。チャリティガバナンス・コードは、可能な限り公益法人関係者や学識者、法曹実務家等が中心となって取りまとめ、民間における自主基準として策定されることが望ましいが、チャリティガバナンス・コードの維持・改訂・運営等の実務面を考慮し、内閣府公益認定等委員会等が適切かつ限定的な形で策定に関与することも考えられる（内閣府公益認定等委員会等が関与する場合であっても、チャリティガバナンス・コードの取りまとめの主宰者及び事務責任者は、公益法人関係者や学識者、法曹実務家等が務めるものとし、内閣府公益認定等委員会等の関与は、会議へのオブザーバー参加や会議場所の提供、事務作業のサポート等の限定的なものとすることが望ましい。）。そのほか、行政庁は、上記⑧のオンラインポータルサイト

等を通じて、公益法人による当該公表をサポートしたり、公益法人のガバナンスの好事例を公表したりすることによって、当該ガバナンス・コードの浸透及び遵守促進をサポートすべきである。

（その他）

⑩ 公益法人の解散等に際する残余財産の帰属先等について、行政庁に対する申請及び承認を必要とする仕組み及び公益法人の解散等に当たり要する費用等について公益法人に開示させる仕組みを設けること。

　（提言の趣旨）

　公益法人の解散時及び認定取消時には、その残余財産を他の公益法人等に引き渡さなければならないところ、当該解散等の過程において役員に多額の退職金が支給された場合、実質的な利益分配となるおそれがある上、そのような行為によって、残余財産が毀損されたとしても、法人の解散後には役員の責任追及を行う主体が存在しなくなってしまうことから、現在の制度ではそのような行為に対する牽制が十分に働かないおそれがある。現在、公益法人の解散等の際には、残余財産の見込額や引渡先の公益法人等について、公益法人が行政庁に届け出る仕組みとなっているが、これを一歩進めて、残余財産の帰属先等について行政庁に対する申請及び承認を必要とする仕組みや、公益法人の解散等に当たって要する費用等を開示させる仕組みを設けることで、上記のような実質的利益分配に繋がる行為を可及的に予防することが考えられる。

４．学校法人制度に対する８の提言

（評議員・評議員会の職務等について）

① 学校法人における評議員会の位置付けを、法人運営に関する一定の事項について意見表明を行う諮問機関から、定款（※下記⑦の理由から「寄附行為」ではなく「定款」という。）の変更などの重要事項を決議する議決機関へと変更すること。そのほか、学校法人における評議員会及び評議員の権限や義務、評議員の選解任、評議員会招集手続や議事録の作成義務その他の定めを、上記３．の提言内容を導入した後の公益財団法人における定めと同水準の内容になるように変更すること（具体的な変更点については別紙４参照）。

　　（提言の趣旨）

　　現在、学校法人の評議員会は諮問機関として位置付けられており、法人運営に関する一定の事項について意見表明をすることはあっても、その他の実質的な権限は有しておらず、役員等に対する監督機能を十分に果たせる組織にはなっていない。また、評議員会が実質的な権限を有していないために、学校法人においては、理事の業務執行を監査すべき監事を、評議員会ではなく理事長が選任することとなっており（評議員会は、当該選任について意見を述べるに留まる。）、監事の独立性が確保されているとは言い難い状況にある。このように、学校法人では評議員会が諮問機関と位置付けられているために、公益財団法人と比較して法人全体のガバナンスが脆弱な制度設計になっている。これに対し、公益財団法人は、上記１．の公益法人制度改革により、評議員会の位置付けが諮問機関から議決機関に変更されたが、現在では、役員等の選解任権限等を通して、評議員会が役員等による法人運営を監督する役割を一定程度果たすに至っている。たしかに、学校法人には、私立学校法において法人運営に関する規律がなされている一方で、事業の中核である学校に関する規律が学校教育法においてなされていることから、教学組織との関係を踏まえた法人経営を考える必要があるという性質があるものの、このように、中核事業について法人運営に関する規律とは別の規律や法的規制が存在すること自体は、株式会社や公益法人を含めた他の法人でも同様にあり得ることであって、学校法人がこのような性質を有すること自体は、法人全体のガバナンスを脆弱なまま留めることを正当化する理由とはならない。むしろ教学組織も学校法人の一組織なのであるから、学校法人全体のガバナンスを確実なものとすることを通じて、法人執行部との適切な関係性や統制関係を構築することが望ましいといえる。そこで、公益財団法人と同様に、学校法人における評議員会の位置付けを議決機関へと変更した上で、役員の選解任権限や役員の報酬の決定権限等を付与すべきである（加えて、上記３．①、②及び④において提言した事項は、学校法人の評議員会においても同様に導入すべきである。）。また、これに伴って、評議員自体の選解任手続や責任等についても、公益財団法人の評議員と同様の定めを設けるべきで

ある。

　なお、評議員の定数については、個々の評議員の権限と義務が拡大したことに伴って減少させ、社会福祉法人において定められている定数と同様に「理事の定数を超える数」とすることが考えられる。

（役員の職務について）

② 代表理事等による職務執行を理事会及び監事が実効的に監督・監査できる仕組みを整備するため、理事及び理事会並びに監事の権限や義務、代表理事の選解任、理事会招集手続や議事録の作成義務その他の定めを、上記３.の提言内容を導入した後の公益財団法人における同様の定めと同水準の内容になるように変更すること（具体的な変更点については別紙４参照）。

　　（提言の趣旨）

　　学校法人においては、代表理事（下記⑦の理由から、「理事長」ではなく「代表理事」という。）や業務執行理事による職務執行を理事会が監督するという構図が明確になっておらず、代表理事や業務執行理事による職務執行状況の理事会への報告義務や、理事会による代表理事の選解任権限も定められていないため、理事会による代表理事や業務執行理事に対する監督機能が十分に発揮され難い仕組みとなっている。また、上記①のとおり、監事を理事長が選任することとなっていることから、監事の独立性が確保されているとは言いがたい状況にある。

　　そのため、公益財団法人同様に、理事及び理事会並びに監事の権限や義務、代表理事の選解任等の役員関連規定を整備し、理事会及び監事によって代表理事や業務執行理事による業務執行に対する十分な監督・監査がなされる体制を整備すべきである（加えて、上記３.⑤及び⑥において提言した事項は、学校法人の役員においても同様に導入すべきである。）。

（監査体制の徹底について）

③ 公益財団法人と同様の会計監査人制度を定めた上（具体的な内容については別紙４参照）で、一定規模以上の学校法人に会計監査人の設置を義務付けること。会計監査人の設置の義務付けの基準については、学校法人が、その事業の性質上、公益法人や社会福祉法人と比べて事業の規模が大きくなる傾向があり、これらの法人と同等の設置基準とした場合には学校法人の監査費用の負担能力や監査の受入れ態勢に鑑みて現実的でない結果を招くおそれがあること、及び株式会社においては大会社（資本金５億円以上又は負債200億円以上の会社）について会計監査人の設置義務が課されていることなども考慮した基準を設定することが考えられる。

　　（提言の趣旨）

　　現在、学校法人における会計監査人の制度は私立学校法に定められておらず、私立学

校振興助成法上、受給した補助金等の額が1,000万円以上の場合は行政庁が指定する事項についての会計監査が要求される仕組みとなっているに留まる。しかし、昨今、一部の学校法人において会計不正や補助金の不正受給、不正な報酬支出等の問題が生じているところ、このような不祥事を予防する観点からは、私立学校法を改正し、公益財団法人同様の会計監査人制度を定めた上で、一定規模以上の法人については会計監査人の設置を義務付けることが望ましい。その基準としては、学校法人が、その事業の性質上、公益法人や社会福祉法人と比べて事業の規模が大きくなる傾向があり、これらの法人と同等の設置基準とした場合には学校法人の監査費用の負担能力や監査の受入れ態勢に鑑みて現実的でない結果を招くおそれがあること、及び株式会社においては大会社（資本金5億円以上又は負債200億円以上の会社）について会計監査人の設置義務が課されていることなども考慮した基準を設定することが考えられる。なお、制度改正に対応するため、学校法人において会計処理や内部統制の体制を整える必要があることなども考慮し、社会福祉法人における会計監査人設置基準と同様に、基準を段階的に導入することも検討に値する。

（学校法人のガバナンスの自律性と透明性の確保について）

④ 上記のような法令に基づくルールベースのガバナンス改革に加えて、実効的な公益法人のガバナンスの実現に資する主要な原則（役職員に対するコンプライアンス教育の実施や内部通報制度の整備、評議員選任プロセスのあり方などの内容を含む。）を取りまとめた、プリンシプルベースの行動準則（学校法人ガバナンス・コード）の策定を推進すること（学校法人ガバナンス・コードの内容として規定すべきと考えられる事項については別紙3参照）。学校法人ガバナンス・コードは、可能な限り学校法人関係者や学識者、法曹実務家等が中心となって取りまとめ、民間における自主基準として策定されることが望ましい。なお、学校法人ガバナンス・コードの策定は、本提言に基づき私立学校法の改正によりルールベースのガバナンス改革が実施されることが前提であり、私立学校法に定めるべきガバナンスの仕組みを学校法人ガバナンス・コードに定めることで代替することは厳に慎まなければならない。

（提言の趣旨）

上記のような法令に基づくルールベースのガバナンス改革は、学校法人として備えるべき最低基準のガバナンスに関するものである。一方、より望ましいガバナンスのあり方については、それぞれの学校法人において持続的な教育事業の遂行のための自律的な対応が図られる必要がある。そこで、実効的な学校法人のガバナンスの実現に資する主要な原則を学校法人ガバナンス・コードとして取りまとめ、学校法人がそれを自主的に遵守し、又はその遵守状況を公表することが望ましい。学校法人ガバナンス・コードは、可能な限り学校法人関係者や学識者、法曹実務家等が中心となって取りまとめ、民間における自主基準として策定されることが望ましい。

　なお、学校法人ガバナンス・コードの策定は、本提言に基づき私立学校法の改正によりルールベースのガバナンス改革が実施されることが前提であり、私立学校法に定めるべきガバナンスの仕組みを学校法人ガバナンス・コードに定めることで代替することは厳に慎まなければならない。

（その他）

⑤ 公益法人及び社会福祉法人のいずれにおいても定められているものと同内容の組織に関する訴えの制度を定めること（具体的な内容については別紙4参照）。

　（提言の趣旨）

　法令等に違反する形で評議員会決議や合併等がなされた場合にこれを争うことができる手段を用意することで、法令等に違反した形での法人運営を行い難くなることが期待できることから、他の法人類型においても定められているような組織に関する訴えの制度は、学校法人においても設けることが望ましい。

⑥ 役員の違法行為について、公益法人及び社会福祉法人のいずれにおいても定められているものと同内容の罰則を定めること（具体的な内容については別紙4参照）。

　（提言の趣旨）

　役員等による違法行為を、他の法人と同程度に厳しく処罰する規定を設けることで、これら違法行為に対する抑止力の向上が期待できることから、他の法人類型においても定められているような罰則規定は、学校法人においても設けることが望ましい。

⑦ 「理事長」・「寄付行為」という用語を、公益法人や社会福祉法人同様に、「代表理事」・「定款」へと改めること。

　（提言の趣旨）

　歴史的経緯から旧民法に基づく財団法人と同様の用語法が残っているものであり、現代において存続させる実益はなく、むしろ同一の法概念について法令間で異なる表現を用いることは理解や解釈の混乱を招くおそれもあることから、公益法人や社会福祉法人と同様のものへと用語を変更することが望ましい。

⑧ 学校法人の解散に際する残余財産の帰属先等について、所管庁に対する申請及び承認を必要とする仕組み及び学校法人の解散に当たり要する費用等について学校法人に開示させる仕組みを設ける。

　（提言の趣旨）

　学校法人の解散時には、その残余財産は、定款（上記⑦の理由から、「寄附行為」ではなく「定款」という。）に基づき学校法人その他教育の事業を行う者に帰属することになるところ、当該解散の過程において役員に多額の退職金が支給された場合、実質的な利益分配となるおそれがある上、そのような行為によって、残余財産が毀損されたとしても、法人の解散後には役員の責任追及を行う主体が存在しなくなってしまうことから、現在の制度ではそのような行為に対する牽制が十分に働かないおそれが

ある。そのため、学校法人が解散した場合における残余財産の帰属先等について所管
庁に対する申請及び承認を必要とする仕組みや、学校法人の解散等に当たり要する費
用等を開示させる仕組みを設けることで、上記のような実質的利益分配に繋がる行為
を可及的に予防することが考えられる。

別紙１

各種法人制度間の実質的な課税状況の比較（概要）

	公益社団法人 公益財団法人	学校法人	社会福祉法人	非営利型の 一般社団法人 一般財団法人	NPO法人 （※認定NPO 法人を除く）	一般社団法人 一般財団法人 （※非営利型 法人を除く）	医療法人 （※社会医療 法人を除く）
法人税等 （※均等割課 税を除く）	× 主たる事業は 非課税、みな し寄附金制度 等あり	× 主たる事業は 非課税、みな し寄附金制度 等あり	× 主たる事業は 非課税、みな し寄附金制度 等あり	△ 収益事業より 生じた所得に 限り課税	△ 収益事業より 生じた所得に 限り課税	○ 課税	○ 課税
固定資産税	△ 大部分の社会 福祉事業用固 定資産等は非 課税	× 教育事業用 固定資産は非 課税	× 社会福祉事業 用 固定資産は非 課税	○ 原則課税	○ 原則課税	○ 原則課税	△ 大部分の社会 福祉事業用固 定資産は非課 税
寄附税制 （寄付者に対 する税制優遇 の有無）	有	有	有	無	無	無	無

※各法人に対する実質的な課税状況の概要について、理解の便宜のために細部を捨象し、極めて簡略な形で整理した資料であることに留意されたい。

14

224

役員の外部性・独立性の要件（案）
※会社法第2条第15号及び東京証券取引所「上場管理等に関するガイドライン」
Ⅲ 5.(3)の2を参考に作成

① 当該法人又は当該法人の子法人（一般法人法施行規則第3条）その他当該法人と強い関係性を有する法人（当該法人の業務執行を行う役員が役員又は従業員を務める法人、当該法人の役員又は従業員が業務執行を行う役員を務める法人、役員の3分の1以上が当該法人と共通している法人及び当該法人が持分又は議決権の過半数を有する会社（当該法人が当該法人と強い関係性を有する法人を通じて間接的に持分又は議決権の過半数を有する会社を含む。）をいう。以下同じ。）の業務執行を行う役員又は従業員（以下「業務執行役員等」という。）でなく、かつ、その就任の前10年間当該法人又は当該法人と強い関係性を有する法人の業務執行役員等であったことがないこと。

② その就任の前10年内のいずれかの時において当該法人又は当該法人と強い関係性を有する法人の役員であったことがある者（業務執行役員役等であったことがあるものを除く。）にあっては、当該役員への就任の前10年間当該法人又は当該法人と強い関係性を有する法人の業務執行役員等であったことがないこと。

③ 当該法人と強い関係性を有する法人が強い関係性（上記①括弧書きと同様の関係性をいう。）を有する他の法人の業務執行役員等でないこと。

④ 当該法人を主要な取引先（顧客）とする者若しくはその業務執行者又は当該法人の主要な取引先（顧客）若しくはその業務執行者でないこと。

⑤ 当該法人から役員報酬以外に多額の金銭その他の財産を得ているコンサルタント、会計専門家又は法律専門家（当該財産を得ている者が法人、組合等の団体である場合は、当該団体に所属する者をいう。）でないこと。

⑥ 過去5年間において、上記③から⑤までのいずれかに該当していた者でないこと。

⑦ 上記①〜⑥に記載された者の配偶者又は三親等内の親族でないこと。

チャリティガバナンス・コード及び学校法人ガバナンス・コードの内容として
規定すべきと考えられる事項

1. 法人運営全般に関する事項
   ・法人としてのミッションステートメントの策定
   ・職員の行動指針の策定
   ・（学校法人ガバナンス・コードの場合）法人経営と教学の関係性や連携のあり方に関する指針の策定

2. 社員・社員総会又は評議員・評議員会に関する事項
   ・社員総会又は評議員会の開催頻度やこれら会議における議論活発化のための施策（社員又は評議員に対する資料提供や質問時間の確保等）の策定
   ・評議員選任プロセスの透明性が確保される仕組み（例えば、外部者による選定委員会の設置等）の整備
   ・（学校法人ガバナンス・コードの場合）評議員の選任に関する同窓会組織等の関与にあり方に関する指針の策定

3. 理事・理事会・監事に関する事項
   ・役員適任者の要件（例えば、法人の公益事業と利害関係を有さないこと等）の決定
   ・役員の選任プロセスの透明性が確保される仕組み（例えば、外部者による選定委員会の設置等）の整備
   ・（学校法人ガバナンス・コードの場合）役員の選任に関する同窓会組織等の関与のあり方に関する指針の策定］

4. 補助金等の適正管理に関する事項
   ・補助金等の適正管理のための仕組みの整備

5. その他ガバナンスの確保に関する事項
   ・リスク管理体制及びコンプライアンス体制（役職員に対するコンプライアンス教育体制を含む。）の整備
   ・内部通報制度の整備
   ・懲戒手続の整備
   ・利益相反管理及び関係団体管理体制の整備

2 関係法令集

一般社団法人及び一般財団法人に関する法律（抄）

第2章　一般社団法人

　第3節　機関

　　第1款　社員総会

（社員総会の権限）
第35条　社員総会は、この法律に規定する事項及び一般社団法人の組織、運営、管理その他一般社団法人に関する一切の事項について決議をすることができる。
2　前項の規定にかかわらず、理事会設置一般社団法人においては、社員総会は、この法律に規定する事項及び定款で定めた事項に限り、決議をすることができる。
3　前2項の規定にかかわらず、社員総会は、社員に剰余金を分配する旨の決議をすることができない。
4　この法律の規定により社員総会の決議を必要とする事項について、理事、理事会その他の社員総会以外の機関が決定することができることを内容とする定款の定めは、その効力を有しない。
（社員総会の招集）
第36条　定時社員総会は、毎事業年度の終了後一定の時期に招集しなければならない。
2　社員総会は、必要がある場合には、いつでも、招集することができる。
3　社員総会は、次条第2項の規定により招集する場合を除き、理事が招集する。
（社員による招集の請求）
第37条　総社員の議決権の10分の1（5分の1以下の割合を定款で定めた場合にあっては、その割合）以上の議決権を有する社員は、理事に対し、社員総会の目的である事項及び招集の理由を示して、社員総会の招集を請求することができる。
2　次に掲げる場合には、前項の規定による請求をした社員は、裁判所の許可を得て、社員総会を招集することができる。
　一　前項の規定による請求の後遅滞なく招集の手続が行われない場合
　二　前項の規定による請求があった日から6週間（これを下回る期間を定款で定めた場合にあっては、その期間）以内の日を社員総会の日とする社員総会の招集の通知が発せられない場合
（社員総会の招集の決定）
第38条　理事（前条第2項の規定により社員が社員総会を招集する場合にあっては、当該社員。次条から第42条までにおいて同じ。）は、社員総会を招集する場合には、次に掲げる事項を定めなければならない。

　一　社員総会の日時及び場所
　二　社員総会の目的である事項があるときは、当該事項
　三　社員総会に出席しない社員が書面によって議決権を行使することができることとするときは、その旨
　四　社員総会に出席しない社員が電磁的方法によって議決権を行使することができることとするときは、その旨
　五　前各号に掲げるもののほか、法務省令で定める事項
2　理事会設置一般社団法人においては、前条第2項の規定により社員が社員総会を招集するときを除き、前項各号に掲げる事項の決定は、理事会の決議によらなければならない。
（社員総会の招集の通知）
第39条　社員総会を招集するには、理事は、社員総会の日の1週間（理事会設置一般社団法人以外の一般社団法人において、これを下回る期間を定款で定めた場合にあっては、その期間）前までに、社員に対してその通知を発しなければならない。ただし、前条第1項第3号又は第4号に掲げる事項を定めた場合には、社員総会の日の2週間前までにその通知を発しなければならない。
2　次に掲げる場合には、前項の通知は、書面でしなければならない。
　一　前条第1項第3号又は第4号に掲げる事項を定めた場合
　二　一般社団法人が理事会設置一般社団法人である場合
3　理事は、前項の書面による通知の発出に代えて、政令で定めるところにより、社員の承諾を得て、電磁的方法により通知を発することができる。この場合において、当該理事は、同項の書面による通知を発したものとみなす。
4　前2項の通知には、前条第1項各号に掲げる事項を記載し、又は記録しなければならない。
（招集手続の省略）
第40条　前条の規定にかかわらず、社員総会は、社員の全員の同意があるときは、招集の手続を経ることなく開催することができる。ただし、第38条第1項第3号又は第4号に掲げる事項を定めた場合は、この限りでない。
（社員総会参考書類及び議決権行使書面の交付等）
第41条　理事は、第38条第1項第3号に掲げる事項を定めた場合には、第39条第1項の通知に際して、法務省令で定めるところにより、社員に対し、議決権の行使

について参考となるべき事項を記載した書類（以下この款において「社員総会参考書類」という。）及び社員が議決権を行使するための書面（以下この款において「議決権行使書面」という。）を交付しなければならない。

2 理事は、第39条第3項の承諾をした社員に対し同項の電磁的方法による通知を発するときは、前項の規定による社員総会参考書類及び議決権行使書面の交付に代えて、これらの書類に記載すべき事項を電磁的方法により提供することができる。ただし、社員の請求があったときは、これらの書類を当該社員に交付しなければならない。

第42条 理事は、第38条第1項第4号に掲げる事項を定めた場合には、第39条第1項の通知に際して、法務省令で定めるところにより、社員に対し、社員総会参考書類を交付しなければならない。

2 理事は、第39条第3項の承諾をした社員に対し同項の電磁的方法による通知を発するときは、前項の規定による社員総会参考書類の交付に代えて、当該社員総会参考書類に記載すべき事項を電磁的方法により提供することができる。ただし、社員の請求があったときは、社員総会参考書類を当該社員に交付しなければならない。

3 理事は、第1項に規定する場合には、第39条第3項の承諾をした社員に対する同項の電磁的方法による通知に際して、法務省令で定めるところにより、社員に対し、議決権行使書面に記載すべき事項を当該電磁的方法により提供しなければならない。

4 理事は、第1項に規定する場合において、第39条第3項の承諾をしていない社員から社員総会の日の1週間前までに議決権行使書面に記載すべき事項の電磁的方法による提供の請求があったときは、法務省令で定めるところにより、直ちに、当該社員に対し、当該事項を電磁的方法により提供しなければならない。

（社員提案権）

第43条 社員は、理事に対し、一定の事項を社員総会の目的とすることを請求することができる。

2 前項の規定にかかわらず、理事会設置一般社団法人においては、総社員の議決権の30分の1（これを下回る割合を定款で定めた場合にあっては、その割合）以上の議決権を有する社員に限り、理事に対し、一定の事項を社員総会の目的とすることを請求することができる。この場合において、その請求は、社員総会の日の6週間（これを下回る期間を定款で定めた場合にあっては、その期間）前までにしなければならない。

第44条 社員は、社員総会において、社員総会の目的である事項につき議案を提出することができる。ただし、当該議案が法令若しくは定款に違反する場合又は実質的に同一の議案につき社員総会において総社員の議決権の10分の1（これを下回る割合を定款で定めた場合にあっては、その割合）以上の賛成を得られなかった日から3年を経過していない場合は、この限りでない。

第45条 社員は、理事に対し、社員総会の日の6週間

（これを下回る期間を定款で定めた場合にあっては、その期間）前までに、社員総会の目的である事項につき当該社員が提出しようとする議案の要領を社員に通知すること（第39条第2項又は第3項の通知をする場合にあっては、その通知に記載し、又は記録すること）を請求することができる。ただし、理事会設置一般社団法人においては、総社員の議決権の30分の1（これを下回る割合を定款で定めた場合にあっては、その割合）以上の議決権を有する社員に限り、当該請求をすることができる。

2 前項の規定は、同項の議案が法令若しくは定款に違反する場合又は実質的に同一の議案につき社員総会において総社員の議決権の10分の1（これを下回る割合を定款で定めた場合にあっては、その割合）以上の賛成を得られなかった日から3年を経過していない場合には、適用しない。

（社員総会の招集手続等に関する検査役の選任）

第46条 一般社団法人又は総社員の議決権の30分の1（これを下回る割合を定款で定めた場合にあっては、その割合）以上の議決権を有する社員は、社員総会に係る招集の手続及び決議の方法を調査させるため、当該社員総会に先立ち、裁判所に対し、検査役の選任の申立てをすることができる。

2 前項の規定による検査役の選任の申立てがあった場合には、裁判所は、これを不適法として却下する場合を除き、検査役を選任しなければならない。

3 裁判所は、前項の検査役を選任した場合には、一般社団法人が当該検査役に対して支払う報酬の額を定めることができる。

4 第2項の検査役は、必要な調査を行い、当該調査の結果を記載し、又は記録した書面又は電磁的記録（法務省令で定めるものに限る。）を裁判所に提供して報告をしなければならない。

5 裁判所は、前項の報告について、その内容を明瞭にし、又はその根拠を確認するため必要があると認めるときは、第2項の検査役に対し、更に前項の報告を求めることができる。

6 第2項の検査役は、第4項の報告をしたときは、一般社団法人（検査役の選任の申立てをした者が当該一般社団法人でない場合にあっては、当該一般社団法人及びその者）に対し、同項の書面の写しを交付し、又は同項の電磁的記録に記録された事項を法務省令で定める方法により提供しなければならない。

（裁判所による社員総会招集等の決定）

第47条 裁判所は、前条第4項の報告があった場合において、必要があると認めるときは、理事に対し、次に掲げる措置の全部又は一部を命じなければならない。

一 一定の期間内に社員総会を招集すること。

二 前条第4項の調査の結果を社員に通知すること。

2 裁判所が前項第1号に掲げる措置を命じた場合には、理事は、前条第4項の報告の内容を同号の社員総会において開示しなければならない。

3 前項に規定する場合には、理事（監事設置一般社団

法人にあっては、理事及び監事）は、前条第４項の報告の内容を調査し、その結果を第１項第１号の社員総会に報告しなければならない。

（議決権の数）

第48条　社員は、各１個の議決権を有する。ただし、定款で別段の定めをすることを妨げない。

2　前項ただし書の規定にかかわらず、社員総会において決議をする事項の全部につき社員が議決権を行使することができない旨の定款の定めは、その効力を有しない。

（社員総会の決議）

第49条　社員総会の決議は、定款に別段の定めがある場合を除き、総社員の議決権の過半数を有する社員が出席し、出席した当該社員の議決権の過半数をもって行う。

2　前項の規定にかかわらず、次に掲げる社員総会の決議は、総社員の半数以上であって、総社員の議決権の３分の２（これを上回る割合を定款で定めた場合にあっては、その割合）以上に当たる多数をもって行わなければならない。

　一　第30条第１項の社員総会

　二　第70条第１項の社員総会（監事を解任する場合に限る。）

　三　第113条第１項の社員総会

　四　第146条の社員総会

　五　第147条の社員総会

　六　第148条第３号及び第150条の社員総会

　七　第247条、第251条第１項及び第257条の社員総会

3　理事会設置一般社団法人においては、社員総会は、第38条第１項第２号に掲げる事項以外の事項については、決議をすることができない。ただし、第55条第１項若しくは第２項に規定する者の選任又は第109条第２項の会計監査人の出席を求めることについては、この限りでない。

（議決権の代理行使）

第50条　社員は、代理人によってその議決権を行使することができる。この場合においては、当該社員又は代理人は、代理権を証明する書面を一般社団法人に提出しなければならない。

2　前項の代理権の授与は、社員総会ごとにしなければならない。

3　第１項の社員又は代理人は、代理権を証明する書面の提出に代えて、政令で定めるところにより、一般社団法人の承諾を得て、当該書面に記載すべき事項を電磁的方法により提供することができる。この場合において、当該社員又は代理人は、当該書面を提出したものとみなす。

4　社員が第39条第３項の承諾をした者である場合には、一般社団法人は、正当な理由がなければ、前項の承諾をすることを拒んではならない。

5　一般社団法人は、社員総会の日から３箇月間、代理権を証明する書面及び第３項の電磁的方法により提供された事項が記録された電磁的記録をその主たる事務

所に備え置かなければならない。

6　社員は、一般社団法人の業務時間内は、いつでも、次に掲げる請求をすることができる。

　一　代理権を証明する書面の閲覧又は謄写の請求

　二　前項の電磁的記録に記録された事項を法務省令で定める方法により表示したものの閲覧又は謄写の請求

（書面による議決権の行使）

第51条　書面による議決権の行使は、議決権行使書面に必要な事項を記載し、法務省令で定める時までに当該記載をした議決権行使書面を一般社団法人に提出して行う。

2　前項の規定により書面によって行使した議決権の数は、出席した社員の議決権の数に算入する。

3　一般社団法人は、社員総会の日から３箇月間、第１項の規定により提出された議決権行使書面をその主たる事務所に備え置かなければならない。

4　社員は、一般社団法人の業務時間内は、いつでも、第１項の規定により提出された議決権行使書面の閲覧又は謄写の請求をすることができる。

（電磁的方法による議決権の行使）

第52条　電磁的方法による議決権の行使は、政令で定めるところにより、一般社団法人の承諾を得て、法務省令で定める時までに議決権行使書面に記載すべき事項を、電磁的方法により当該一般社団法人に提供して行う。

2　社員が第39条第３項の承諾をした者である場合には、一般社団法人は、正当な理由がなければ、前項の承諾をすることを拒んではならない。

3　第１項の規定により電磁的方法によって行使した議決権の数は、出席した社員の議決権の数に算入する。

4　一般社団法人は、社員総会の日から３箇月間、第１項の規定により提供された事項を記録した電磁的記録をその主たる事務所に備え置かなければならない。

5　社員は、一般社団法人の業務時間内は、いつでも、前項の電磁的記録に記録された事項を法務省令で定める方法により表示したものの閲覧又は謄写の請求をすることができる。

（理事等の説明義務）

第53条　理事（監事設置一般社団法人にあっては、理事及び監事）は、社員総会において、社員から特定の事項について説明を求められた場合には、当該事項について必要な説明をしなければならない。ただし、当該事項が社員総会の目的である事項に関しないものである場合、その説明をすることにより社員の共同の利益を著しく害する場合その他正当な理由がある場合として法務省令で定める場合は、この限りでない。

（議長の権限）

第54条　社員総会の議長は、当該社員総会の秩序を維持し、議事を整理する。

2　社員総会の議長は、その命令に従わない者その他当該社員総会の秩序を乱す者を退場させることができる。

（社員総会に提出された資料等の調査）

第55条　社員総会においては、その決議によって、理事、監事及び会計監査人が当該社員総会に提出し、又は提供した資料を調査する者を選任することができる。

2　第37条の規定により招集された社員総会においては、その決議によって、一般社団法人の業務及び財産の状況を調査する者を選任することができる。

（延期又は続行の決議）

第56条　社員総会においてその延期又は続行について決議があった場合には、第38条及び第39条の規定は、適用しない。

（議事録）

第57条　社員総会の議事については、法務省令で定めるところにより、議事録を作成しなければならない。

2　一般社団法人は、社員総会の日から10年間、前項の議事録をその主たる事務所に備え置かなければならない。

3　一般社団法人は、社員総会の日から５年間、第１項の議事録の写しをその従たる事務所に備え置かなければならない。ただし、当該議事録が電磁的記録をもって作成されている場合であって、従たる事務所における次項第２号に掲げる請求に応じることを可能とするための措置として法務省令で定めるものをとっているときは、この限りでない。

4　社員及び債権者は、一般社団法人の業務時間内は、いつでも、次に掲げる請求をすることができる。

一　第１項の議事録が書面をもって作成されているときは、当該書面又は当該書面の写しの閲覧又は謄写の請求

二　第１項の議事録が電磁的記録をもって作成されているときは、当該電磁的記録に記録された事項を法務省令で定める方法により表示したものの閲覧又は謄写の請求

（社員総会の決議の省略）

第58条　理事又は社員が社員総会の目的である事項について提案をした場合において、当該提案につき社員の全員が書面又は電磁的記録により同意の意思表示をしたときは、当該提案を可決する旨の社員総会の決議があったものとみなす。

2　一般社団法人は、前項の規定により社員総会の決議があったものとみなされた日から10年間、同項の書面又は電磁的記録をその主たる事務所に備え置かなければならない。

3　社員及び債権者は、一般社団法人の業務時間内は、いつでも、次に掲げる請求をすることができる。

一　前項の書面の閲覧又は謄写の請求

二　前項の電磁的記録に記録された事項を法務省令で定める方法により表示したものの閲覧又は謄写の請求

4　第１項の規定により定時社員総会の目的である事項のすべてについての提案を可決する旨の社員総会の決議があったものとみなされた場合には、その時に当該定時社員総会が終結したものとみなす。

（社員総会への報告の省略）

第59条　理事が社員の全員に対して社員総会に報告すべき事項を通知した場合において、当該事項を社員総会に報告することを要しないことにつき社員の全員が書面又は電磁的記録により同意の意思表示をしたときは、当該事項の社員総会への報告があったものとみなす。

第２款　社員総会以外の機関の設置

（社員総会以外の機関の設置）

第60条　一般社団法人には、１人又は２人以上の理事を置かなければならない。

2　一般社団法人は、定款の定めによって、理事会、監事又は会計監査人を置くことができる。

（監事の設置義務）

第61条　理事会設置一般社団法人及び会計監査人設置一般社団法人は、監事を置かなければならない。

（会計監査人の設置義務）

第62条　大規模一般社団法人は、会計監査人を置かなければならない。

第３款　役員等の選任及び解任

（選任）

第63条　役員（理事及び監事をいう。以下この款において同じ。）及び会計監査人は、社員総会の決議によって選任する。

2　前項の決議をする場合には、法務省令で定めるところにより、役員が欠けた場合又はこの法律若しくは定款で定めた役員の員数を欠くこととなるときに備えて補欠の役員を選任することができる。

（一般社団法人と役員等との関係）

第64条　一般社団法人と役員及び会計監査人との関係は、委任に関する規定に従う。

（役員の資格等）

第65条　次に掲げる者は、役員となることができない。

一　法人

二　成年被後見人若しくは被保佐人又は外国の法令上これらと同様に取り扱われている者

三　この法律若しくは会社法（平成17年法律第86号）の規定に違反し、又は民事再生法（平成11年法律第225号）第255条、第256条、第258条から第260条まで若しくは第262条の罪、外国倒産処理手続の承認援助に関する法律（平成12年法律第129号）第65条、第66条、第68条若しくは第69条の罪、会社更生法（平成14年法律第154号）第266条、第267条、第269条から第271条まで若しくは第273条の罪若しくは破産法（平成16年法律第75号）第265条、第266条、第268条から第272条まで若しくは第274条の罪を犯し、刑に処せられ、その執行を終わり、又はその執行を受けることがなくなった日から２年を経過しない者

四　前号に規定する法律の規定以外の法令の規定に違反し、禁錮以上の刑に処せられ、その執行を終わるまで又はその執行を受けることがなくなるまでの者（刑の執行猶予中の者を除く。）

2　監事は、一般社団法人又はその子法人の理事又は使

用人を兼ねることができない。

3　理事会設置一般社団法人においては、理事は、3人以上でなければならない。

（理事の任期）

第66条　理事の任期は、選任後2年以内に終了する事業年度のうち最終のものに関する定時社員総会の終結の時までとする。ただし、定款又は社員総会の決議によって、その任期を短縮することを妨げない。

（監事の任期）

第67条　監事の任期は、選任後4年以内に終了する事業年度のうち最終のものに関する定時社員総会の終結の時までとする。ただし、定款によって、その任期を選任後2年以内に終了する事業年度のうち最終のものに関する定時社員総会の終結の時までとすることを限度として短縮することを妨げない。

2　前項の規定は、定款によって、任期の満了前に退任した監事の補欠として選任された監事の任期を退任した監事の任期の満了する時までとすることを妨げない。

3　前2項の規定にかかわらず、監事を置く旨の定款の定めを廃止する定款の変更をした場合には、監事の任期は、当該定款の変更の効力が生じた時に満了する。

（会計監査人の資格等）

第68条　会計監査人は、公認会計士（外国公認会計士（公認会計士法（昭和23年法律第103号）第16条の2第5項に規定する外国公認会計士をいう。）を含む。以下同じ。）又は監査法人でなければならない。

2　会計監査人に選任された監査法人は、その社員の中から会計監査人の職務を行うべき者を選定し、これを一般社団法人に通知しなければならない。この場合においては、次項第2号に掲げる者を選定することはできない。

3　次に掲げる者は、会計監査人となることができない。

一　公認会計士法の規定により、第123条第2項に規定する計算書類について監査をすることができない者

二　一般社団法人の子法人若しくはその理事若しくは監事から公認会計士若しくは監査法人の業務以外の業務により継続的な報酬を受けている者又はその配偶者

三　監査法人でその社員の半数以上が前号に掲げる者であるもの

（会計監査人の任期）

第69条　会計監査人の任期は、選任後1年以内に終了する事業年度のうち最終のものに関する定時社員総会の終結の時までとする。

2　会計監査人は、前項の定時社員総会において別段の決議がされなかったときは、当該定時社員総会において再任されたものとみなす。

3　前2項の規定にかかわらず、会計監査人設置一般社団法人が会計監査人を置く旨の定款の定めを廃止する定款の変更をした場合には、会計監査人の任期は、当該定款の変更の効力が生じた時に満了する。

（解任）

第70条　役員及び会計監査人は、いつでも、社員総会の決議によって解任することができる。

2　前項の規定により解任された者は、その解任について正当な理由がある場合を除き、一般社団法人に対し、解任によって生じた損害の賠償を請求することができる。

（監事による会計監査人の解任）

第71条　監事は、会計監査人が次のいずれかに該当するときは、その会計監査人を解任することができる。

一　職務上の義務に違反し、又は職務を怠ったとき。

二　会計監査人としてふさわしくない非行があったとき。

三　心身の故障のため、職務の執行に支障があり、又はこれに堪えないとき。

2　前項の規定による解任は、監事が2人以上ある場合には、監事の全員の同意によって行わなければならない。

3　第1項の規定により会計監査人を解任したときは、監事（監事が2人以上ある場合にあっては、監事の互選によって定めた監事）は、その旨及び解任の理由を解任後最初に招集される社員総会に報告しなければならない。

（監事の選任に関する監事の同意等）

第72条　理事は、監事がある場合において、監事の選任に関する議案を社員総会に提出するには、監事（監事が2人以上ある場合にあっては、その過半数）の同意を得なければならない。

2　監事は、理事に対し、監事の選任を社員総会の目的とすること又は監事の選任に関する議案を社員総会に提出することを請求することができる。

（会計監査人の選任等に関する議案の内容の決定）

第73条　監事設置一般社団法人においては、社員総会に提出する会計監査人の選任及び解任並びに会計監査人を再任しないことに関する議案の内容は、監事が決定する。

2　監事が2人以上ある場合における前項の規定の適用については、同項中「監事が」とあるのは、「監事の過半数をもって」とする。

（監事等の選任等についての意見の陳述）

第74条　監事は、社員総会において、監事の選任若しくは解任又は辞任について意見を述べることができる。

2　監事を辞任した者は、辞任後最初に招集される社員総会に出席して、辞任した旨及びその理由を述べることができる。

3　理事は、前項の者に対し、同項の社員総会を招集する旨及び第38条第1項第1号に掲げる事項を通知しなければならない。

4　第1項の規定は会計監査人について、前2項の規定は会計監査人を辞任した者及び第71条第1項の規定により会計監査人を解任された者について、それぞれ準用する。この場合において、第1項中「社員総会において、監事の選任若しくは解任又は辞任について」とあるのは「会計監査人の選任、解任若しくは不再任又

は辞任について、社員総会に出席して」と、第2項中「辞任後」とあるのは「解任後又は辞任後」と、「辞任した旨及びその理由」とあるのは「辞任した旨及びその理由又は解任についての意見」と読み替えるものとする。

（役員等に欠員を生じた場合の措置）

第75条　役員が欠けた場合又はこの法律若しくは定款で定めた役員の員数が欠けた場合には、任期の満了又は辞任により退任した役員は、新たに選任された役員（次項の一時役員の職務を行うべき者を含む。）が就任するまで、なお役員としての権利義務を有する。

2　前項に規定する場合において、裁判所は、必要があると認めるときは、利害関係人の申立てにより、一時役員の職務を行うべき者を選任することができる。

3　裁判所は、前項の一時役員の職務を行うべき者を選任した場合には、一般社団法人がその者に対して支払う報酬の額を定めることができる。

4　会計監査人が欠けた場合又は定款で定めた会計監査人の員数が欠けた場合において、遅滞なく会計監査人が選任されないときは、監事は、一時会計監査人の職務を行うべき者を選任しなければならない。

5　第68条及び第71条の規定は、前項の一時会計監査人の職務を行うべき者について準用する。

　　　　　第4款　理事

（業務の執行）

第76条　理事は、定款に別段の定めがある場合を除き、一般社団法人（理事会設置一般社団法人を除く。以下この条において同じ。）の業務を執行する。

2　理事が2人以上ある場合には、一般社団法人の業務は、定款に別段の定めがある場合を除き、理事の過半数をもって決定する。

3　前項の場合には、理事は、次に掲げる事項についての決定を各理事に委任することができない。

　一　従たる事務所の設置、移転及び廃止

　二　第38条第1項各号に掲げる事項

　三　理事の職務の執行が法令及び定款に適合することを確保するための体制その他一般社団法人の業務の適正を確保するために必要なものとして法務省令で定める体制の整備

　四　第114条第1項の規定による定款の定めに基づく第111条第1項の責任の免除

4　大規模一般社団法人においては、理事は、前項第3号に掲げる事項を決定しなければならない。

（一般社団法人の代表）

第77条　理事は、一般社団法人を代表する。ただし、他に代表理事その他一般社団法人を代表する者を定めた場合は、この限りでない。

2　前項本文の理事が2人以上ある場合には、理事は、各自、一般社団法人を代表する。

3　一般社団法人（理事会設置一般社団法人を除く。）は、定款、定款の定めに基づく理事の互選又は社員総会の決議によって、理事の中から代表理事を定めることができる。

4　代表理事は、一般社団法人の業務に関する一切の裁判上又は裁判外の行為をする権限を有する。

5　前項の権限に加えた制限は、善意の第3者に対抗することができない。

（代表者の行為についての損害賠償責任）

第78条　一般社団法人は、代表理事その他の代表者がその職務を行うについて第3者に加えた損害を賠償する責任を負う。

（代表理事に欠員を生じた場合の措置）

第79条　代表理事が欠けた場合又は定款で定めた代表理事の員数が欠けた場合には、任期の満了又は辞任により退任した代表理事は、新たに選定された代表理事（次項の一時代表理事の職務を行うべき者を含む。）が就任するまで、なお代表理事としての権利義務を有する。

2　前項に規定する場合において、裁判所は、必要があると認めるときは、利害関係人の申立てにより、一時代表理事の職務を行うべき者を選任することができる。

3　裁判所は、前項の一時代表理事の職務を行うべき者を選任した場合には、一般社団法人がその者に対して支払う報酬の額を定めることができる。

（理事の職務を代行する者の権限）

第80条　民事保全法（平成元年法律第91号）第56条に規定する仮処分命令により選任された理事又は代表理事の職務を代行する者は、仮処分命令に別段の定めがある場合を除き、一般社団法人の常務に属しない行為をするには、裁判所の許可を得なければならない。

2　前項の規定に違反して行った理事又は代表理事の職務を代行する者の行為は、無効とする。ただし、一般社団法人は、これをもって善意の第3者に対抗することができない。

（一般社団法人と理事との間の訴えにおける法人の代表）

第81条　第77条第4項の規定にかかわらず、一般社団法人が理事（理事であった者を含む。以下この条において同じ。）に対し、又は理事が一般社団法人に対して訴えを提起する場合には、社員総会は、当該訴えについて一般社団法人を代表する者を定めることができる。

（表見代表理事）

第82条　一般社団法人は、代表理事以外の理事に理事長その他一般社団法人を代表する権限を有するものと認められる名称を付した場合には、当該理事がした行為について、善意の第3者に対してその責任を負う。

（忠実義務）

第83条　理事は、法令及び定款並びに社員総会の決議を遵守し、一般社団法人のため忠実にその職務を行わなければならない。

（競業及び利益相反取引の制限）

第84条　理事は、次に掲げる場合には、社員総会において、当該取引につき重要な事実を開示し、その承認を受けなければならない。

　一　理事が自己又は第3者のために一般社団法人の事

業の部類に属する取引をしようとするとき。
二　理事が自己又は第3者のために一般社団法人と取引をしようとするとき。
三　一般社団法人が理事の債務を保証することその他理事以外の者との間において一般社団法人と当該理事との利益が相反する取引をしようとするとき。
2　民法（明治29年法律第89号）第108条の規定は、前項の承認を受けた同項第2号の取引については、適用しない。
（理事の報告義務）
第85条　理事は、一般社団法人に著しい損害を及ぼすおそれのある事実があることを発見したときは、直ちに、当該事実を社員（監事設置一般社団法人にあっては、監事）に報告しなければならない。
（業務の執行に関する検査役の選任）
第86条　一般社団法人の業務の執行に関し、不正の行為又は法令若しくは定款に違反する重大な事実があることを疑うに足りる事由があるときは、総社員の議決権の10分の1（これを下回る割合を定款で定めた場合にあっては、その割合）以上の議決権を有する社員は、当該一般社団法人の業務及び財産の状況を調査させるため、裁判所に対し、検査役の選任の申立てをすることができる。
2　前項の申立てがあった場合には、裁判所は、これを不適法として却下する場合を除き、検査役を選任しなければならない。
3　裁判所は、前項の検査役を選任した場合には、一般社団法人が当該検査役に対して支払う報酬の額を定めることができる。
4　第2項の検査役は、その職務を行うため必要があるときは、一般社団法人の子法人の業務及び財産の状況を調査することができる。
5　第2項の検査役は、必要な調査を行い、当該調査の結果を記載し、又は記録した書面又は電磁的記録（法務省令で定めるものに限る。）を裁判所に提供して報告をしなければならない。
6　裁判所は、前項の報告について、その内容を明瞭にし、又はその根拠を確認するため必要があると認めるときは、第2項の検査役に対し、更に前項の報告を求めることができる。
7　第2項の検査役は、第5項の報告をしたときは、一般社団法人及び検査役の選任の申立てをした社員に対し、同項の書面の写しを交付し、又は同項の電磁的記録に記録された事項を法務省令で定める方法により提供しなければならない。
（裁判所による社員総会招集等の決定）
第87条　裁判所は、前条第5項の報告があった場合において、必要があると認めるときは、理事に対し、次に掲げる措置の全部又は一部を命じなければならない。
一　一定の期間内に社員総会を招集すること。
二　前条第5項の調査の結果を社員に通知すること。
2　裁判所が前項第1号に掲げる措置を命じた場合には、理事は、前条第5項の報告の内容を同号の社員総会に

おいて開示しなければならない。
3　前項に規定する場合には、理事（監事設置一般社団法人にあっては、理事及び監事）は、前条第5項の報告の内容を調査し、その結果を第1項第1号の社員総会に報告しなければならない。
（社員による理事の行為の差止め）
第88条　社員は、理事が一般社団法人の目的の範囲外の行為その他法令若しくは定款に違反する行為をし、又はこれらの行為をするおそれがある場合において、当該行為によって当該一般社団法人に著しい損害が生ずるおそれがあるときは、当該理事に対し、当該行為をやめることを請求することができる。
2　監事設置一般社団法人における前項の規定の適用については、同項中「著しい損害」とあるのは、「回復することができない損害」とする。
（理事の報酬等）
第89条　理事の報酬等（報酬、賞与その他の職務執行の対価として一般社団法人等から受ける財産上の利益をいう。以下同じ。）は、定款にその額を定めていないときは、社員総会の決議によって定める。

第5款　理事会

（理事会の権限等）
第90条　理事会は、すべての理事で組織する。
2　理事会は、次に掲げる職務を行う。
一　理事会設置一般社団法人の業務執行の決定
二　理事の職務の執行の監督
三　代表理事の選定及び解職
3　理事会は、理事の中から代表理事を選定しなければならない。
4　理事会は、次に掲げる事項その他の重要な業務執行の決定を理事に委任することができない。
一　重要な財産の処分及び譲受け
二　多額の借財
三　重要な使用人の選任及び解任
四　従たる事務所その他の重要な組織の設置、変更及び廃止
五　理事の職務の執行が法令及び定款に適合することを確保するための体制その他一般社団法人の業務の適正を確保するために必要なものとして法務省令で定める体制の整備
六　第114条第1項の規定による定款の定めに基づく第111条第1項の責任の免除
5　大規模一般社団法人である理事会設置一般社団法人においては、理事会は、前項第5号に掲げる事項を決定しなければならない。
（理事会設置一般社団法人の理事の権限）
第91条　次に掲げる理事は、理事会設置一般社団法人の業務を執行する。
一　代表理事
二　代表理事以外の理事であって、理事会の決議によって理事会設置一般社団法人の業務を執行する理事として選定されたもの

2　前項各号に掲げる理事は、３箇月に１回以上、自己の職務の執行の状況を理事会に報告しなければならない。ただし、定款で毎事業年度に４箇月を超える間隔で２回以上その報告をしなければならない旨を定めた場合は、この限りでない。

（競業及び理事会設置一般社団法人との取引等の制限）

第92条　理事会設置一般社団法人における第84条の規定の適用については、同条第１項中「社員総会」とあるのは、「理事会」とする。

2　理事会設置一般社団法人においては、第84条第１項各号の取引をした理事は、当該取引後、遅滞なく、当該取引についての重要な事実を理事会に報告しなければならない。

（招集権者）

第93条　理事会は、各理事が招集する。ただし、理事会を招集する理事を定款又は理事会で定めたときは、その理事が招集する。

2　前項ただし書に規定する場合には、同項ただし書の規定により定められた理事（以下この項及び第101条第２項において「招集権者」という。）以外の理事は、招集権者に対し、理事会の目的である事項を示して、理事会の招集を請求することができる。

3　前項の規定による請求があった日から５日以内に、その請求があった日から２週間以内の日を理事会の日とする理事会の招集の通知が発せられない場合には、その請求をした理事は、理事会を招集することができる。

（招集手続）

第94条　理事会を招集する者は、理事会の日の１週間（これを下回る期間を定款で定めた場合にあっては、その期間）前までに、各理事及び各監事に対してその通知を発しなければならない。

2　前項の規定にかかわらず、理事会は、理事及び監事の全員の同意があるときは、招集の手続を経ることなく開催することができる。

（理事会の決議）

第95条　理事会の決議は、議決に加わることができる理事の過半数（これを上回る割合を定款で定めた場合にあっては、その割合以上）が出席し、その過半数（これを上回る割合を定款で定めた場合にあっては、その割合以上）をもって行う。

2　前項の決議について特別の利害関係を有する理事は、議決に加わることができない。

3　理事会の議事については、法務省令で定めるところにより、議事録を作成し、議事録が書面をもって作成されているときは、出席した理事（定款で議事録に署名し、又は記名押印しなければならない者を当該理事会に出席した代表理事とする旨の定めがある場合にあっては、当該代表理事）及び監事は、これに署名し、又は記名押印しなければならない。

4　前項の議事録が電磁的記録をもって作成されている場合における当該電磁的記録に記録された事項については、法務省令で定める署名又は記名押印に代わる措置をとらなければならない。

5　理事会の決議に参加した理事であって第３項の議事録に異議をとどめないものは、その決議に賛成したものと推定する。

（理事会の決議の省略）

第96条　理事会設置一般社団法人は、理事が理事会の決議の目的である事項について提案をした場合において、当該提案につき理事（当該事項について議決に加わることができるものに限る。）の全員が書面又は電磁的記録により同意の意思表示をしたとき（監事が当該提案について異議を述べたときを除く。）は、当該提案を可決する旨の理事会の決議があったものとみなす旨を定款で定めることができる。

（議事録等）

第97条　理事会設置一般社団法人は、理事会の日（前条の規定により理事会の決議があったものとみなされた日を含む。）から10年間、第95条第３項の議事録又は前条の意思表示を記載し、若しくは記録した書面若しくは電磁的記録（以下この条において「議事録等」という。）をその主たる事務所に備え置かなければならない。

2　社員は、その権利を行使するため必要があるときは、裁判所の許可を得て、次に掲げる請求をすることができる。

一　前項の議事録等が書面をもって作成されているときは、当該書面の閲覧又は謄写の請求

二　前項の議事録等が電磁的記録をもって作成されているときは、当該電磁的記録に記録された事項を法務省令で定める方法により表示したものの閲覧又は謄写の請求

3　債権者は、理事又は監事の責任を追及するため必要があるときは、裁判所の許可を得て、第１項の議事録等について前項各号に掲げる請求をすることができる。

4　裁判所は、前２項の請求に係る閲覧又は謄写をすることにより、当該理事会設置一般社団法人に著しい損害を及ぼすおそれがあると認めるときは、前２項の許可をすることができない。

（理事会への報告の省略）

第98条　理事、監事又は会計監査人が理事及び監事の全員に対して理事会に報告すべき事項を通知したときは、当該事項を理事会へ報告することを要しない。

2　前項の規定は、第91条第２項の規定による報告については、適用しない。

第６款　監事

（監事の権限）

第99条　監事は、理事の職務の執行を監査する。この場合において、監事は、法務省令で定めるところにより、監査報告を作成しなければならない。

2　監事は、いつでも、理事及び使用人に対して事業の報告を求め、又は監事設置一般社団法人の業務及び財産の状況の調査をすることができる。

3　監事は、その職務を行うため必要があるときは、監

事設置一般社団法人の子法人に対して事業の報告を求め、又はその子法人の業務及び財産の状況の調査をすることができる。

4　前項の子法人は、正当な理由があるときは、同項の報告又は調査を拒むことができる。

（理事への報告義務）

第100条　監事は、理事が不正の行為をし、若しくは当該行為をするおそれがあると認めるとき、又は法令若しくは定款に違反する事実若しくは著しく不当な事実があると認めるときは、遅滞なく、その旨を理事（理事会設置一般社団法人にあっては、理事会）に報告しなければならない。

（理事会への出席義務等）

第101条　監事は、理事会に出席し、必要があると認めるときは、意見を述べなければならない。

2　監事は、前条に規定する場合において、必要があると認めるときは、理事（第93条第1項ただし書に規定する場合にあっては、招集権者）に対し、理事会の招集を請求することができる。

3　前項の規定による請求があった日から5日以内に、その請求があった日から2週間以内の日を理事会の日とする理事会の招集の通知が発せられない場合は、その請求をした監事は、理事会を招集することができる。

（社員総会に対する報告義務）

第102条　監事は、理事が社員総会に提出しようとする議案、書類その他法務省令で定めるものを調査しなければならない。この場合において、法令若しくは定款に違反し、又は著しく不当な事項があると認めるときは、その調査の結果を社員総会に報告しなければならない。

（監事による理事の行為の差止め）

第103条　監事は、理事が監事設置一般社団法人の目的の範囲外の行為その他法令若しくは定款に違反する行為をし、又はこれらの行為をするおそれがある場合において、当該行為によって当該監事設置一般社団法人に著しい損害が生ずるおそれがあるときは、当該理事に対し、当該行為をやめることを請求することができる。

2　前項の場合において、裁判所が仮処分をもって同項の理事に対し、その行為をやめることを命ずるときは、担保を立てさせないものとする。

（監事設置一般社団法人と理事との間の訴えにおける法人の代表）

第104条　第77条第4項及び第81条の規定にかかわらず、監事設置一般社団法人が理事（理事であった者を含む。以下この条において同じ。）に対し、又は理事が監事設置一般社団法人に対して訴えを提起する場合には、当該訴えについては、監事が監事設置一般社団法人を代表する。

2　第77条第4項の規定にかかわらず、次に掲げる場合には、監事が監事設置一般社団法人を代表する。

一　監事設置一般社団法人が第278条第1項の訴えの提起の請求（理事の責任を追及する訴えの提起の請

求に限る。）を受ける場合

二　監事設置一般社団法人が第280条第3項の訴訟告知（理事の責任を追及する訴えに係るものに限る。）並びに第281条第2項の規定による通知及び催告（理事の責任を追及する訴えに係る訴訟における和解に関するものに限る。）を受ける場合

（監事の報酬等）

第105条　監事の報酬等は、定款にその額を定めていないときは、社員総会の決議によって定める。

2　監事が2人以上ある場合において、各監事の報酬等について定款の定め又は社員総会の決議がないときは、当該報酬等は、前項の報酬等の範囲内において、監事の協議によって定める。

3　監事は、社員総会において、監事の報酬等について意見を述べることができる。

（費用等の請求）

第106条　監事がその職務の執行について監事設置一般社団法人に対して次に掲げる請求をしたときは、当該監事設置一般社団法人は、当該請求に係る費用又は債務が当該監事の職務の執行に必要でないことを証明した場合を除き、これを拒むことができない。

一　費用の前払の請求

二　支出した費用及び支出の日以後におけるその利息の償還の請求

三　負担した債務の債権者に対する弁済（当該債務が弁済期にない場合にあっては、相当の担保の提供）の請求

　　　　第7款　会計監査人

（会計監査人の権限等）

第107条　会計監査人は、次節の定めるところにより、一般社団法人の計算書類（第123条第2項に規定する計算書類をいう。第117条第2項第1号イにおいて同じ。）及びその附属明細書を監査する。この場合において、会計監査人は、法務省令で定めるところにより、会計監査報告を作成しなければならない。

2　会計監査人は、いつでも、次に掲げるものの閲覧及び謄写をし、又は理事及び使用人に対し、会計に関する報告を求めることができる。

一　会計帳簿又はこれに関する資料が書面をもって作成されているときは、当該書面

二　会計帳簿又はこれに関する資料が電磁的記録をもって作成されているときは、当該電磁的記録に記録された事項を法務省令で定める方法により表示したもの

3　会計監査人は、その職務を行うため必要があるときは、会計監査人設置一般社団法人の子法人に対して会計に関する報告を求め、又は会計監査人設置一般社団法人若しくはその子法人の業務及び財産の状況の調査をすることができる。

4　前項の子法人は、正当な理由があるときは、同項の報告又は調査を拒むことができる。

5　会計監査人は、その職務を行うに当たっては、次の

いずれかに該当する者を使用してはならない。
一　第68条第3項第1号又は第2号に掲げる者
二　会計監査人設置一般社団法人又はその子法人の理事、監事又は使用人である者
三　会計監査人設置一般社団法人又はその子法人から公認会計士又は監査法人の業務以外の業務により継続的な報酬を受けている者

（監事に対する報告）

第108条　会計監査人は、その職務を行うに際して理事の職務の執行に関し不正の行為又は法令若しくは定款に違反する重大な事実があることを発見したときは、遅滞なく、これを監事に報告しなければならない。

2　監事は、その職務を行うため必要があるときは、会計監査人に対し、その監査に関する報告を求めることができる。

（定時社員総会における会計監査人の意見の陳述）

第109条　第107条第1項に規定する書類が法令又は定款に適合するかどうかについて会計監査人が監事と意見を異にするときは、会計監査人（会計監査人が監査法人である場合にあっては、その職務を行うべき社員。次項において同じ。）は、定時社員総会に出席して意見を述べることができる。

2　定時社員総会において会計監査人の出席を求める決議があったときは、会計監査人は、定時社員総会に出席して意見を述べなければならない。

（会計監査人の報酬等の決定に関する監事の関与）

第110条　理事は、会計監査人又は一時会計監査人の職務を行うべき者の報酬等を定める場合には、監事（監事が2人以上ある場合にあっては、その過半数）の同意を得なければならない。

　　　　第8款　役員等の損害賠償責任

（役員等の一般社団法人に対する損害賠償責任）

第111条　理事、監事又は会計監査人（以下この款及び第301条第2項第11号において「役員等」という。）は、その任務を怠ったときは、一般社団法人に対し、これによって生じた損害を賠償する責任を負う。

2　理事が第84条第1項の規定に違反して同項第1号の取引をしたときは、当該取引によって理事又は第三者が得た利益の額は、前項の損害の額と推定する。

3　第84条第1項第2号又は第3号の取引によって一般社団法人に損害が生じたときは、次に掲げる理事は、その任務を怠ったものと推定する。
一　第84条第1項の理事
二　一般社団法人が当該取引をすることを決定した理事
三　当該取引に関する理事会の承認の決議に賛成した理事

（一般社団法人に対する損害賠償責任の免除）

第112条　前条第1項の責任は、総社員の同意がなければ、免除することができない。

（責任の一部免除）

第113条　前条の規定にかかわらず、役員等の第111条第1項の責任は、当該役員等が職務を行うにつき善意でかつ重大な過失がないときは、第1号に掲げる額から第2号に掲げる額（第115条第1項において「最低責任限度額」という。）を控除して得た額を限度として、社員総会の決議によって免除することができる。
一　賠償の責任を負う額
二　当該役員等がその在職中に一般社団法人から職務執行の対価として受け、又は受けるべき財産上の利益の1年間当たりの額に相当する額として法務省令で定める方法により算定される額に、次のイからハまでに掲げる役員等の区分に応じ、当該イからハまでに定める数を乗じて得た額
イ　代表理事　6
ロ　代表理事以外の理事であって、次に掲げるもの　4
(1)　理事会の決議によって一般社団法人の業務を執行する理事として選定されたもの
(2)　当該一般社団法人の業務を執行した理事（(1)に掲げる理事を除く。）
(3)　当該一般社団法人の使用人
ハ　理事（イ及びロに掲げるものを除く。）、監事又は会計監査人　2

2　前項の場合には、理事は、同項の社員総会において次に掲げる事項を開示しなければならない。
一　責任の原因となった事実及び賠償の責任を負う額
二　前項の規定により免除することができる額の限度及びその算定の根拠
三　責任を免除すべき理由及び免除額

3　監事設置一般社団法人においては、理事は、第111条第1項の責任の免除（理事の責任の免除に限る。）に関する議案を社員総会に提出するには、監事（監事が2人以上ある場合にあっては、各監事）の同意を得なければならない。

4　第1項の決議があった場合において、一般社団法人が当該決議後に同項の役員等に対し退職慰労金その他の法務省令で定める財産上の利益を与えるときは、社員総会の承認を受けなければならない。

（理事等による免除に関する定款の定め）

第114条　第112条の規定にかかわらず、監事設置一般社団法人（理事が2人以上ある場合に限る。）は、第111条第1項の責任について、役員等が職務を行うにつき善意でかつ重大な過失がない場合において、責任の原因となった事実の内容、当該役員等の職務の執行の状況その他の事情を勘案して特に必要と認めるときは、前条第1項の規定により免除することができる額を限度として理事（当該責任を負う理事を除く。）の過半数の同意（理事会設置一般社団法人にあっては、理事会の決議）によって免除することができる旨を定款で定めることができる。

2　前条第3項の規定は、定款を変更して前項の規定による定款の定め（理事の責任を免除することができる旨の定めに限る。）を設ける議案を社員総会に提出する場合、同項の規定による定款の定めに基づく責任の免除（理事の責任の免除に限る。）についての理事の

同意を得る場合及び当該責任の免除に関する議案を理事会に提出する場合について準用する。

3 第1項の規定による定款の定めに基づいて役員等の責任を免除する旨の同意（理事会設置一般社団法人にあっては、理事会の決議）を行ったときは、理事は、遅滞なく、前条第2項各号に掲げる事項及び責任を免除することに異議がある場合には一定の期間内に当該異議を述べるべき旨を社員に通知しなければならない。ただし、当該期間は、1箇月を下ることができない。

4 総社員（前項の責任を負う役員等であるものを除く。）の議決権の10分の1（これを下回る割合を定款で定めた場合にあっては、その割合）以上の議決権を有する社員が同項の期間内に同項の異議を述べたときは、一般社団法人は、第1項の規定による定款の定めに基づく免除をしてはならない。

5 前条第4項の規定は、第1項の規定による定款の定めに基づき責任を免除した場合について準用する。

（責任限定契約）

第115条 第112条の規定にかかわらず、一般社団法人は、理事（業務執行理事（代表理事、代表理事以外の理事であって理事会の決議によって一般社団法人の業務を執行する理事として選定されたもの及び当該一般社団法人の業務を執行したその他の理事をいう。次項及び第141条第3項において同じ。）又は当該一般社団法人の使用人でないものに限る。）、監事又は会計監査人（以下この条及び第301条第2項第12号において「非業務執行理事等」という。）の第111条第1項の責任について、当該非業務執行理事等が職務を行うにつき善意でかつ重大な過失がないときは、定款で定めた額の範囲内であらかじめ一般社団法人が定めた額と最低責任限度額とのいずれか高い額を限度とする旨の契約を非業務執行理事等と締結することができる旨を定款で定めることができる。

2 前項の契約を締結した非業務執行理事等が当該一般社団法人の業務執行理事又は使用人に就任したときは、当該契約は、将来に向かってその効力を失う。

3 第113条第3項の規定は、定款を変更して第1項の規定による定款の定め（同項に規定する理事と契約を締結することができる旨の定めに限る。）を設ける議案を社員総会に提出する場合について準用する。

4 第1項の契約を締結した一般社団法人が、当該契約の相手方である非業務執行理事等が任務を怠ったことにより損害を受けたことを知ったときは、その後最初に招集される社員総会において次に掲げる事項を開示しなければならない。

一 第113条第2項第1号及び第2号に掲げる事項
二 当該契約の内容及び当該契約を締結した理由
三 第111条第1項の損害のうち、当該非業務執行理事等が賠償する責任を負わないとされた額

5 第113条第4項の規定は、非業務執行理事等が第1項の契約によって同項に規定する限度を超える部分について損害を賠償する責任を負わないとされた場合について準用する。

（理事が自己のためにした取引に関する特則）

第116条 第84条第1項第2号の取引（自己のためにした取引に限る。）をした理事の第111条第1項の責任は、任務を怠ったことが当該理事の責めに帰することができない事由によるものであることをもって免れることができない。

2 前3条の規定は、前項の責任については、適用しない。

（役員等の第3者に対する損害賠償責任）

第117条 役員等がその職務を行うについて悪意又は重大な過失があったときは、当該役員等は、これによって第3者に生じた損害を賠償する責任を負う。

2 次の各号に掲げる者が、当該各号に定める行為をしたときも、前項と同様とする。ただし、その者が当該行為をすることについて注意を怠らなかったことを証明したときは、この限りでない。

一 理事 次に掲げる行為
イ 計算書類及び事業報告並びにこれらの附属明細書に記載し、又は記録すべき重要な事項についての虚偽の記載又は記録
ロ 基金（第131条に規定する基金をいう。）を引き受ける者の募集をする際に通知しなければならない重要な事項についての虚偽の通知又は当該募集のための当該一般社団法人の事業その他の事項に関する説明に用いた資料についての虚偽の記載若しくは記録
ハ 虚偽の登記
ニ 虚偽の公告（第128条第3項に規定する措置を含む。）
二 監事 監査報告に記載し、又は記録すべき重要な事項についての虚偽の記載又は記録
三 会計監査人 会計監査報告に記載し、又は記録すべき重要な事項についての虚偽の記載又は記録

（役員等の連帯責任）

第118条 役員等が一般社団法人又は第3者に生じた損害を賠償する責任を負う場合において、他の役員等も当該損害を賠償する責任を負うときは、これらの者は、連帯債務者とする。

第3章 一般財団法人

第2節 機関

第1款 機関の設置

（機関の設置）

第170条 一般財団法人は、評議員、評議員会、理事、理事会及び監事を置かなければならない。

2 一般財団法人は、定款の定めによって、会計監査人を置くことができる。

（会計監査人の設置義務）

第171条 大規模一般財団法人は、会計監査人を置かなければならない。

第2款　評議員等の選任及び解任

（一般財団法人と評議員等との関係）

第172条　一般財団法人と評議員、理事、監事及び会計監査人との関係は、委任に関する規定に従う。

2　理事は、一般財団法人の財産のうち一般財団法人の目的である事業を行うために不可欠なものとして定款で定めた基本財産があるときは、定款で定めるところにより、これを維持しなければならず、かつ、これについて一般財団法人の目的である事業を行うことを妨げることとなる処分をしてはならない。

（評議員の資格等）

第173条　第65条第1項の規定は、評議員について準用する。

2　評議員は、一般財団法人又はその子法人の理事、監事又は使用人を兼ねることができない。

3　評議員は、3人以上でなければならない。

（評議員の任期）

第174条　評議員の任期は、選任後4年以内に終了する事業年度のうち最終のものに関する定時評議員会の終結の時までとする。ただし、定款によって、その任期を選任後6年以内に終了する事業年度のうち最終のものに関する定時評議員会の終結の時まで伸長することを妨げない。

2　前項の規定は、定款によって、任期の満了前に退任した評議員の補欠として選任された評議員の任期を退任した評議員の任期の満了する時までとすることを妨げない。

（評議員に欠員を生じた場合の措置）

第175条　この法律又は定款で定めた評議員の員数が欠けた場合には、任期の満了又は辞任により退任した評議員は、新たに選任された評議員（次項の一時評議員の職務を行うべき者を含む。）が就任するまで、なお評議員としての権利義務を有する。

2　前項に規定する場合において、裁判所は、必要があると認めるときは、利害関係人の申立てにより、一時評議員の職務を行うべき者を選任することができる。

3　裁判所は、前項の一時評議員の職務を行うべき者を選任した場合には、一般財団法人がその者に対して支払う報酬の額を定めることができる。

（理事、監事又は会計監査人の解任）

第176条　理事又は監事が次のいずれかに該当するときは、評議員会の決議によって、その理事又は監事を解任することができる。

一　職務上の義務に違反し、又は職務を怠ったとき。

二　心身の故障のため、職務の執行に支障があり、又はこれに堪えないとき。

2　会計監査人が第71条第1項各号のいずれかに該当するときは、評議員会の決議によって、その会計監査人を解任することができる。

（一般社団法人に関する規定の準用）

第177条　前章第3節第3款（第64条、第67条第3項及び第70条を除く。）の規定は、一般財団法人の理事、監事及び会計監査人の選任及び解任について準用する。この場合において、これらの規定（第66条ただし書を除く。）中「社員総会」とあるのは「評議員会」と、第66条ただし書中「定款又は社員総会の決議によって」とあるのは「定款によって」と、第68条第3項第1号中「第123条第2項」とあるのは「第199条において準用する第123条第2項」と、第74条第3項中「第38条第1項第1号」とあるのは「第181条第1項第1号」と読み替えるものとする。

第3款　評議員及び評議員会

（評議員会の権限等）

第178条　評議員会は、すべての評議員で組織する。

2　評議員会は、この法律に規定する事項及び定款で定めた事項に限り、決議をすることができる。

3　この法律の規定により評議員会の決議を必要とする事項について、理事、理事会その他の評議員会以外の機関が決定することができることを内容とする定款の定めは、その効力を有しない。

（評議員会の招集）

第179条　定時評議員会は、毎事業年度の終了後一定の時期に招集しなければならない。

2　評議員会は、必要がある場合には、いつでも、招集することができる。

3　評議員会は、次条第2項の規定により招集する場合を除き、理事が招集する。

（評議員による招集の請求）

第180条　評議員は、理事に対し、評議員会の目的である事項及び招集の理由を示して、評議員会の招集を請求することができる。

2　次に掲げる場合には、前項の規定による請求をした評議員は、裁判所の許可を得て、評議員会を招集することができる。

一　前項の規定による請求の後遅滞なく招集の手続が行われない場合

二　前項の規定による請求があった日から6週間（これを下回る期間を定款で定めた場合にあっては、その期間）以内の日を評議員会の日とする評議員会の招集の通知が発せられない場合

（評議員会の招集の決定）

第181条　評議員会を招集する場合には、理事会の決議によって、次に掲げる事項を定めなければならない。

一　評議員会の日時及び場所

二　評議員会の目的である事項があるときは、当該事項

三　前2号に掲げるもののほか、法務省令で定める事項

2　前項の規定にかかわらず、前条第2項の規定により評議員が評議員会を招集する場合には、当該評議員は、前項各号に掲げる事項を定めなければならない。

（評議員会の招集の通知）

第182条　評議員会を招集するには、理事（第180条第2項の規定により評議員が評議員会を招集する場合にあ

っては、当該評議員。次項において同じ。）は、評議員会の日の1週間（これを下回る期間を定款で定めた場合にあっては、その期間）前までに、評議員に対して、書面でその通知を発しなければならない。

2　理事は、前項の書面による通知の発出に代えて、政令で定めるところにより、評議員の承諾を得て、電磁的方法により通知を発することができる。この場合において、当該理事は、同項の書面による通知を発したものとみなす。

3　前2項の通知には、前条第1項各号に掲げる事項を記載し、又は記録しなければならない。

（招集手続の省略）

第183条　前条の規定にかかわらず、評議員会は、評議員の全員の同意があるときは、招集の手続を経ることなく開催することができる。

（評議員提案権）

第184条　評議員は、理事に対し、一定の事項を評議員会の目的とすることを請求することができる。この場合において、その請求は、評議員会の日の4週間（これを下回る期間を定款で定めた場合にあっては、その期間）前までにしなければならない。

第185条　評議員は、評議員会において、評議員会の目的である事項につき議案を提出することができる。ただし、当該議案が法令若しくは定款に違反する場合又は実質的に同一の議案につき評議員会において議決に加わることができる評議員の10分の1（これを下回る割合を定款で定めた場合にあっては、その割合）以上の賛成を得られなかった日から3年を経過していない場合は、この限りでない。

第186条　評議員は、理事に対し、評議員会の日の4週間（これを下回る期間を定款で定めた場合にあっては、その期間）前までに、評議員会の目的である事項につき当該評議員が提出しようとする議案の要領を第182条第1項又は第2項の通知に記載し、又は記録して評議員に通知することを請求することができる。

2　前項の規定は、同項の議案が法令若しくは定款に違反する場合又は実質的に同一の議案につき評議員会において議決に加わることができる評議員の10分の1（これを下回る割合を定款で定めた場合にあっては、その割合）以上の賛成を得られなかった日から3年を経過していない場合には、適用しない。

（評議員会の招集手続等に関する検査役の選任）

第187条　一般財団法人又は評議員は、評議員会に係る招集の手続及び決議の方法を調査させるため、当該評議員会に先立ち、裁判所に対し、検査役の選任の申立てをすることができる。

2　前項の規定による検査役の選任の申立てがあった場合には、裁判所は、これを不適法として却下する場合を除き、検査役を選任しなければならない。

3　裁判所は、前項の検査役を選任した場合には、一般財団法人が当該検査役に対して支払う報酬の額を定めることができる。

4　第2項の検査役は、必要な調査を行い、当該調査の結果を記載し、又は記録した書面又は電磁的記録（法務省令で定めるものに限る。）を裁判所に提供して報告をしなければならない。

5　裁判所は、前項の報告について、その内容を明瞭にし、又はその根拠を確認するため必要があると認めるときは、第2項の検査役に対し、更に前項の報告を求めることができる。

6　第2項の検査役は、第4項の報告をしたときは、一般財団法人（検査役の選任の申立てをした者が当該一般財団法人でない場合にあっては、当該一般財団法人及びその者）に対し、同項の書面の写しを交付し、又は同項の電磁的記録に記録された事項を法務省令で定める方法により提供しなければならない。

（裁判所による評議員会招集等の決定）

第188条　裁判所は、前条第4項の報告があった場合において、必要があると認めるときは、理事に対し、次に掲げる措置の全部又は一部を命じなければならない。

一　一定の期間内に評議員会を招集すること。

二　前条第4項の調査の結果を評議員に通知すること。

2　裁判所が前項第1号に掲げる措置を命じた場合には、理事は、前条第4項の報告の内容を同号の評議員会において開示しなければならない。

3　前項に規定する場合には、理事及び監事は、前条第4項の報告の内容を調査し、その結果を第1項第1号の評議員会に報告しなければならない。

（評議員会の決議）

第189条　評議員会の決議は、議決に加わることができる評議員の過半数（これを上回る割合を定款で定めた場合にあっては、その割合以上）が出席し、その過半数（これを上回る割合を定款で定めた場合にあっては、その割合以上）をもって行う。

2　前項の規定にかかわらず、次に掲げる評議員会の決議は、議決に加わることができる評議員の3分の2（これを上回る割合を定款で定めた場合にあっては、その割合）以上に当たる多数をもって行わなければならない。

一　第176条第1項の評議員会（監事を解任する場合に限る。）

二　第198条において準用する第113条第1項の評議員会

三　第200条の評議員会

四　第201条の評議員会

五　第204条の評議員会

六　第247条、第251条第1項及び第257条の評議員会

3　前2項の決議について特別の利害関係を有する評議員は、議決に加わることができない。

4　評議員会は、第181条第1項第2号に掲げる事項以外の事項については、決議をすることができない。ただし、第191条第1項若しくは第2項に規定する者の選任又は第197条において準用する第109条第2項の会計監査人の出席を求めることについては、この限りでない。

（理事等の説明義務）

第190条 理事及び監事は、評議員会において、評議員から特定の事項について説明を求められた場合には、当該事項について必要な説明をしなければならない。ただし、当該事項が評議員会の目的である事項に関しないものである場合その他正当な理由がある場合として法務省令で定める場合は、この限りでない。

（評議員会に提出された資料等の調査）

第191条 評議員会においては、その決議によって、理事、監事及び会計監査人が当該評議員会に提出し、又は提供した資料を調査する者を選任することができる。

2 第180条の規定により招集された評議員会においては、その決議によって、一般財団法人の業務及び財産の状況を調査する者を選任することができる。

（延期又は続行の決議）

第192条 評議員会においてその延期又は続行について決議があった場合には、第181条及び第182条の規定は、適用しない。

（議事録）

第193条 評議員会の議事については、法務省令で定めるところにより、議事録を作成しなければならない。

2 一般財団法人は、評議員会の日から10年間、前項の議事録をその主たる事務所に備え置かなければならない。

3 一般財団法人は、評議員会の日から5年間、第1項の議事録の写しをその従たる事務所に備え置かなければならない。ただし、当該議事録が電磁的記録をもって作成されている場合であって、従たる事務所における次項第2号に掲げる請求に応じることを可能とするための措置として法務省令で定めるものをとっているときは、この限りでない。

4 評議員及び債権者は、一般財団法人の業務時間内は、いつでも、次に掲げる請求をすることができる。

一 第1項の議事録が書面をもって作成されているときは、当該書面又は当該書面の写しの閲覧又は謄写の請求

二 第1項の議事録が電磁的記録をもって作成されているときは、当該電磁的記録に記録された事項を法務省令で定める方法により表示したものの閲覧又は謄写の請求

（評議員会の決議の省略）

第194条 理事が評議員会の目的である事項について提案をした場合において、当該提案につき評議員（当該事項について議決に加わることができるものに限る。）の全員が書面又は電磁的記録により同意の意思表示をしたときは、当該提案を可決する旨の評議員会の決議があったものとみなす。

2 一般財団法人は、前項の規定により評議員会の決議があったものとみなされた日から10年間、同項の書面又は電磁的記録をその主たる事務所に備え置かなければならない。

3 評議員及び債権者は、一般財団法人の業務時間内は、いつでも、次に掲げる請求をすることができる。

一 前項の書面の閲覧又は謄写の請求

二 前項の電磁的記録に記録された事項を法務省令で定める方法により表示したものの閲覧又は謄写の請求

4 第1項の規定により定時評議員会の目的である事項のすべてについての提案を可決する旨の評議員会の決議があったものとみなされた場合には、その時に当該定時評議員会が終結したものとみなす。

（評議員会への報告の省略）

第195条 理事が評議員の全員に対して評議員会に報告すべき事項を通知した場合において、当該事項を評議員会に報告することを要しないことにつき評議員の全員が書面又は電磁的記録により同意の意思表示をしたときは、当該事項の評議員会への報告があったものとみなす。

（評議員の報酬等）

第196条 評議員の報酬等の額は、定款で定めなければならない。

第4款 理事、理事会、監事及び会計監査人

第197条 前章第3節第4款（第76条、第77条第1項から第3項まで、第81条及び第88条第2項を除く。）、第5款（第92条第1項を除く。）、第6款（第104条第2項を除く。）及び第7款の規定は、一般財団法人の理事、理事会、監事及び会計監査人について準用する。この場合において、これらの規定（第83条及び第84条第1項を除く。）中「社員総会」とあるのは「評議員会」と、第83条中「定款並びに社員総会の決議」とあるのは「定款」と、第84条第1項中「社員総会」とあるのは「理事会」と、第85条中「社員（監事設置一般社団法人にあっては、監事）」とあるのは「監事」と、第86条第1項中「総社員の議決権の10分の1（これを下回る割合を定款で定めた場合にあっては、その割合）以上の議決権を有する社員」とあり、並びに同条第7項、第87条第1項第2号及び第88条第1項中「社員」とあるのは「評議員」と、同項中「著しい損害」とあるのは「回復することができない損害」と、第90条第4項第6号中「第114条第1項」とあるのは「第198条において準用する第114条第1項」と、「第111条第1項」とあるのは「第198条において準用する第111条第1項」と、第97条第2項中「社員は、その権利を行使するため必要があるときは、裁判所の許可を得て」とあるのは「評議員は、一般財団法人の業務時間内は、いつでも」と、同条第4項中「前2項の請求」とあるのは「前項の請求」と、「前2項の許可」とあるのは「同項の許可」と、第104条第1項中「第77条第4項及び第81条」とあるのは「第77条第4項」と、第107条第1項中「第123条第2項」とあるのは「第199条において準用する第123条第2項」と、「第117条第2項第1号イ」とあるのは「第198条において準用する第117条第2項第1号イ」と、同条第5項第1号中「第68条第3項第1号」とあるのは「第177条において準用する第68条第3項第1号」と読み替えるものとする。

第5款　役員等の損害賠償責任

第198条　前章第3節第8款（第117条第2項第1号ロを除く。）の規定は、一般財団法人の理事、監事及び会計監査人並びに評議員の損害賠償責任について準用する。この場合において、これらの規定中「社員総会」とあるのは「評議員会」と、第111条第1項中「理事、監事又は会計監査人（以下この款及び第301条第2項第11号において「役員等」という。）」とあるのは「理事、監事若しくは会計監査人（以下この款及び第302条第2項第9号において「役員等」という。）又は評議員」と、同条第2項中「第84条第1項」とあるのは「第197条において準用する第84条第1項」と、同条第3項中「第84条第1項第2号」とあるのは「第197条において準用する第84条第1項第2号」と、同項第1号中「第84条第1項」とあるのは「第197条において準用する第84条第1項」と、第112条中「総社員」とあるのは「総評議員」と、第114条第2項中「についての理事の同意を得る場合及び当該責任の免除に関する議案」とあるのは「に関する議案」と、同条第3項中「社員」とあるのは「評議員」と、同条第4項中「総社員（前項の責任を負う役員等であるものを除く。）の議決権の10分の1（これを下回る割合を定款で定めた場合にあっては、その割合）以上の議決権を有する社員が同項」とあるのは「総評議員の10分の1（これを下回る割合を定款で定めた場合にあっては、その割合）以上の評議員が前項」と、第115条第1項中「第301条第2項第12号」とあるのは「第302条第2項第10号」と、第116条第1項中「第84条第1項第2号」とあるのは「第197条において準用する第84条第1項第2号」と、第117条第1項及び第118条中「役員等」とあるのは「役員等又は評議員」と、第117条第2項第1号ニ中「第128条第3項」とあるのは「第199条において準用する第128条第3項」と読み替えるものとする。

一般社団法人及び一般財団法人に関する法律施行規則（抄）

第2章　一般社団法人

　第1節　機関

　　第1款　社員総会

（理事会設置一般社団法人の業務の適正を確保するための体制）
第14条　法第90条第4項第5号に規定する法務省令で定める体制は、次に掲げる体制とする。
　一　理事の職務の執行に係る情報の保存及び管理に関する体制
　二　損失の危険の管理に関する規程その他の体制
　三　理事の職務の執行が効率的に行われることを確保するための体制
　四　使用人の職務の執行が法令及び定款に適合することを確保するための体制
　五　監事がその職務を補助すべき使用人を置くことを求めた場合における当該使用人に関する事項
　六　前号の使用人の理事からの独立性に関する事項
　七　監事の第5号の使用人に対する指示の実効性の確保に関する事項
　八　理事及び使用人が監事に報告をするための体制その他の監事への報告に関する体制
　九　前号の報告をした者が当該報告をしたことを理由として不利な取扱いを受けないことを確保するための体制
　十　監事の職務の執行について生ずる費用の前払又は償還の手続その他の当該職務の執行について生ずる費用又は債務の処理に係る方針に関する事項
　十一　その他監事の監査が実効的に行われることを確保するための体制
（監査報告書の作成）
第16条　法第99条第1項の規定により法務省令で定める事項については、この条の定めるところによる。
2　監事は、その職務を適切に遂行するため、次に掲げる者との意思疎通を図り、情報の収集及び監査の環境の整備に努めなければならない。この場合において、理事又は理事会は、監事の職務の執行のための必要な体制の整備に留意しなければならない。
　一　当該一般社団法人の理事及び使用人
　二　当該一般社団法人の子法人の理事、取締役、会計参与、執行役、業務を執行する社員、会社法第598条第1項の職務を行うべき者その他これらの者に相当する者及び使用人
　三　その他監事が適切に職務を遂行するに当たり意思疎通を図るべき者
3　前項の規定は、監事が公正不偏の態度及び独立の立場を保持することができなくなるおそれのある関係の創設及び維持を認めるものと解してはならない。
4　監事は、その職務の遂行に当たり、必要に応じ、当該一般社団法人の他の監事、当該一般社団法人の子法人の監事、監査役その他これらの者に相当する者との意思疎通及び情報の交換を図るよう努めなければならない。

公益社団法人及び公益財団法人の認定等に関する法律（抄）

第1章　総則

（目的）

第1条　この法律は、内外の社会経済情勢の変化に伴い、民間の団体が自発的に行う公益を目的とする事業の実施が公益の増進のために重要となっていることにかんがみ、当該事業を適正に実施し得る公益法人を認定する制度を設けるとともに、公益法人による当該事業の適正な実施を確保するための措置等を定め、もって公益の増進及び活力ある社会の実現に資することを目的とする。

第2章　公益法人の認定等

第1節　公益法人の認定

（公益認定の基準）

第5条　行政庁は、前条の認定（以下「公益認定」という。）の申請をした一般社団法人又は一般財団法人が次に掲げる基準に適合すると認めるときは、当該法人について公益認定をするものとする。

一　公益目的事業を行うことを主たる目的とするものであること。

二　公益目的事業を行うのに必要な経理的基礎及び技術的能力を有するものであること。

三　その事業を行うに当たり、社員、評議員、理事、監事、使用人その他の政令で定める当該法人の関係者に対し特別の利益を与えないものであること。

四　その事業を行うに当たり、株式会社その他の営利事業を営む者又は特定の個人若しくは団体の利益を図る活動を行うものとして政令で定める者に対し、寄附その他の特別の利益を与える行為を行わないものであること。ただし、公益法人に対し、当該公益法人が行う公益目的事業のために寄附その他の特別の利益を与える行為を行う場合は、この限りでない。

五　投機的な取引、高利の融資その他の事業であって、公益法人の社会的信用を維持する上でふさわしくないものとして政令で定めるもの又は公の秩序若しくは善良の風俗を害するおそれのある事業を行わないものであること。

六　その行う公益目的事業について、当該公益目的事業に係る収入がその実施に要する適正な費用を償う額を超えないと見込まれるものであること。

七　公益目的事業以外の事業（以下「収益事業等」という。）を行う場合には、収益事業等を行うことによって公益目的事業の実施に支障を及ぼすおそれが

ないものであること。

八　その事業活動を行うに当たり、第十五条に規定する公益目的事業比率が百分の五十以上となると見込まれるものであること。

九　その事業活動を行うに当たり、第十六条第二項に規定する遊休財産額が同条第一項の制限を超えないと見込まれるものであること。

十　各理事について、当該理事及びその配偶者又は三親等内の親族（これらの者に準ずるものとして当該理事と政令で定める特別の関係がある者を含む。）である理事の合計数が理事の総数の三分の一を超えないものであること。監事についても、同様とする。

十一　他の同一の団体（公益法人又はこれに準ずるものとして政令で定めるものを除く。）の理事又は使用人である者その他これに準ずる相互に密接な関係にあるものとして政令で定める者である理事の合計数が理事の総数の三分の一を超えないものであること。監事についても、同様とする。

十二　会計監査人を置いているものであること。ただし、毎事業年度における当該法人の収益の額、費用及び損失の額その他の政令で定める勘定の額がいずれも政令で定める基準に達しない場合は、この限りでない。

十三　その理事、監事及び評議員に対する報酬等（報酬、賞与その他の職務遂行の対価として受ける財産上の利益及び退職手当をいう。以下同じ。）について、内閣府令で定めるところにより、民間事業者の役員の報酬等及び従業員の給与、当該法人の経理の状況その他の事情を考慮して、不当に高額なものとならないような支給の基準を定めているものであること。

十四　一般社団法人にあっては、次のいずれにも該当するものであること。

イ　社員の資格の得喪に関して、当該法人の目的に照らし、不当に差別的な取扱いをする条件その他の不当な条件を付していないものであること。

ロ　社員総会において行使できる議決権の数、議決権を行使することができる事項、議決権の行使の条件その他の社員の議決権に関する定款の定めがある場合には、その定めが次のいずれにも該当するものであること。

（1）社員の議決権に関して、当該法人の目的に照らし、不当に差別的な取扱いをしないものであること。

（2）社員の議決権に関して、社員が当該法人に対して提供した金銭その他の財産の価額に応

じて異なる取扱いを行わないものであること。
ハ　理事会を置いているものであること。
十五　他の団体の意思決定に関与することができる株式その他の内閣府令で定める財産を保有していないものであること。ただし、当該財産の保有によって他の団体の事業活動を実質的に支配するおそれがない場合として政令で定める場合は、この限りでない。
十六　公益目的事業を行うために不可欠な特定の財産があるときは、その旨並びにその維持及び処分の制限について、必要な事項を定款で定めているものであること。
十七　第二十九条第一項若しくは第二項の規定による公益認定の取消しの処分を受けた場合又は合併により法人が消滅する場合（その権利義務を承継する法人が公益法人であるときを除く。）において、公益目的取得財産残額（第三十条第二項に規定する公益目的取得財産残額をいう。）があるときは、これに相当する額の財産を当該公益認定の取消しの日又は当該合併の日から一箇月以内に類似の事業を目的とする他の公益法人若しくは次に掲げる法人又は国若しくは地方公共団体に贈与する旨を定款で定めているものであること。
イ　私立学校法（昭和二十四年法律第二百七十号）第三条に規定する学校法人
ロ　社会福祉法（昭和二十六年法律第四十五号）第二十二条に規定する社会福祉法人
ハ　更生保護事業法（平成七年法律第八十六号）第二条第六項に規定する更生保護法人
ニ　独立行政法人通則法（平成十一年法律第百三号）第二条第一項に規定する独立行政法人
ホ　国立大学法人法（平成十五年法律第百十二号）第二条第一項に規定する国立大学法人又は同条第三項に規定する大学共同利用機関法人
ヘ　地方独立行政法人法（平成十五年法律第百十八号）第二条第一項に規定する地方独立行政法人
ト　その他イからヘまでに掲げる法人に準ずるものとして政令で定める法人
十八　清算をする場合において残余財産を類似の事業を目的とする他の公益法人若しくは前号イからトまでに掲げる法人又は国若しくは地方公共団体に帰属させる旨を定款で定めているものであること。

第2節　公益法人の事業活動等

第3款　公益法人の計算等の特則

（財産目録の備置き及び閲覧等）
第21条　公益法人は、毎事業年度開始の日の前日までに（公益認定を受けた日の属する事業年度にあっては、当該公益認定を受けた後遅滞なく）、内閣府令で定めるところにより、当該事業年度の事業計画書、収支予算書その他の内閣府令で定める書類を作成し、当該事業年度の末日までの間、当該書類をその主たる事務所

に、その写しをその従たる事務所に備え置かなければならない。
2　公益法人は、毎事業年度経過後3箇月以内に（公益認定を受けた日の属する事業年度にあっては、当該公益認定を受けた後遅滞なく）、内閣府令で定めるところにより、次に掲げる書類を作成し、当該書類を5年間その主たる事務所に、その写しを3年間その従たる事務所に備え置かなければならない。
一　財産目録
二　役員等名簿（理事、監事及び評議員の氏名及び住所を記載した名簿をいう。以下同じ。）
三　第5条第13号に規定する報酬等の支給の基準を記載した書類
四　前3号に掲げるもののほか、内閣府令で定める書類
3　第1項に規定する書類及び前項各号に掲げる書類は、電磁的記録（電子的方式、磁気的方式その他人の知覚によっては認識することができない方式で作られる記録であって、電子計算機による情報処理の用に供されるものとして内閣府令で定めるものをいう。以下同じ。）をもって作成することができる。
4　何人も、公益法人の業務時間内は、いつでも、第1項に規定する書類、第2項各号に掲げる書類、定款、社員名簿及び一般社団・財団法人法第129条第1項（一般社団・財団法人法第199条において準用する場合を含む。）に規定する計算書類等（以下「財産目録等」という。）について、次に掲げる請求をすることができる。この場合においては、当該公益法人は、正当な理由がないのにこれを拒んではならない。
一　財産目録等が書面をもって作成されているときは、当該書面又は当該書面の写しの閲覧の請求
二　財産目録等が電磁的記録をもって作成されているときは、当該電磁的記録に記録された事項を内閣府令で定める方法により表示したものの閲覧の請求
5　前項の規定にかかわらず、公益法人は、役員等名簿又は社員名簿について当該公益法人の社員又は評議員以外の者から同項の請求があった場合には、これらに記載され又は記録された事項中、個人の住所に係る記載又は記録の部分を除外して、同項の閲覧をさせることができる。
6　財産目録等が電磁的記録をもって作成されている場合であって、その従たる事務所における第4項第2号に掲げる請求に応じることを可能とするための措置として内閣府令で定めるものをとっている公益法人についての第1項及び第2項の規定の適用については、第1項中「その主たる事務所に、その写しをその従たる事務所」とあるのは「その主たる事務所」と、第2項中「その主たる事務所に、その写しを3年間その従たる事務所」とあるのは「その主たる事務所」とする。
（財産目録等の提出及び公開）
第22条　公益法人は、毎事業年度の経過後3箇月以内（前条第1項に規定する書類については、毎事業年度開始の日の前日まで）に、内閣府令で定めるところにより、財産目録等（定款を除く。）を行政庁に提出し

なければならない。
2 　行政庁は、公益法人から提出を受けた財産目録等について閲覧又は謄写の請求があった場合には、内閣府令で定めるところにより、その閲覧又は謄写をさせなければならない。
3 　前項の規定にかかわらず、行政庁は、役員等名簿又は社員名簿について同項の請求があった場合には、これらに記載された事項中、個人の住所に係る記載の部分を除外して、その閲覧又は謄写をさせるものとする。

公益社団法人及び公益財団法人の認定等に
関する法律施行規則（抄）

第2章　公益法人の事業活動等

第2節　財産目録等

（事業年度開始前までに作成し備え置くべき書類）

第27条　法第21条第1項の内閣府令で定める書類は、当
該事業年度に係る次に掲げる書類とする。
一　事業計画書
二　収支予算書
三　資金調達及び設備投資の見込みを記載した書類

個人情報の保護に関する法律（抄）

第1章　総則

（目的）

第1条　この法律は、高度情報通信社会の進展に伴い個人情報の利用が著しく拡大していることに鑑み、個人情報の適正な取扱いに関し、基本理念及び政府による基本方針の作成その他の個人情報の保護に関する施策の基本となる事項を定め、国及び地方公共団体の責務等を明らかにするとともに、個人情報を取り扱う事業者の遵守すべき義務等を定めることにより、個人情報の適正かつ効果的な活用が新たな産業の創出並びに活力ある経済社会及び豊かな国民生活の実現に資するものであることその他の個人情報の有用性に配慮しつつ、個人の権利利益を保護することを目的とする。

（定義）

第2条　この法律において「個人情報」とは、生存する個人に関する情報であって、次の各号のいずれかに該当するものをいう。

一　当該情報に含まれる氏名、生年月日その他の記述等（文書、図画若しくは電磁的記録（電磁的方式（電子的方式、磁気的方式その他人の知覚によっては認識することができない方式をいう。次項第2号において同じ。）で作られる記録をいう。第18条第2項において同じ。）に記載され、若しくは記録され、又は音声、動作その他の方法を用いて表された一切の事項（個人識別符号を除く。）をいう。以下同じ。）により特定の個人を識別することができるもの（他の情報と容易に照合することができ、それにより特定の個人を識別することができることとなるものを含む。）

二　個人識別符号が含まれるもの

2　この法律において「個人識別符号」とは、次の各号のいずれかに該当する文字、番号、記号その他の符号のうち、政令で定めるものをいう。

一　特定の個人の身体の一部の特徴を電子計算機の用に供するために変換した文字、番号、記号その他の符号であって、当該特定の個人を識別することができるもの

二　個人に提供される役務の利用若しくは個人に販売される商品の購入に関し割り当てられ、又は個人に発行されるカードその他の書類に記載され、若しくは電磁的方式により記録された文字、番号、記号その他の符号であって、その利用者若しくは購入者又は発行を受ける者ごとに異なるものとなるように割り当てられ、又は記載され、若しくは記録されることにより、特定の利用者若しくは購入者又は発行を受ける者を識別することができるもの

3　この法律において「要配慮個人情報」とは、本人の人種、信条、社会的身分、病歴、犯罪の経歴、犯罪により害を被った事実その他本人に対する不当な差別、偏見その他の不利益が生じないようにその取扱いに特に配慮を要するものとして政令で定める記述等が含まれる個人情報をいう。

4　この法律において「個人情報データベース等」とは、個人情報を含む情報の集合物であって、次に掲げるもの（利用方法からみて個人の権利利益を害するおそれが少ないものとして政令で定めるものを除く。）をいう。

一　特定の個人情報を電子計算機を用いて検索することができるように体系的に構成したもの

二　前号に掲げるもののほか、特定の個人情報を容易に検索することができるように体系的に構成したものとして政令で定めるもの

5　この法律において「個人情報取扱事業者」とは、個人情報データベース等を事業の用に供している者をいう。ただし、次に掲げる者を除く。

一　国の機関

二　地方公共団体

三　独立行政法人等（独立行政法人等の保有する個人情報の保護に関する法律（平成15年法律第59号）第2条第1項に規定する独立行政法人等をいう。以下同じ。）

四　地方独立行政法人（地方独立行政法人法（平成15年法律第118号）第2条第1項に規定する地方独立行政法人をいう。以下同じ。）

6　この法律において「個人データ」とは、個人情報データベース等を構成する個人情報をいう。

7　この法律において「保有個人データ」とは、個人情報取扱事業者が、開示、内容の訂正、追加又は削除、利用の停止、消去及び第3者への提供の停止を行うことのできる権限を有する個人データであって、その存否が明らかになることにより公益その他の利益が害されるものとして政令で定めるもの又は1年以内の政令で定める期間以内に消去することとなるもの以外のものをいう。

8　この法律において個人情報について「本人」とは、個人情報によって識別される特定の個人をいう。

9　この法律において「匿名加工情報」とは、次の各号に掲げる個人情報の区分に応じて当該各号に定める措置を講じて特定の個人を識別することができないように個人情報を加工して得られる個人に関する情報であって、当該個人情報を復元することができないように

したものをいう。
一　第 1 項第 1 号に該当する個人情報　当該個人情報
　に含まれる記述等の一部を削除すること（当該一部
　の記述等を復元することのできる規則性を有しない
　方法により他の記述等に置き換えることを含む。）。
二　第 1 項第 2 号に該当する個人情報　当該個人情報
　に含まれる個人識別符号の全部を削除すること（当
　該個人識別符号を復元することのできる規則性を有
　しない方法により他の記述等に置き換えることを含
　む。）。
10　この法律において「匿名加工情報取扱事業者」とは、
　匿名加工情報を含む情報の集合物であって、特定の匿

名加工情報を電子計算機を用いて検索することができ
るように体系的に構成したものその他特定の匿名加工
情報を容易に検索することができるように体系的に構
成したものとして政令で定めるもの（第36条第 1 項に
おいて「匿名加工情報データベース等」という。）を
事業の用に供している者をいう。ただし、第 5 項各号
に掲げる者を除く。
（基本理念）
第 3 条　個人情報は、個人の人格尊重の理念の下に慎重
　に取り扱われるべきものであることにかんがみ、その
　適正な取扱いが図られなければならない。

行政手続における特定の個人を識別するための
番号の利用等に関する法律（抄）

第1章　総則

（目的）

第1条　この法律は、行政機関、地方公共団体その他の行政事務を処理する者が、個人番号及び法人番号の有する特定の個人及び法人その他の団体を識別する機能を活用し、並びに当該機能によって異なる分野に属する情報を照合してこれらが同一の者に係るものであるかどうかを確認することができるものとして整備された情報システムを運用して、効率的な情報の管理及び利用並びに他の行政事務を処理する者との間における迅速な情報の授受を行うことができるようにするとともに、これにより、行政運営の効率化及び行政分野におけるより公正な給付と負担の確保を図り、かつ、これらの者に対し申請、届出その他の手続を行い、又はこれらの者から便益の提供を受ける国民が、手続の簡素化による負担の軽減、本人確認の簡易な手段その他の利便性の向上を得られるようにするために必要な事項を定めるほか、個人番号その他の特定個人情報の取扱いが安全かつ適正に行われるよう<u>行政機関の保有する個人情報の保護に関する法律</u>（平成15年法律第58号）、<u>独立行政法人等の保有する個人情報の保護に関する法律</u>（平成15年法律第59号）及び<u>個人情報の保護に関する法律</u>（平成15年法律第57号）の特例を定めることを目的とする。

（定義）

第2条　この法律において「行政機関」とは、<u>行政機関の保有する個人情報の保護に関する法律</u>（以下「<u>行政機関個人情報保護法</u>」という。）<u>第2条第1項</u>に規定する行政機関をいう。

2　この法律において「独立行政法人等」とは、<u>独立行政法人等の保有する個人情報の保護に関する法律</u>（以下「<u>独立行政法人等個人情報保護法</u>」という。）<u>第2条第1項</u>に規定する独立行政法人等をいう。

3　この法律において「個人情報」とは、<u>行政機関個人情報保護法第2条第2項</u>に規定する個人情報であって行政機関が保有するもの、<u>独立行政法人等個人情報保護法第2条第2項</u>に規定する個人情報であって独立行政法人等が保有するもの又は<u>個人情報の保護に関する法律</u>（以下「<u>個人情報保護法</u>」という。）<u>第2条第1項</u>に規定する個人情報であって行政機関及び独立行政法人等以外の者が保有するものをいう。

4　この法律において「個人情報ファイル」とは、<u>行政機関個人情報保護法第2条第6項</u>に規定する個人情報ファイルであって行政機関が保有するもの、<u>独立行政法人等個人情報保護法第2条第6項</u>に規定する個人情報ファイルであって独立行政法人等が保有するもの又は<u>個人情報保護法第2条第4項</u>に規定する個人情報データベース等であって行政機関及び独立行政法人等以外の者が保有するものをいう。

5　この法律において「個人番号」とは、第7条第1項又は第2項の規定により、住民票コード（<u>住民基本台帳法</u>（昭和42年法律第81号）<u>第7条第13号</u>に規定する住民票コードをいう。以下同じ。）を変換して得られる番号であって、当該住民票コードが記載された住民票に係る者を識別するために指定されるものをいう。

6　この法律において「本人」とは、個人番号によって識別される特定の個人をいう。

7　この法律において「個人番号カード」とは、氏名、住所、生年月日、性別、個人番号その他政令で定める事項が記載され、本人の写真が表示され、かつ、これらの事項その他総務省令で定める事項（以下「カード記録事項」という。）が電磁的方法（電子的方法、磁気的方法その他の人の知覚によって認識することができない方法をいう。第18条において同じ。）により記録されたカードであって、この法律又はこの法律に基づく命令で定めるところによりカード記録事項を閲覧し、又は改変する権限を有する者以外の者による閲覧又は改変を防止するために必要なものとして総務省令で定める措置が講じられたものをいう。

8　この法律において「特定個人情報」とは、個人番号（個人番号に対応し、当該個人番号に代わって用いられる番号、記号その他の符号であって、住民票コード以外のものを含む。第7条第1項及び第2項、第8条並びに第48条並びに附則第3条第1項から第3項まで及び第5項を除き、以下同じ。）をその内容に含む個人情報をいう。

9　この法律において「特定個人情報ファイル」とは、個人番号をその内容に含む個人情報ファイルをいう。

10　この法律において「個人番号利用事務」とは、行政機関、地方公共団体、独立行政法人等その他の行政事務を処理する者が第9条第1項又は第2項の規定によりその保有する特定個人情報ファイルにおいて個人情報を効率的に検索し、及び管理するために必要な限度で個人番号を利用して処理する事務をいう。

11　この法律において「個人番号関係事務」とは、第9条第3項の規定により個人番号利用事務に関して行われる他人の個人番号を必要な限度で利用して行う事務をいう。

12　この法律において「個人番号利用事務実施者」とは、個人番号利用事務を処理する者及び個人番号利用事務の全部又は一部の委託を受けた者をいう。

13　この法律において「個人番号関係事務実施者」とは、個人番号関係事務を処理する者及び個人番号関係事務の全部又は一部の委託を受けた者をいう。

14　この法律において「情報提供ネットワークシステム」とは、行政機関の長等（行政機関の長、地方公共団体の機関、独立行政法人等、地方独立行政法人（地方独立行政法人法（平成15年法律第118号）第2条第1項に規定する地方独立行政法人をいう。以下同じ。）及び地方公共団体情報システム機構（以下「機構」という。）並びに第19条第7号に規定する情報照会者及び情報提供者並びに同条第8号に規定する条例事務関係情報照会者及び条例事務関係情報提供者をいう。第7章を除き、以下同じ。）の使用に係る電子計算機を相互に電気通信回線で接続した電子情報処理組織であって、暗号その他その内容を容易に復元することができない通信の方法を用いて行われる第19条第7号又は第8号の規定による特定個人情報の提供を管理するために、第21条第1項の規定に基づき総務大臣が設置し、及び管理するものをいう。

15　この法律において「法人番号」とは、第39条第1項又は第2項の規定により、特定の法人その他の団体を識別するための番号として指定されるものをいう。

（基本理念）

第3条　個人番号及び法人番号の利用は、この法律の定めるところにより、次に掲げる事項を旨として、行われなければならない。

一　行政事務の処理において、個人又は法人その他の団体に関する情報の管理を一層効率化するとともに、当該事務の対象となる者を特定する簡易な手続を設けることによって、国民の利便性の向上及び行政運営の効率化に資すること。

二　情報提供ネットワークシステムその他これに準ずる情報システムを利用して迅速かつ安全に情報の授受を行い、情報を共有することによって、社会保障制度、税制その他の行政分野における給付と負担の適切な関係の維持に資すること。

三　個人又は法人その他の団体から提出された情報については、これと同一の内容の情報の提出を求めることを避け、国民の負担の軽減を図ること。

四　個人番号を用いて収集され、又は整理された個人情報が法令に定められた範囲を超えて利用され、又は漏えいすることがないよう、その管理の適正を確保すること。

2　個人番号及び法人番号の利用に関する施策の推進は、個人情報の保護に十分配慮しつつ、行政運営の効率化を通じた国民の利便性の向上に資することを旨として、社会保障制度、税制及び災害対策に関する分野における利用の促進を図るとともに、他の行政分野及び行政分野以外の国民の利便性の向上に資する分野における利用の可能性を考慮して行われなければならない。

3　個人番号の利用に関する施策の推進は、個人番号カードが第1項第1号に掲げる事項を実現するために必要であることに鑑み、行政事務の処理における本人確認の簡易な手段としての個人番号カードの利用の促進を図るとともに、カード記録事項が不正な手段により収集されることがないよう配慮しつつ、行政事務以外の事務の処理において個人番号カードの活用が図られるように行われなければならない。

4　個人番号の利用に関する施策の推進は、情報提供ネットワークシステムが第1項第2号及び第3号に掲げる事項を実現するために必要であることに鑑み、個人情報の保護に十分配慮しつつ、社会保障制度、税制、災害対策その他の行政分野において、行政機関、地方公共団体その他の行政事務を処理する者が迅速に特定個人情報の授受を行うための手段としての情報提供ネットワークシステムの利用の促進を図るとともに、これらの者が行う特定個人情報以外の情報の授受に情報提供ネットワークシステムの用途を拡大する可能性を考慮して行われなければならない。

（国の責務）

第4条　国は、前条に定める基本理念（以下「基本理念」という。）にのっとり、個人番号その他の特定個人情報の取扱いの適正を確保するために必要な措置を講ずるとともに、個人番号及び法人番号の利用を促進するための施策を実施するものとする。

2　国は、教育活動、広報活動その他の活動を通じて、個人番号及び法人番号の利用に関する国民の理解を深めるよう努めるものとする。

（地方公共団体の責務）

第5条　地方公共団体は、基本理念にのっとり、個人番号その他の特定個人情報の取扱いの適正を確保するために必要な措置を講ずるとともに、個人番号及び法人番号の利用に関し、国との連携を図りながら、自主的かつ主体的に、その地域の特性に応じた施策を実施するものとする。

（事業者の努力）

第6条　個人番号及び法人番号を利用する事業者は、基本理念にのっとり、国及び地方公共団体が個人番号及び法人番号の利用に関し実施する施策に協力するよう努めるものとする。

公益通報者保護法

（目的）

第1条　この法律は、公益通報をしたことを理由とする公益通報者の解雇の無効等並びに公益通報に関し事業者及び行政機関がとるべき措置を定めることにより、公益通報者の保護を図るとともに、国民の生命、身体、財産その他の利益の保護にかかわる法令の規定の遵守を図り、もって国民生活の安定及び社会経済の健全な発展に資することを目的とする。

（定義）

第2条　この法律において「公益通報」とは、労働者（労働基準法（昭和22年法律第49号）第9条に規定する労働者をいう。以下同じ。）が、不正の利益を得る目的、他人に損害を加える目的その他の不正の目的でなく、その労務提供先（次のいずれかに掲げる事業者（法人その他の団体及び事業を行う個人をいう。以下同じ。）をいう。以下同じ。）又は当該労務提供先の事業に従事する場合におけるその役員、従業員、代理人その他の者について通報対象事実が生じ、又はまさに生じようとしている旨を、当該労務提供先若しくは当該労務提供先があらかじめ定めた者（以下「労務提供先等」という。）、当該通報対象事実について処分（命令、取消しその他公権力の行使に当たる行為をいう。以下同じ。）若しくは勧告等（勧告その他処分に当たらない行為をいう。以下同じ。）をする権限を有する行政機関又はその者に対し当該通報対象事実を通報することがその発生若しくはこれによる被害の拡大を防止するために必要であると認められる者（当該通報対象事実により被害を受け又は受けるおそれがある者を含み、当該労務提供先の競争上の地位その他正当な利益を害するおそれがある者を除く。次条第3号において同じ。）に通報することをいう。

一　当該労働者を自ら使用する事業者（次号に掲げる事業者を除く。）

二　当該労働者が派遣労働者（労働者派遣事業の適正な運営の確保及び派遣労働者の保護等に関する法律（昭和60年法律第88号。第4条において「労働者派遣法」という。）第2条第2号に規定する派遣労働者をいう。以下同じ。）である場合において、当該派遣労働者に係る労働者派遣（同条第1号に規定する労働者派遣をいう。第5条第2項において同じ。）の役務の提供を受ける事業者

三　前2号に掲げる事業者が他の事業者との請負契約その他の契約に基づいて事業を行う場合において、当該労働者が当該事業に従事するときにおける当該他の事業者

2　この法律において「公益通報者」とは、公益通報をした労働者をいう。

3　この法律において「通報対象事実」とは、次のいずれかの事実をいう。

一　個人の生命又は身体の保護、消費者の利益の擁護、環境の保全、公正な競争の確保その他の国民の生命、身体、財産その他の利益の保護にかかわる法律として別表に掲げるもの（これらの法律に基づく命令を含む。次号において同じ。）に規定する罪の犯罪行為の事実

二　別表に掲げる法律の規定に基づく処分に違反することが前号に掲げる事実となる場合における当該処分の理由とされている事実（当該処分の理由とされている事実が同表に掲げる法律の規定に基づく他の処分に違反し、又は勧告等に従わない事実である場合における当該他の処分又は勧告等の理由とされている事実を含む。）

4　この法律において「行政機関」とは、次に掲げる機関をいう。

一　内閣府、宮内庁、内閣府設置法（平成11年法律第89号）第49条第1項若しくは第2項に規定する機関、国家行政組織法（昭和23年法律第120号）第3条第2項に規定する機関、法律の規定に基づき内閣の所轄の下に置かれる機関若しくはこれらに置かれる機関又はこれらの機関の職員であって法律上独立に権限を行使することを認められた職員

二　地方公共団体の機関（議会を除く。）

（解雇の無効）

第3条　公益通報者が次の各号に掲げる場合においてそれぞれ当該各号に定める公益通報をしたことを理由として前条第1項第1号に掲げる事業者が行った解雇は、無効とする。

一　通報対象事実が生じ、又はまさに生じようとしていると思料する場合　当該労務提供先等に対する公益通報

二　通報対象事実が生じ、又はまさに生じようとしていると信ずるに足りる相当の理由がある場合　当該通報対象事実について処分又は勧告等をする権限を有する行政機関に対する公益通報

三　通報対象事実が生じ、又はまさに生じようとしていると信ずるに足りる相当の理由があり、かつ、次のいずれかに該当する場合　その者に対し当該通報対象事実を通報することがその発生又はこれによる被害の拡大を防止するために必要であると認められる者に対する公益通報

イ　前2号に定める公益通報をすれば解雇その他不利益な取扱いを受けると信ずるに足りる相当の理由がある

場合

ロ　第１号に定める公益通報をすれば当該通報対象事実に係る証拠が隠滅され、偽造され、又は変造されるおそれがあると信ずるに足りる相当の理由がある場合

ハ　労務提供先から前２号に定める公益通報をしないことを正当な理由がなくて要求された場合

ニ　書面（電子的方式、磁気的方式その他人の知覚によっては認識することができない方式で作られる記録を含む。第９条において同じ。）により第１号に定める公益通報をした日から20日を経過しても、当該通報対象事実について、当該労務提供先等から調査を行う旨の通知がない場合又は当該労務提供先等が正当な理由がなくて調査を行わない場合

ホ　個人の生命又は身体に危害が発生し、又は発生する急迫した危険があると信ずるに足りる相当の理由がある場合

（労働者派遣契約の解除の無効）

第４条　第２条第１項第２号に掲げる事業者の指揮命令の下に労働する派遣労働者である公益通報者が前条各号に定める公益通報をしたことを理由として同項第２号に掲げる事業者が行った労働者派遣契約（労働者派遣法第26条第１項に規定する労働者派遣契約をいう。）の解除は、無効とする。

（不利益取扱いの禁止）

第５条　第３条に規定するもののほか、第２条第１項第１号に掲げる事業者は、その使用し、又は使用していた公益通報者が第３条各号に定める公益通報をしたことを理由として、当該公益通報者に対して、降格、減給その他不利益な取扱いをしてはならない。

２　前条に規定するもののほか、第２条第１項第２号に掲げる事業者は、その指揮命令の下に労働する派遣労働者である公益通報者が第３条各号に定める公益通報をしたことを理由として、当該公益通報者に対して、当該公益通報者に係る労働者派遣をする事業者に派遣労働者の交代を求めることその他不利益な取扱いをしてはならない。

（解釈規定）

第６条　前３条の規定は、通報対象事実に係る通報をしたことを理由として労働者又は派遣労働者に対して解雇その他不利益な取扱いをすることを禁止する他の法令（法律及び法律に基づく命令をいう。第10条第１項において同じ。）の規定の適用を妨げるものではない。

２　第３条の規定は、労働契約法（平成19年法律第128号）第16条の規定の適用を妨げるものではない。

３　前条第１項の規定は、労働契約法第14条及び第15条の規定の適用を妨げるものではない。

（一般職の国家公務員等に対する取扱い）

第７条　第３条各号に定める公益通報をしたことを理由とする一般職の国家公務員、裁判所職員臨時措置法（昭和26年法律第299号）の適用を受ける裁判所職員、国会職員法（昭和22年法律第85号）の適用を受ける国会職員、自衛隊法（昭和29年法律第165号）第２条第５項に規定する隊員及び一般職の地方公務員（以下この条において「一般職の国家公務員等」という。）に対する免職その他不利益な取扱いの禁止については、第３条から第５条までの規定にかかわらず、国家公務員法（昭和22年法律第120号。裁判所職員臨時措置法において準用する場合を含む。）、国会職員法、自衛隊法及び地方公務員法（昭和25年法律第261号）の定めるところによる。この場合において、一般職の国家公務員等の任命権者その他の第２条第１項第１号に掲げる事業者は、第３条各号に定める公益通報をしたことを理由として一般職の国家公務員等に対して免職その他不利益な取扱いがされることのないよう、これらの法律の規定を適用しなければならない。

（他人の正当な利益等の尊重）

第８条　第３条各号に定める公益通報をする労働者は、他人の正当な利益又は公共の利益を害することのないよう努めなければならない。

（是正措置等の通知）

第９条　書面により公益通報者から第３条第１号に定める公益通報をされた事業者は、当該公益通報に係る通報対象事実の中止その他是正のために必要と認める措置をとったときはその旨を、当該公益通報に係る通報対象事実がないときはその旨を、当該公益通報者に対し、遅滞なく、通知するよう努めなければならない。

（行政機関がとるべき措置）

第10条　公益通報者から第３条第２号に定める公益通報をされた行政機関は、必要な調査を行い、当該公益通報に係る通報対象事実があると認めるときは、法令に基づく措置その他適当な措置をとらなければならない。

２　前項の公益通報が第２条第３項第１号に掲げる犯罪行為の事実を内容とする場合における当該犯罪の捜査及び公訴については、前項の規定にかかわらず、刑事訴訟法（昭和23年法律第131号）の定めるところによる。

（教示）

第11条　前条第１項の公益通報が誤って当該公益通報に係る通報対象事実について処分又は勧告等をする権限を有しない行政機関に対してされたときは、当該行政機関は、当該公益通報者に対し、当該公益通報に係る通報対象事実について処分又は勧告等をする権限を有する行政機関を教示しなければならない。

おわりに

1．本書は、2019年の春から、（公財）公益法人協会内で検討し、2019年9月に完成した「公益法人ガバナンス・コード」の解説書であるが、その検討過程等は以下の通りである。

　　①　2019年4月24日　　第1回法制・コンプライアンス委員会（学習と検討）
　　②　　〃　5月20日　　第2回　　　　　〃　　　　　（検討）
　　③　　〃　6月4日　　第52回理事会（中間報告）
　　④　　〃　6月19日　　第3回法制・コンプライアンス委員会（暫定案確定）
　　（上記②〜④の間において断続的にワーキンググループを開催）
　　⑤　　〃　6月27日　　第53回理事会（暫定案了承）
　　⑥　　〃　7月9日　　パブリックコメント実施（〜22日）
　　⑦　　〃　9月27日　　第54回理事会（最終決定）

　　以上の過程で、当協会の法制・コンプライアンス委員会の片山・田中両委員長をはじめとする委員の皆様、その中でもワーキンググループとして参加していただいた方々、ならびに当協会の顧問弁護士である濱口博史先生には、各種の大所・高所からのご意見をいただいた。ご意見をいただいた皆様方に、心から感謝を申し上げます。

　　また、2019年7月に当協会が実施したパブリックコメントに応募して頂いた皆様からは実務に基づいた各種の意見を広く聴取できた。
コメントを提出していただいた皆様にも、心から感謝を申し上げます。

2．編著者である筆者は、上記過程において、法制・コンプライアンス委員会での検討に事務局として参加し、①原案の作成や検討、②当協会雨宮理事長や事務局ならびに上記委員会での委員からの諸々の意見の聴取と取りまとめ、③理事会での最終案の審議と決定等に関与した。

　　また、原案の決定過程では、①『公益法人』誌上でのパブリックコメントの実施、②東京・大阪での会員を主たる対象とした説明会、③最終案決定における会員法人等への説明会・講演会等を行った。④さらにこのコードを実際に使用し、ガバナン

スの効果をあげるためのチェックリストの作成や、⑤ガバナンス・コード関連の規程案の作成等も行った。

　以上のような経緯と関与の際に、本書のような解説書が「公益法人ガバナンス・コード」の普及のために必要であるという考えが内部から出され、その渦中にあった筆者が本書を執筆するに至ったものである。

3．しかしながら執筆とはいってもそれに割く時間も少ないことから、上記2で述べたような説明会や講演会の速記録をベースに書籍として体裁を整えたものである。このため以下のような問題が内在していることを恐れている。将来の改定の際の課題としたい。

　　①　講演会の速記録をベースとしたため、すべて口語体での記述となり、繰り返しも多く、また厳密な言葉の定義による使い方ではない部分もあるのではないか。
　　②　具体的かつ分かりやすくということをモットーとしたため、講演会等で採用したガバナンス・コードとそのチェックリストを合わせて説明する方式を本書でもとったが、はじめての方にはかえって分かりにくいものになっていないか。
　　③「公益法人ガバナンス・コード」の妥当性や正当性を説明するため、各種の資料を引用し、末尾にそれらの資料を添付しているが、分量的にはやや多く、煩瑣に感じるものとなっていないか等々である。

4．執筆の過程では、内々の人ではあるが、以下の人々にお世話になったことを記して特に感謝を申し上げたい。

　　①　本書は理論的な記述よりは、むしろ実践的理解を得られることを目的としているため、自己点検チェックリストの実例や掲示方法ならびに規程類等の作成において、当協会内の相談室の上曽山室長はじめとする相談室の先生方に素案を作成していただいたり、意見を聴取したりした。
　　②　説明会・講演会においては、パワーポイントによる本文と添付資料を使用したが、これらについては総務課および出版室の担当職員（山口・青山）から多大な協力をいただいた。
　　③　速記録から本の原稿への転換については出版室の担当（柴崎主任、青山）より、約2ヵ月に亘る熱心な協力を得た。年末・年始を含む休日にまでその作業で迷惑をおかけしたことを心からお詫びしたい。

5．最後にお願いを申し上げます。

　執筆の過程で筆者を悩ませたのは以下のことである。

　すなわち、ガバナンス・コードは理念と実践が交錯し、最終的には実践として結果するものと思われるが、実践には相当の幅があり、何がbest practiceであり、あるいはgood practiceであるか一義的には決定できない。

　したがって最終的にはそれぞれの法人や個人の今までの経験や実績、さらには基本的スタンスや哲学が反映されるものであり、その良し悪しは時代の変遷や考え方の変化によっても異なってくる。

　こうした状況の中で、筆者が自分の乏しい経験や学識に基づいて、一定の価値判断をしなければならなかったが、それをすることが許され、かつ社会的な妥当性を得られるかという問題である。

　この問題については、本ガバナンス・コードに関係した人々の考え方を十分取り入れるとともに、関係方面の意思を聞いているが最終的にはある程度の個人的な割り切りをせざるを得なかった。

　そうした割り切りにより本書が書かれているが、それでも筆者に何がしかの不満足な感じが残らざるを得ないのは事実である。

　そこで本書を読まれた方には、ご自分の経験や考え方から、各項目についてご意見を寄せていただきたいと心から願うものである。

　これによって本書に存在すると思われる各種のバイアスを修正し、皆様の納得感のある、より良いガバナンス・コードとしたいからである。

2020（令和2）年3月

公益財団法人　公益法人協会

副理事長　**鈴木　勝治**

〔編著者〕

鈴木 勝治 （公財）公益法人協会 副理事長

1943 年千葉県生まれ。東京大学法学部卒。

三井信託銀行横浜支店長、取締役国際企画部長・同取締役検査部長、三信振興株式会社社長、東急車輌製造株式会社常勤監査役などを経て、2005 年公益法人協会へ。2017 年現職。

（公財）さわやか福祉財団理事、（公財）国連大学協力会監事、（公財）伊藤忠記念財団評議員、（公財）日本労働文化財団評議員、（公財）東京都歴史文化財団評議員、（一財）広島県環境保健協会評議員、（認定特活）日本 NPO センター評議員等を兼務。

「公益法人ガバナンス・コード」関係

　　策定主体　（公財）公益法人協会（理事長　雨宮孝子）
　　検討協力　公益法人協会内専門委員会
　　　　　　　・公益法人法制委員会
　　　　　　　　（委員長　（公財）セゾン文化財団理事長　片山正夫）
　　　　　　　・公益法人コンプライアンス委員会
　　　　　　　　（委員長　（公財）助成財団センター専務理事　田中皓）
　　協　　力　弁護士　濱口博史

「公益法人協会相談室」専門委員

　　上曽山清（室長）、星田寛、矢口英一

「公益法人ガバナンス・コード」の解説

2020 年 5 月 30 日　初版第 1 刷発行

発　行　公益財団法人　**公益法人協会**

〒113-0021　東京都文京区本駒込2丁目27番15号
TEL　03-3945-1017（代表）
03-6824-9875（出版）
©2020　　　　　　　　FAX　03-3945-1267
Printed in Japan　　　URL　http://www.kohokyo.or.jp

印刷・製本　三美印刷株式会社

ISBN978-4-906173-92-1

さぁ、うちの法人も、
ガバナンス・コードを作ろう!!

そんな素晴らしい取り組みを応援します!!
―(公財)公益法人協会「相談室」のご案内―

　「ガバナンス・コード」は、モデルをそのまま引き写すのではあまり意味がありません。

　本書をもとに、ご自身の定款や規程、それらの運用の状況等の実態を振り返り、法人の運営を担われる皆さまご自身が、前向きに、真摯に、あくまでも法人の任意の判断でコードづくりに取り組まれることが何よりも重要です。

　相談室は、「ガバナンス・コード」の策定に踏み出される皆さまを応援します。法人の実情をお伺いしながら、具体的に、また丁寧にアドバイスさせていただきます。

本書にかかわるご質問、ピンポイントなご照会等は……
■電話相談（無料）
03−6824−9871
　受付時間　平日　午前10時〜11時30分・午後1時〜3時30分

いよいよじっくり相談したい時は……
■面接相談（事前予約制、東京相談室のみ）
03−6824−9872
　受付時間　平日　午前10時〜午後5時
　※会員は無料、非会員は初回のみ無料

　もちろん、「ガバナンス・コード」の策定にとどまらず、自主・自律的な法人運営のために、ぜひ相談室をご活用ください!
　運営、会計・税務、資産運用等、幅広くご相談をお受けしております。

民間公益活動推進センター
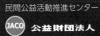 公益財団法人　公益法人協会
〒113-0021　東京都文京区本駒込2丁目27番15号
代表　TEL(03)3945-1017　FAX(03)3945-1267　http://www.kohokyo.or.jp

Memo

Memo